PRIVATE LONDRES

DU MÊME AUTEUR
AUX ÉDITIONS DE L'ARCHIPEL

Œil pour œil, 2012.
Private Los Angeles, 2011.
Bons baisers du tueur, 2011.
Une ombre sur la ville, 2010.
Dernière escale, 2010.
Rendez-vous chez Tiffany, 2010.
On t'aura prévenue, 2009.
Une nuit de trop, 2009.
Crise d'otages, 2008.
Promesse de sang, 2008.
Garde rapprochée, 2007.
Lune de miel, 2006.
L'amour ne meurt jamais, 2006.
La Maison au bord du lac, 2005.
Pour toi, Nicolas, 2004.
La Dernière Prophétie, 2001.

AUX ÉDITIONS LATTÈS

Le Neuvième Jugement, 2011.
En votre honneur, 2011.
La Huitième Confession, 2010.
La Lame du boucher, 2010.
Le Septième Ciel, 2009.
Bikini, 2009.
La Sixième Cible, 2008.
Des nouvelles de Mary, 2008.
Le Cinquième Ange de la mort, 2007.
Sur le pont du loup, 2007.
Quatre fers au feu, 2006.
Grand méchant loup, 2006.
Quatre souris vertes, 2005.
Terreur au troisième degré, 2005.
Deuxième chance, 2004.
Noires sont les violettes, 2004.
Beach House, 2003.
Premier à mourir, 2003.
Rouges sont les roses, 2002.
Le Jeu du furet, 2001.
Souffle le vent, 2000.
Au chat et à la souris, 1999.
La Diabolique, 1998.
Jack et Jill, 1997.

(Suite en fin de volume)

29.95$ RB

JUIL '12

JAMES PATTERSON
& MARK SULLIVAN

PRIVATE
LONDRES

traduit de l'américain
par Danièle Momont

l'Archipel

Ce livre a été publié sous le titre
Private Games
par Little, Brown and Company, New York, 2012.

www.editionsarchipel.com

Si vous souhaitez recevoir notre catalogue
et être tenu au courant de nos publications,
envoyez vos nom et adresse, en citant
ce livre, aux Éditions de l'Archipel,
34, rue des Bourdonnais 75001 Paris.
Et, pour le Canada,
à Édipresse Inc., 945, avenue Beaumont,
Montréal, Québec, H3N 1W3.

ISBN 978-2-8098-0654-0

À Connor et Bridger,
qui poursuivent le rêve olympique.

« Il est impossible à l'âme humaine
de percer les intentions des dieux. »
Pindare

« Alors, plein de colère, l'Olympien
fit gronder le tonnerre et jaillir la foudre;
la Grèce en demeura désemparée. »
Aristophane

Prologue

Je vous assure qu'il existe ici-bas des hommes et des femmes de race supérieure.

Je ne plaisante pas. Jésus-Christ, par exemple, appartenait à ces surhommes, au même titre que Martin Luther King ou Gandhi. Jules César était aussi l'un d'eux. Ainsi que Gengis Khan, Thomas Jefferson, Abraham Lincoln et Adolf Hitler.

Je pense également aux scientifiques : Aristote, Galilée, Albert Einstein. Robert Oppenheimer, le père de la bombe atomique. J'ajoute encore plusieurs artistes, tels Léonard de Vinci, Michel-Ange et Vincent Van Gogh, mon préféré, que sa suprématie sur le commun des mortels a fini par rendre fou. Mais je songe par-dessus tout aux athlètes d'exception : Jim Thorpe, Mildred Didrikson Zaharias, Jesse Owens. Et puis Larissa Latynina. Mohamed Ali. Mark Spitz et Jackie Joyner-Kersee.

Je m'inclus en toute humilité parmi ces êtres fabuleux – et vous n'allez pas tarder à constater que je le mérite amplement.

Les gens de mon espèce sont nés pour accomplir de grandes actions. Chaque jour, nous brûlons d'affronter de nouvelles épreuves. Nous rêvons de conquêtes. Nous souhaitons franchir toutes les limites – spirituelles, politiques, artistiques, scientifiques et physiques. Nous sommes prêts à relever tous les défis, à consentir tous les sacrifices avec la ferveur des martyrs.

En cet instant précis, je savoure mon triomphe au beau milieu du jardin de sir Denton Marshall.

Regardez-le, ce vieux fumier corrompu, à genoux devant moi. Il me tourne le dos, tandis que la lame de mon couteau lui caresse la gorge.

Il tremble comme une feuille. Vous la sentez l'odeur de la peur? Il l'exhale par tous les pores de sa peau. L'air est saturé de cette pestilence, comme après l'explosion d'une bombe.

— Pourquoi? halète-t-il.

— Tu m'as mis très en colère, ordure!

La fureur embrase ma cervelle, elle se diffuse dans chacune de mes cellules.

— Tu as détruit les Jeux. Par ta faute, ils ne sont plus qu'une parodie. Une monstruosité.

— Quoi? hurle-t-il, éperdu d'angoisse. Mais de quoi parlez-vous?

Trois phrases me suffisent à le réduire en miettes. La peau de sa nuque blêmit, on voit battre douloureusement le sang à sa carotide, l'artère est violacée.

— Non, bafouille-t-il. Ce… ce n'est pas vrai. Vous ne pouvez pas faire une chose pareille. Vous êtes devenu complètement fou.

— Fou? Moi? Bien au contraire. Je suis l'homme le plus sensé du monde.

— Je vous en prie, gémit-il, le visage baigné de larmes. Épargnez-moi, je vous en supplie. Je dois me marier à Noël.

Je laisse échapper un petit rire caustique, plus mordant que l'acide.

— Dans une autre vie, Denton, j'ai dévoré mes propres enfants. Alors ne compte ni sur moi ni sur mes sœurs pour te prendre en pitié.

On dirait que le sol s'ouvre sous lui. Il sombre dans l'effroi. Pendant ce temps, je dresse la tête en direction du ciel étoilé. Des tempêtes se lèvent à l'intérieur de mon cerveau. J'appartiens bel et bien à une race supérieure, et c'est une énergie millénaire qui porte mes pas.

— Au nom de tous les Olympiens, j'affirme que cet acte de sacrifice marquera la fin des Jeux de l'ère moderne.

Ayant prononcé ces paroles sacrées, je renverse en arrière la nuque du vieil homme. Ses reins se cambrent.

Avant qu'il ait eu le temps de crier, je lui tranche la gorge avec une telle vigueur que sa tête se détache du reste de son corps.

I
Les Furies

1

Il régnait sur Londres une chaleur épouvantable. La chemise et la veste de Peter Knight étaient trempées de sueur. Il courait en direction du nord, sur Chesham Street. Après être passé devant l'hôtel Diplomat, il fonça vers Lyall Mews, au cœur de Belgravia, l'un des quartiers les plus huppés de la planète.

Faites que ce ne soit pas vrai! hurla Peter en silence. *Je Vous en prie, mon Dieu, faites que ce ne soit pas vrai.*

Une meute de journalistes se trouvait massée le long d'un ruban jaune déroulé plus tôt par la police afin d'interdire l'accès à une vaste demeure aux tons crème. Knight se figea, tout près de vomir le bacon et les œufs qu'il avait avalés au petit-déjeuner.

Qu'allait-il bien pouvoir dire à Amanda?

Mille et une pensées l'assaillirent. Et cette maudite nausée qui ne le lâchait pas. La sonnerie de son téléphone portable retentit. Il l'extirpa prestement de sa poche et décrocha sans prendre le temps de vérifier l'identité de son correspondant.

— Knight à l'appareil, parvint-il à articuler. C'est toi, Jack?

— Non, Peter. Ici, Nancy. Isabel est souffrante.

— Quoi? Ce n'est pas possible. J'ai quitté la maison il y a moins d'une heure.

— Elle a de la fièvre, expliqua la nourrice. Je viens de prendre sa température.

— Combien?

— 38. Et elle a mal au ventre.

— Et Lukey?

— Il se sent bien, mais…

— Faites-leur prendre un bain froid, puis rappelez-moi si la température d'Isabel atteint 38,5.

Sur quoi, il raccrocha en ravalant la bile qui lui brûlait le fond de la gorge.

Peter Knight était un homme d'environ un mètre quatre-vingts. Mince, le visage avenant, les cheveux châtain clair, il avait naguère occupé le poste d'enquêteur spécial à Old Bailey, la Haute Cour criminelle. Mais, deux ans plus tôt, il avait démissionné pour rejoindre la filiale anglaise de Private International. Cette agence de détectives, surnommée l'agence Pinkerton du xxie siècle, possédait des bureaux dans les principales villes du monde, où officiait la fine fleur des experts médico-légaux, des spécialistes de la sécurité et des investigateurs comme Knight.

Ne mélange pas tout, s'exhorta-t-il. *Reste professionnel.* En vain. Il avait déjà trop souffert depuis quelque temps, perdu trop d'êtres chers. La semaine précédente, Dan Carter, son supérieur hiérarchique, avait péri avec trois de ses collègues dans un accident d'avion au-dessus de la mer du Nord; l'enquête était toujours en cours. Knight parviendrait-il à surmonter un autre deuil?

Il finit par chasser cette question de son esprit, ainsi que la fièvre de sa fille, qui pourtant l'inquiétait. Il se dirigea droit sur le barrage policier. Fendant la foule rassemblée sur Fleet Street, il ne tarda pas à repérer Billy Casper, un inspecteur de Scotland Yard qu'il côtoyait depuis quinze ans.

C'était un garçon trapu au visage marqué de cicatrices d'acné. À peine eut-il aperçu Knight qu'il fronça les sourcils.

— Private n'a rien à faire ici, fit-il.

— Si la victime est bien sir Denton Marshall, alors Private a sa place sur la scène de crime, répliqua sèchement le détective. Quant à moi, je suis venu à titre personnel. S'agit-il de sir Denton?

Casper ne réagit pas.

— C'est lui?

L'inspecteur finit par acquiescer à contrecœur.

— Quels sont vos rapports et ceux de l'agence avec cette affaire? demanda-t-il d'un ton suspicieux.

Knight ne bougeait plus, assommé par la nouvelle. Qu'allait-il bien pouvoir dire à Amanda? Puis il s'ébroua pour tenter de repousser sa détresse.

— Le Comité d'organisation des jeux Olympiques de Londres – autrement dit le Locog – compte parmi les clients de Private, exposa-t-il. Par la force des choses, il en allait de même pour sir Denton.

— Et vous? s'enquit Casper. Vous m'avez parlé d'implication personnelle. Était-il l'un de vos amis?

— Plus que cela : c'était le fiancé de ma mère.

L'expression de Casper se radoucit un peu. Il se mordit la lèvre inférieure, vaguement gêné.

— Je vais voir si je peux vous laisser entrer. Elaine tiendra sans doute à s'entretenir avec vous.

Knight se sentit agressé par des forces invisibles qui, de toute évidence, avaient entrepris de se liguer contre lui.

— Elaine est chargée de cette affaire? balbutia-t-il, pris d'une soudaine envie d'écraser son poing sur quelque chose ou quelqu'un pour évacuer la tension. Vous plaisantez?

— Je suis tout ce qu'il y a de plus sérieux, Peter. Petit veinard.

2

L'inspectrice en chef Elaine Pottersfield appartenait à l'élite de la police londonienne, dans les rangs de laquelle elle servait depuis vingt ans. Son assurance et son caractère ombrageux faisaient des miracles. Au cours des deux années précédentes, elle avait résolu plus de meurtres qu'aucun de ses collègues de Scotland Yard. Elle était aussi la seule, dans l'entourage de Knight, à mépriser ouvertement le détective.

Âgée d'une quarantaine d'années, séduisante, elle possédait de grands yeux ronds, un profil aquilin et une chevelure argentée cascadant sur ses épaules. Lorsque Knight pénétra dans la cuisine de sir Denton Marshall, Pottersfield lui jeta un regard acéré – elle semblait prête à mordre.

— Peter, lâcha-t-elle, glaciale.

— Elaine.

— Je n'apprécie guère votre présence sur la scène de crime.

— Je m'en doute, répliqua le détective en s'efforçant de maîtriser le torrent d'émotions qui déferlait sur lui – ses rencontres avec l'inspectrice lui mettaient toujours les nerfs à vif. Mais, puisque je suis là, peut-être pouvez-vous me transmettre quelques informations?

Pottersfield demeura silencieuse un long moment.

— La bonne l'a découvert il y a une heure dans le jardin, dit-elle enfin. Du moins ce qu'il reste de lui.

Des souvenirs affluèrent à la mémoire de Knight. Il revoyait en pensée l'homme cultivé et plein d'humour qu'il avait appris à connaître et admirer durant ces deux dernières années. Ses jambes flageolèrent, au point qu'il dut s'appuyer un instant contre le plan de travail pour ne pas tomber.

— Comment ça, « ce qu'il reste de lui » ?

L'inspectrice eut un geste las en direction de la porte-fenêtre. Le détective n'avait aucune envie de se rendre au jardin. Il souhaitait se rappeler sir Denton tel qu'il l'avait vu pour la dernière fois, deux semaines plus tôt. Sir Denton et ses grands éclats de rire contagieux.

— Ne vous forcez pas, lui dit Pottersfield, étonnamment compatissante. Casper vient de m'expliquer que votre mère était fiancée avec la victime. Depuis quand ?

— Depuis le nouvel an.

Knight avala sa salive et poursuivit.

— Ils avaient prévu de se marier à Noël, ajouta-t-il avec amertume. Encore une tragédie. Précisément ce dont j'avais besoin en ce moment…

Sur le visage de Pottersfield se peignirent de la colère et du chagrin. Comme le détective passait à côté d'elle pour sortir, elle baissa les yeux et fixa le sol.

La température extérieure ne cessait de grimper. L'air était immobile, empuanti par l'odeur de la mort. Sur les dalles de la terrasse, le sang de sir Denton avait coulé en abondance avant de coaguler autour de son cadavre privé de tête.

— Le légiste pense qu'on a utilisé une longue lame courbe, indiqua Pottersfield.

Knight luttait de nouveau contre la nausée. Dans le même temps, il balayait les lieux du regard, il les photographiait mentalement, en bon professionnel, manière d'établir un peu de distance entre l'horreur et lui. Sans quoi, il ne parviendrait jamais à surmonter l'épreuve.

— Si vous observez la scène de plus près, reprit l'inspectrice, vous remarquerez qu'on s'est servi du tuyau d'arrosage. Je suppose que l'assassin tenait à effacer ses traces de pas.

Knight hocha la tête et, par un suprême effort de volonté, détourna les yeux de la victime pour se concentrer sur le jardin. Les techniciens de la police scientifique recueillaient des indices parmi les parterres de fleurs, tandis qu'un photographe de l'identité judiciaire prenait des clichés non loin du mur du fond.

L'enquêteur s'approcha de lui. Qu'était-il donc en train d'immortaliser? Il s'agissait d'une antiquité grecque, l'une des œuvres d'art favorites de sir Denton : une statue en calcaire, décapitée. Elle figurait un sénateur athénien, serrant un livre dans une main, l'autre posée sur le pommeau d'une épée.

On avait disposé la tête de la victime entre les épaules de la sculpture. Le visage était bouffi, les traits affaissés. La bouche se tordait, comme prête à cracher. Dans les yeux ouverts, déjà ternis, Knight crut lire une immense solitude.

Il faillit s'effondrer. Mais bientôt la rage l'emporta sur l'affliction. Quel monstre était capable d'une telle atrocité? Et pourquoi? Quel terrible motif avait poussé cet individu à mutiler sir Denton Marshall? Un homme si généreux. Il était…

— Vous n'avez pas tout vu, Peter, lui souffla Pottersfield. Regardez la pelouse, devant la statue.

Le détective serra les poings et quitta la terrasse. Le frou-frou du gazon contre ses surchaussures en polyéthylène l'irrita à l'égal du crissement d'un ongle sur un tableau noir. Tout à coup, il s'immobilisa.

Cinq anneaux entrelacés, symbole des jeux Olympiques, avaient été tracés sur l'herbe au moyen d'une bombe de peinture.

Une immense lettre de sang, un X, barrait le dessin.

3

Où les monstres déposent-ils le plus volontiers leurs œufs? Dans quel genre de nid ces derniers patientent-ils jusqu'à l'éclosion? De quels vermisseaux empoisonnés nourrit-on ensuite les petits afin qu'ils atteignent l'âge adulte?

Ces questions, je me les pose régulièrement lorsque la migraine déclenche ses violents orages sous mon crâne.

Mais vous, qui êtes en train de me lire, devez vous en poser également. Sans doute vous demandez-vous par exemple qui je suis.

Mon véritable nom importe peu. Néanmoins, dans le cadre de ce récit, je vous autorise à m'appeler Cronos. Cronos, le roi des Titans de la mythologie grecque. Cronos, l'« avaleur » d'univers.

Est-ce que je me prends pour un dieu?

Ne soyez pas ridicules, voyons. L'arrogance finit par attirer le mauvais œil. L'orgueil est une insulte faite aux divinités. Jamais je ne me suis rendu coupable d'un tel péché.

Il n'en reste pas moins que je compte parmi ces êtres rares qu'on ne voit surgir à la surface du globe que toutes les deux ou trois générations. Comment expliquer, sinon, que bien avant le déferlement des tempêtes au cœur de mon cerveau la haine ait représenté mon souvenir le plus vif, et l'envie de meurtre mon tout premier désir?

C'est au cours de ma deuxième année d'existence que j'ai pris conscience de cette exécration à l'intérieur de mon âme – nous étions, elle et moi, pareils à des esprits jumeaux enfermés dans un unique petit corps. J'étais une créature singulière, ivre de dégoût, mais une créature qu'on avait délaissée dans un coin, fourrée au fond d'un carton rempli de vieilles loques.

Puis, un jour, l'instinct m'a poussé à ramper hors du carton. Dès lors, enfin rendu à la liberté, j'ai compris que je me situais au-delà de la colère : on m'avait livré à moi-même, on me laissait mourir de soif et de faim pendant des jours, j'étais nu, j'avais froid, je ne recevais pour ainsi dire jamais de visite. On me donnait très rarement le bain. Les monstres qui m'entouraient ne me prenaient qu'exceptionnellement dans leurs bras. Je me faisais l'effet d'un extraterrestre atterri là par hasard parmi eux. C'est à ce moment que ma première pensée s'est formée : *je voudrais les tuer tous.*

Il m'a fallu encore beaucoup de temps pour évaluer plus précisément la situation : mes parents étaient des drogués, incapables de veiller sur l'être prodigieux qu'ils avaient enfanté.

J'avais quatre ans, et je venais de planter un couteau de cuisine dans la cuisse de ma mère, lorsqu'une femme est apparue dans notre taudis, résolue à m'éloigner pour toujours de mes géniteurs. Elle m'a placé dans une institution où je me suis vu contraint de côtoyer d'autres petits monstres abandonnés comme moi, comme moi pleins de fureur et de méfiance.

Je n'ai pas tardé à percevoir que j'étais le plus intelligent, le plus fort et le plus perspicace d'entre eux. À neuf ans, j'ignorais certes ce que j'étais au juste, mais je me devinais constitué d'un matériau différent. J'étais d'une essence supérieure. Je me savais capable de manipuler, d'asservir ou de massacrer chacun des monstres qui se dresseraient sur ma route.

En se déchaînant bientôt dans ma tête, les tempêtes n'ont fait que me confirmer ces pressentiments.

J'avais dix ans quand elles se sont mises à déferler sur moi. Ce jour-là, mon père adoptif, que tous appelaient le pasteur Bob, donnait le fouet à l'un des petits monstres dont il avait la charge. Les cris de l'enfant me sont rapidement devenus insupportables. Ils me privaient de toute énergie. Ils torturaient mes nerfs. Je me suis donc enfui de la maison. J'ai escaladé la clôture du jardin pour me perdre dans les rues les plus sordides de Londres, jusqu'à trouver refuge dans le silence d'une bâtisse à l'abandon.

Mais deux monstres y avaient déjà pris leurs quartiers, deux adolescents appartenant à un gang de rue. Ils venaient manifestement de se droguer. Ils m'ont aussitôt reproché d'empiéter sur leur territoire.

J'ai pris mes jambes à mon cou. En vain. L'un d'eux a lancé une pierre dans ma direction, qui a heurté ma mâchoire. Commotionné, je suis tombé. Les deux garçons ont éclaté de rire. Ils redoublaient de fureur. Ils m'ont jeté d'autres pierres ; je m'en suis tiré avec plusieurs côtes brisées.

Enfin, j'ai éprouvé un choc violent au-dessus de l'oreille gauche. Mille couleurs ont explosé à l'intérieur de ma tête, semblables à mille éclairs déchirant un ciel d'été.

4

Submergé par l'impuissance, Peter Knight laissait errer son regard du symbole olympique barré de sa croix sanglante à la tête du défunt fiancé de sa mère.

Elaine Pottersfield vint se placer à sa hauteur.

— Parlez-moi de sir Denton, lui demanda-t-elle à voix basse.

Le détective tâcha de ravaler son chagrin.

— Denton était un homme épatant. Il dirigeait un fonds spéculatif. Il gagnait énormément d'argent, mais il en distribuait aussi beaucoup. En outre, il jouait un rôle capital au sein du Comité d'organisation des JO de Londres. Nombreux sont ceux qui estiment que, sans les efforts qu'il a su déployer, nous n'aurions jamais réussi à battre Paris. Et puis c'était un homme d'une grande simplicité. Qui rendait ma mère follement heureuse.

— Je n'aurais jamais cru la chose possible, observa l'inspectrice.

— Moi non plus. Amanda pas davantage. Mais un miracle s'était produit. Jusqu'à présent, je n'imaginais pas que Denton Marshall puisse avoir un seul ennemi au monde.

Pottersfield désigna du doigt les cinq anneaux entrelacés.

— Le drame est sans doute en rapport avec ses activités dans le Comité d'organisation.

Knight fixa de nouveau la tête de Denton Marshall, puis revint au corps sans vie.

— Peut-être, répondit-il enfin. À moins qu'il s'agisse d'une mise en scène destinée à brouiller les pistes. Il faut éprouver une formidable colère pour décapiter quelqu'un. Dans ce cas, le mobile pourrait être d'ordre personnel.

— Une vengeance?

L'enquêteur haussa les épaules.

— Ou un acte politique. Ou l'œuvre d'un fou. Je n'en sais rien.

— Pouvez-vous me dire où votre mère se trouvait hier soir, entre 23 heures et minuit et demi?

Pottersfield avait retrouvé son ton cassant. Knight la dévisagea comme s'il avait affaire à une attardée mentale.

— Amanda aimait Denton.

— Une déception amoureuse provoque parfois des gestes irréparables.

— Il n'est pas question de déception amoureuse, rétorqua le détective avec humeur. J'aurais été au courant. Et puis, vous avez vu ma mère. Elle mesure un mètre soixante pour à peine cinquante kilos. Denton en pesait le double. Jamais elle n'aurait eu la force physique, ni mentale, de lui couper la tête. Et surtout, elle n'avait aucune raison de commettre une pareille horreur.

— Vous êtes donc en train de me dire que vous savez où elle se trouvait hier soir?

— Je me renseigne et je vous rappelle. Mais d'abord, il faut que je lui annonce la nouvelle.

— Je peux m'en charger, si vous le souhaitez.

— Non, je vous remercie.

Knight scruta une dernière fois la tête coupée de sir Denton. Il se concentra sur le rictus qui lui déformait la bouche – il semblait en effet tout prêt à cracher quelque chose.

L'enquêteur fit surgir de sa poche une lampe stylo, avant de s'avancer jusqu'au symbole olympique, pour en braquer le faisceau sur les lèvres entrouvertes de la victime. Un objet se mit à luire. Knight plongea de nouveau la main dans sa poche. Cette fois, il en tira une pince, dont il ne se séparait jamais.

Évitant le regard terni du défunt, il entreprit de l'introduire dans sa bouche.

— Arrêtez, Peter, intervint Pottersfield. Vous…

Mais, déjà, le détective se tournait vers elle et lui présentait le petit disque de bronze qu'il venait d'extraire – une pièce de monnaie ancienne.

— Autre hypothèse, déclara-t-il, l'argent.

5

J'ai repris conscience, plusieurs jours après l'agression, dans une chambre d'hôpital. Je souffrais d'une fracture du crâne et mon passage entre les mains des médecins m'a laissé la désagréable impression d'être devenu plus différent encore que je ne l'étais auparavant.

Je me souvenais en détail des événements qui m'avaient conduit là, et les traits de mes persécuteurs étaient gravés dans ma mémoire. Pourtant, lorsque la police m'a interrogé sur ce qui s'était passé, j'ai répondu que je n'en avais pas la moindre idée. J'ai dit aux agents que je me rappelais être entré dans le bâtiment, mais qu'ensuite c'était le noir complet. Ils ont rapidement cessé de me poser des questions.

Je me rétablissais lentement. Une cicatrice affectant la silhouette d'un crabe se dessinait sur la peau de mon crâne. Elle a fini par disparaître sous mes cheveux, qui repoussaient petit à petit. Dans le même temps, un rêve s'est forgé dans mon esprit, dont j'ai fait mon unique obsession.

Au bout de deux semaines, on m'a renvoyé dans la maison du pasteur Bob et des petits monstres. Ils avaient beau ne guère se soucier de moi, même eux ont remarqué le changement qui s'était opéré. L'enfant sauvage de naguère avait cédé la place à un garçon souriant, prétendument heureux de vivre. Je me révélais un écolier modèle et multipliais les activités sportives : je développais mon corps.

Le pasteur Bob était persuadé que j'avais rencontré Dieu.

Mais à vous, je peux bien l'avouer : c'était la haine qui guidait mes pas. Je caressais ma cicatrice en concentrant cette aversion (ma plus fidèle alliée) sur ce que je désirais posséder ou voir se produire. Je puisais ma force au fond de mon cœur noir. Si je passais, aux yeux de tous, pour un adolescent joyeux, aux entreprises couronnées de succès, je n'oubliais rien de l'agression ni des orages qu'elle avait engendrés sous mon crâne.

À quatorze ans, je me suis lancé en secret sur la trace de mes deux bourreaux. Je les ai retrouvés. Ils vendaient de petits sachets de méthamphétamine à quelques pâtés de maisons du domicile du pasteur Bob et des petits monstres.

Je les ai surveillés durant près de vingt-quatre mois. À seize ans, je me suis enfin senti assez grand et assez fort pour passer à l'action.

Avant que Jésus en fasse l'un de Ses messagers, le pasteur Bob avait travaillé dans la métallurgie. J'ai profité de l'aubaine : j'ai emprunté l'un de ses gros marteaux, ainsi que son bleu de travail usagé, puis j'ai filé en cachette au beau milieu de la nuit.

Vêtu de la salopette, le marteau pesant au fond d'un cartable ramassé en chemin dans une poubelle, j'ai rendu visite à mes agresseurs. En six ans, ils avaient ingurgité d'impressionnantes quantités de drogue, qui les laissaient chaque jour plus hébétés. Quant à moi, je m'étais métamorphosé. Autant dire qu'à leurs yeux j'étais méconnaissable.

Il m'a suffi de leur promettre de l'argent pour les attirer dans un terrain vague. Là, armé de mon marteau, j'ai consciencieusement réduit leurs deux cervelles en une bouillie sanglante.

6

Peu après que l'inspectrice en chef Pottersfield eut ordonné qu'on emporte le corps de sir Denton, Knight quitta le jardin, puis le manoir, submergé par l'effroi.

Il se glissa sous le ruban jaune tendu par la police pour délimiter la scène de crime, évita soigneusement les journalistes et s'éloigna en se demandant comment diable il allait annoncer à sa mère l'épouvantable nouvelle. En tout cas, il devait agir vite, avant qu'Amanda apprenne la tragédie de la bouche de quelqu'un d'autre. Il tenait à se trouver près d'elle lorsqu'elle comprendrait que son bonheur venait de voler en éclats.

— Knight ? l'interpella une voix masculine. C'est bien vous ?

Le détective tourna la tête pour découvrir, se ruant vers lui, un grand type athlétique d'environ quarante-cinq ans, vêtu d'un élégant costume italien. Sous son épaisse chevelure poivre et sel, l'angoisse déformait les traits de son large visage rubicond.

Knight avait croisé Michael Lancer dans les bureaux londoniens de Private à deux reprises au cours des dix-huit derniers mois, depuis que l'agence avait été recrutée pour assurer, parmi d'autres, la sécurité du public et des athlètes lors des jeux Olympiques.

Double champion du monde de décathlon dans les années 1980 et 1990, Lancer avait servi dans le régiment des Coldstream Guards et appartenu aux gardes de la reine – c'est ainsi qu'il avait pu s'entraîner à temps plein. Lors des jeux Olympiques de Barcelone, en 1992, il avait terminé en tête des épreuves à l'issue du premier jour de compétition. Le lendemain, hélas, des crampes dues à la chaleur et à l'humidité avaient eu raison de lui : il s'était finalement classé au-delà de la dixième place.

Depuis, il était devenu consultant en sécurité. C'est à ce titre qu'il avait collaboré plusieurs fois avec Private International dans le cadre d'importants contrats. En outre, il était membre du Locog – le Comité d'organisation des jeux Olympiques de Londres –, en charge des questions de sécurité.

— C'est vrai? interrogea-t-il, visiblement sous le choc. Denton est mort?

— Hélas, oui, répondit Knight.

Les yeux de l'ancien athlète se remplirent de larmes.

— Mais qui a fait ça? Et pourquoi?

— Quelqu'un qui déteste les JO, de toute évidence.

Sur quoi le détective décrivit à son confrère le macabre tableau qu'il venait de contempler.

— À quelle heure l'a-t-on assassiné? s'enquit Lancer, dévasté.

— Peu avant minuit.

Le décathlonien secoua la tête.

— Je l'ai donc vu deux petites heures avant son décès. Il était en train de quitter la soirée organisée à la Tate Gallery en compagnie de…

Il s'interrompit, coulant à Knight un regard chargé de compassion.

— En compagnie de ma mère, sans doute, termina l'enquêteur à sa place. Ils étaient fiancés.

— Oui, je savais qu'elle et vous apparteniez à la même famille. Je suis navré, Peter. Amanda est-elle au courant?

— Pas encore. Je m'apprête à lui annoncer la nouvelle.

— Je suis de tout cœur avec vous.

De la pointe du menton, Lancer désigna le barrage érigé par la police.

— Les journalistes sont déjà là? s'enquit-il.

— Il y en a même un paquet. Et leur nombre ne cesse d'augmenter.

Le décathlonien secoua tristement la tête.

— Avec tout le respect que je dois à Denton, cette histoire ne pouvait pas tomber plus mal. La veille de la cérémonie d'ouverture. La presse va se ruer sur les détails les plus sordides de l'affaire.

— Vous n'y pouvez rien, tenta de l'apaiser Knight. En revanche, vous feriez bien de renforcer la sécurité auprès de tous les membres du Comité d'organisation.

— Vous avez raison. Je vais sauter dans un taxi pour retourner au bureau. Marcus tient probablement à ce que je lui rende compte des événements de vive voix.

Marcus Morris, politicien qui s'était désisté en faveur d'un autre candidat lors des dernières élections, occupait à présent le poste de président du Locog.

— Ma mère également, ajouta le détective.

Les deux hommes empruntèrent du même pas la direction de Chesham Street, où ils espéraient repérer un taxi au plus vite.

L'un d'eux apparut soudain. Le véhicule noir se trouvait à hauteur de l'hôtel Diplomat. Au même instant, un taxi rouge arriva dans l'autre sens. Knight le héla.

Lancer, pour sa part, gesticula à l'intention de la voiture noire.

— Transmettez mes condoléances à votre mère, dit-il. Et prévenez Jack que je l'appellerai plus tard dans la journée.

L'Américain Jack Morgan était le propriétaire de Private International. Il se trouvait dans la capitale anglaise depuis que l'avion transportant quatre employés de sa filiale londonienne s'était abîmé en mer du Nord, ne laissant aucun survivant.

Lancer entreprit de traverser la rue en hâte. Le taxi rouge, lui, se rapprochait doucement.

C'est alors que Knight entendit un moteur rugir et des pneus crisser.

Le taxi noir accélérait. Il fonçait droit sur le décathlonien.

7

Peter Knight laissa parler son instinct. Il bondit dans la rue et se jeta sur Lancer pour l'écarter de la trajectoire meurtrière du taxi.

La seconde d'après, le pare-chocs se trouvait à moins d'un mètre du détective. Il eut beau se démener, il ne parvint pas à l'éviter tout à fait : une partie de l'aile et de la calandre le touchèrent au genou gauche.

Knight se retrouva projeté dans les airs. Ses épaules, son buste et une hanche heurtèrent le toit, tandis que son visage s'écrasait contre le pare-brise. Il entraperçut le chauffeur un bref instant. Un foulard. Des lunettes de soleil. Une femme ?

Le détective n'était plus qu'une poupée de chiffon. Il retomba lourdement sur le bitume. Le choc lui coupa le souffle, au point que la réalité se résuma soudain pour lui au taxi s'éloignant à pleine vitesse, à la puanteur des gaz d'échappement, ainsi qu'au sang qui lui battait les tempes.

Il ne tarda pas à reprendre ses esprits : *C'est un vrai miracle*, songea-t-il, *je n'ai rien de cassé.*

Hélas, c'était à présent la voiture rouge qui, dans un hurlement de freins, s'approchait dangereusement. Il crut sa dernière heure arrivée.

Mais le taxi réussit un formidable tête-à-queue avant de s'immobiliser. Le chauffeur, un vieux rasta coiffé d'un bonnet de laine vert et jaune d'où s'échappaient ses *dreadlocks*, ouvrit sa portière à toute volée pour bondir hors du véhicule.

— Knight! hurla Lancer en se précipitant vers lui. Ne bougez pas! Vous êtes blessé!

— Non, tout va bien, le rassura le détective d'une voix rauque. Suivez le taxi noir, Mike.

Celui-ci hésita.

— Elle s'enfuit! insista Knight.

L'athlète saisit son confrère sous les bras et le fourra tant bien que mal à l'arrière de la voiture rouge.

— Suivez ce véhicule! ordonna-t-il au chauffeur.

Knight se tenait les côtes, tâchant de reprendre son souffle. Le rasta se mit en chasse. Déjà, le taxi noir s'engageait sur Pont Street, en direction de l'ouest.

— Je vais l'avoir, mec, promit le Jamaïcain. Ce cinglé a essayé de te buter!

Le regard de Lancer allait de la route au détective.

— Vous êtes sûr que ça va?

— Je suis seulement sonné. Mais ce n'est pas après moi qu'elle en avait, Mike. C'est vous qui étiez visé.

Comme il virait brusquement sur Sloane Street à l'extrémité de Pont Street, les lumières des freins du véhicule noir s'allumèrent.

Le rasta accéléra dans son sillage, et Knight fut un moment persuadé qu'ils allaient mettre la main sur la femme qui avait failli lui ôter la vie.

Deux autres taxis noirs apparurent dans le paysage. Debout sur le frein, le Jamaïcain dut se résoudre à faire une embardée pour éviter de les heurter de plein fouet. Sur quoi il manqua d'accrocher une voiture de police, venue s'ajouter au tableau.

On s'empressa d'actionner la sirène et le gyrophare.

— C'est pas vrai! glapit Lancer.

— Toujours la même limonade! gronda le vieux rasta, furieux et déçu.

Il immobilisa son taxi.

La mine déconfite et rageuse, Knight regarda le véhicule qui venait presque de le tuer se fondre dans la circulation en direction de Hyde Park.

8

C'était le milieu de la matinée. Des flèches empennees de couleurs vives fendaient l'air déjà chaud en direction d'une rangée de cibles – elles se fichaient diversement dans le mille jaune ou les cercles concentriques rouges et bleus – disposées sur la pelouse du Lord's, le terrain de cricket proche de Regent's Park, dans le centre de Londres.

Les archers de six ou sept pays en lice achevaient leur ultime séance d'entraînement. Le tir à l'arc compterait parmi les premières épreuves disputées après l'ouverture des jeux Olympiques 2012 : la compétition par équipes aurait lieu deux jours plus tard, le matin, suivie dans l'après-midi par la remise des médailles.

Karen Pope se tenait dans les gradins, l'œil rivé à ses jumelles, les traits brouillés par la lassitude.

Elle occupait un poste de journaliste sportive au *Sun*. Le tabloïd britannique cultivait un ton agressif et provocant qui lui valait de compter plus de sept millions de lecteurs – également séduits par les seins des pin-up présentées en page 3.

Karen Pope, qui pouvait avoir une trentaine d'années, possédait un charme à la Renée Zellweger dans *Le Journal de Bridget Jones*. En revanche, elle n'avait pas la poitrine assez généreuse pour espérer figurer un jour en page 3 du quotidien qui l'employait. C'était une jeune femme tenace et dévorée d'ambition.

À son cou pendait, ce matin-là, l'un des quatorze badges de presse offrant un accès complet aux sites olympiques. Le Comité d'organisation avait limité les accréditations accordées aux reporters britanniques, car on attendait dans la capitale plus de vingt mille journalistes étrangers, chargés de couvrir l'événement sportif (qui durerait dix-sept jours). Aussi ces badges étaient-ils devenus presque aussi précieux que des médailles – pour les médias nationaux en tout cas.

Pope aurait dû, songeait-elle, se réjouir de couvrir les Jeux, mais rien à faire : pour le moment, le tir à l'arc ne l'inspirait pas le moins du monde.

Elle s'était d'abord enquise des archers sud-coréens, dont on prédisait qu'ils grimperaient sur la plus haute marche du podium, mais on l'avait informée qu'ils étaient partis avant son arrivée.

— Quelle poisse ! lâcha-t-elle avec dégoût. Finch va me tuer.

Il lui fallait dénicher à tout prix un sujet accrocheur. Mais lequel ? Et sous quel angle l'aborder ?

Le tir à l'arc rate sa cible ?

N'importe quoi.

Pour tout dire, elle ne connaissait strictement rien à cette discipline. Elle avait grandi dans une famille d'amateurs de football. Plus tôt dans la matinée, elle avait tenté de convaincre Finch de lui confier les épreuves d'athlétisme ou de gymnastique. Peine perdue. Le rédacteur en chef lui avait expliqué sans détour qu'elle débarquait tout juste de Manchester, qu'elle n'était là que depuis six semaines, qu'à ce titre elle occupait la position la plus subalterne au sein du service des sports.

— Rapporte-moi un papier du tonnerre, et je te proposerai des missions plus alléchantes.

Karen Pope s'obligea à reporter son attention sur les archers. Leur calme la frappa. Pour un peu, on les aurait crus en transe. Rien de commun avec un joueur de base-ball ou de tennis. Était-il là, son sujet ? Devait-elle découvrir d'où ces garçons tenaient leur sérénité ?

40

Ridicule, se gronda-t-elle, excédée. *Qui se soucie de la paix intérieure des sportifs quand on peut reluquer des nichons en page 3 ?*

Elle poussa un profond soupir, baissa ses jumelles et s'installa dans la tribune officielle. Elle aperçut, au fond de son sac, la liasse de courrier qu'elle avait fourrée à la hâte en quittant le bureau. Elle la parcourut. Des communiqués de presse, essentiellement. Aucun intérêt.

Une enveloppe en papier kraft attira son attention : son nom s'y trouvait imprimé en lettres capitales bleues et noires.

Pope fronça le nez, comme si elle venait de flairer une mauvaise odeur. Elle n'avait pourtant rien écrit ces temps derniers qui lui vaille la prose vindicative d'un détraqué anonyme. Surtout pas depuis qu'elle s'était installée à Londres. Tout journaliste digne de ce nom recevait des lettres de cinglés. On apprenait très vite à les reconnaître. En général, elles atterrissaient à la rédaction peu après la publication d'un article polémique.

La jeune femme déchira l'enveloppe pour en extraire une dizaine de feuillets réunis par un trombone, accompagnés d'une carte de vœux. Elle l'ouvrit. La carte était vierge, mais elle contenait une puce électronique : un étrange air de flûte s'en échappa. Karen Pope frissonna. Il lui semblait que cette mélodie lui annonçait la mort de quelqu'un.

Elle plia la carte pour lire en diagonale le premier feuillet. Il s'agissait d'une lettre à son intention. Pour la rédiger, on avait utilisé plusieurs polices typographiques, ce qui, de prime abord, la rendait difficile à déchiffrer. Mais, une fois accoutumée à cette bizarrerie, Pope la lut. La relut. La lut une troisième fois. Son cœur battait de plus en plus vite.

Lorsqu'elle découvrit le contenu des autres pages, elle faillit s'évanouir. Puis elle fouilla dans son sac, les mains tremblantes, pour en extirper son téléphone portable. Elle appela son rédacteur en chef.

— Finch, ici Pope, lança-t-elle d'une voix haletante dès qu'il eut décroché. Pouvez-vous me dire si Denton Marshall a été assassiné ?

— Quoi? Sir Denton Marshall?

— Oui, oui. Le directeur d'un fonds spéculatif. Le philanthrope. Membre du Comité d'organisation.

Tout en parlant, la jeune femme cherchait l'issue la plus proche.

— Dépêchez-vous, Finch, je tiens peut-être un truc énorme.

— Ne quitte pas, grommela celui-ci.

Karen Pope sortit du stade. Elle cherchait un taxi quand le rédacteur en chef reprit le combiné.

— La police a barré l'accès au domicile de sir Denton et la camionnette du légiste vient d'arriver sur place.

La journaliste brandit le poing en signe de victoire.

— Finch! s'écria-t-elle. Vous allez devoir trouver quelqu'un d'autre pour couvrir le tir à l'arc et les épreuves de dressage équestre. Parce que le papier que je vais vous pondre va provoquer un véritable séisme.

9

— Lancer m'a dit que vous lui aviez sauvé la vie, dit Elaine Pottersfield.

Un auxiliaire médical s'affairait autour d'un Peter Knight grimaçant, assis sur le pare-chocs d'une ambulance garée le long du trottoir de Sloane Street, à quelques mètres du taxi rouge du vieux rasta.

— C'était un simple réflexe, tempéra le détective.

Il avait mal partout, et la chaleur dégagée par l'asphalte l'incommodait.

— Vous avez pris des risques, insista l'inspectrice en chef d'un ton réprobateur.

— Vous venez de dire vous-même que je lui ai sauvé la vie, rétorqua Knight, agacé.

— Et failli perdre la vôtre. Avez-vous…

Elle s'interrompit un instant.

— Avez-vous pensé à vos enfants?

— Laissez-les en dehors de cette histoire, Elaine. Je vais bien. Le système de surveillance devrait vous permettre de glaner quelques indices.

La capitale anglaise était équipée de dix mille caméras vidéo fonctionnant vingt-quatre heures sur vingt-quatre. On avait installé la plupart d'entre elles après les attentats terroristes survenus dans le métro en 2005 – ils avaient fait cinquante-six morts et plus de sept cents blessés.

— Nous allons nous en occuper, lui assura Pottersfield. Mais les taxis noirs sont légion dans les rues de Londres. Et

43

personne n'a eu le temps de relever sa plaque. Autant dire que nous cherchons une aiguille dans une botte de foin.

— Sauf si vous concentrez vos investigations sur la rue où nous nous trouvons et l'heure approximative à laquelle les événements se sont produits. Appelez les compagnies de taxis. J'ai dû abîmer le toit du véhicule. Et la calandre.

— Vous êtes certain qu'il s'agissait d'une femme ? demanda l'inspectrice d'un ton sceptique.

— Absolument certain. Un foulard. Des lunettes de soleil. Et une sacrée rage.

Pottersfield jeta un coup d'œil en direction de Lancer, dont un agent recueillait le témoignage.

— Sir Denton et Lancer, remarqua-t-elle. Deux membres du Locog.

Knight approuva d'un hochement de tête.

— À votre place, je commencerais par fouiner du côté de celles ou ceux qui ont eu maille à partir avec le Comité d'organisation.

Mais déjà le décathlonien approchait. Il avait desserré le nœud de sa cravate et s'épongeait le front avec un mouchoir.

— Merci, dit-il au détective. Je vous dois une fière chandelle.

— Vous en auriez fait autant pour moi.

— Je vais appeler Jack et lui rapporter vos exploits.

— C'est inutile, voyons.

— J'y tiens, insista l'ancien athlète.

Il hésita quelques secondes.

— Je voudrais vous récompenser.

— Le Locog est l'un de nos clients, lui rappela Knight en secouant la tête. J'ai fait mon boulot, rien de plus.

— Non, vous… Je vous invite demain soir à la cérémonie d'ouverture.

L'enquêteur en resta sans voix. L'événement se révélait si exceptionnel que les billets d'entrée avaient acquis presque autant de valeur que les invitations au mariage du prince William et de Kate Middleton, célébré l'année précédente.

— Si je réussis à convaincre la nourrice de garder les enfants, je viendrai avec grand plaisir.

Lancer lui décocha un large sourire.

— Je vais demander à ma secrétaire de vous faire parvenir demain matin un badge et des tickets.

Sur quoi, il tapota l'épaule valide de son confrère et s'en alla rejoindre le vieux Jamaïcain, toujours aux prises avec les policiers.

— J'ai besoin de votre déposition, intervint Pottersfield.

— Je ne ferai rien avant d'avoir parlé à ma mère.

10

Vingt minutes plus tard, une voiture de police déposait Peter Knight devant la maison de sa mère, sur Milner Street, à Knightsbridge. Ayant refusé d'avaler les antalgiques proposés par les ambulanciers, le détective descendit du véhicule avec peine. Le souvenir d'une jolie femme enceinte, debout sur la lande au coucher du soleil, lui revenait en mémoire par intermittence.

Il était parvenu à chasser ce songe funeste lorsqu'il sonna. Il s'avisa en revanche de l'état déplorable de sa tenue, sale et déchirée.

Sa mère risquait de le réprimander. De même que…

C'est Gary Boss qui vint ouvrir. Gary, l'assistant personnel d'Amanda. Gary, un garçon d'une trentaine d'années, mince, impeccablement coiffé et vêtu avec goût.

En découvrant Knight, il cligna des yeux derrière ses lunettes à monture d'écaille.

— J'ignorais que vous aviez rendez-vous, Peter.

— Je suis son fils unique, lui rappela l'enquêteur. Je n'ai pas besoin de rendez-vous. En tout cas, pas aujourd'hui.

— Elle est extrêmement occupée, insista Boss. Je vous suggère…

— Denton est mort.

— Quoi?

Le jeune homme laissa échapper un petit gloussement incrédule.

— C'est impossible, voyons. Elle était avec lui hier…

— On l'a assassiné, précisa Knight. Je me trouvais à l'instant sur la scène de crime. C'est à moi de lui annoncer la nouvelle.

— Assassiné ? répéta Boss.

Il demeura un moment la bouche grande ouverte. Puis il ferma les yeux, accablé.

— Oh mon Dieu, murmura-t-il. Elle va être…

— Je sais, dit le détective en pénétrant dans la demeure. Où est-elle ?

— Dans la bibliothèque. Elle choisit des étoffes.

Knight grimaça. Sa mère avait horreur d'être dérangée quand elle examinait des échantillons de tissu. Il ne s'en dirigea pas moins vers les portes de la bibliothèque, prêt à expliquer à Amanda qu'elle était veuve pour la deuxième fois de son existence.

Knight avait trois ans lorsque son père, prénommé Harry, avait trouvé la mort dans un accident industriel, ne laissant à son épouse et à son fils qu'une prime d'assurance dérisoire. À force de courage, Amanda avait réussi à transmuer son chagrin en énergie. Puisqu'elle avait toujours aimé la mode et la couture, elle s'était servie de son pécule pour créer une entreprise de prêt-à-porter à laquelle elle avait donné son nom.

C'est ainsi qu'Amanda Designs était née, dans la cuisine familiale. Le futur détective avait rapidement compris qu'aux yeux de sa mère, la vie, comme les affaires, ne représentait rien d'autre qu'une lutte incessante, un combat de longue haleine. Et sa pugnacité avait fini par payer. Douze ans plus tard, Amanda avait fait de sa société une maison florissante et réputée. La clé de son succès ? Une insatisfaction perpétuelle et une capacité peu commune à aiguillonner ses collaborateurs afin qu'ils donnent sans cesse le meilleur d'eux-mêmes. Peu après que son fils eut quitté le Christ Church College d'Oxford, diplôme en poche, elle avait vendu son affaire contre plusieurs dizaines de millions de livres. Elle avait utilisé cette somme pour lancer quatre nouvelles lignes de prêt-à-porter.

En revanche, elle s'était consciencieusement interdit de tomber à nouveau amoureuse. Elle avait certes des amis, des amants et, du moins Knight le soupçonnait-il, des aventures d'un soir. Mais, après le décès de son mari, elle avait fermé son cœur à tout le monde.

Jusqu'à ce que Denton Marshall entre dans sa vie.

Ils s'étaient rencontrés lors d'une soirée de bienfaisance au profit de la lutte contre le cancer. Ça avait été le coup de foudre. Femme d'affaires distante et glacée, Amanda s'était, en une poignée de secondes, muée en collégienne pendue au cou de son premier flirt. Sir Denton était devenu à la fois son âme sœur et son meilleur ami. Elle goûtait auprès de lui une félicité qu'elle n'avait encore jamais connue.

Knight revit brièvement en pensée la jeune femme enceinte, frappa à la porte et entra sans attendre de réponse.

Amanda était l'élégance personnifiée. À presque soixante ans, elle possédait le port d'une danseuse et la beauté d'une star de cinéma. Une véritable reine. Debout à sa table de travail, elle examinait les échantillons de tissu disposés devant elle.

— Gary, lança-t-elle sur un ton de reproche, sans prendre la peine de relever la tête. Je vous ai dit que je ne voulais pas qu'on me...

— C'est moi, maman.

Amanda dirigea son regard gris-bleu vers son fils en fronçant les sourcils.

— Gary ne t'a pas prévenu que je...

Elle s'interrompit, troublée par l'expression de son fils. Ses traits se durcirent à leur tour.

— Je parie que tes deux petits diables sont déjà venus à bout de leur nouvelle baby-sitter.

— Non.

Knight entreprit alors de réduire méthodiquement en miettes le bonheur sans nuage de sa mère.

11

Pour parvenir à tuer des monstres, il convient en premier lieu d'apprendre à penser comme eux.

Je ne l'ai pas compris tout de suite. Il m'a fallu attendre la nuit suivant l'explosion qui m'a fendu le crâne une seconde fois, dix-neuf ans après mon agression dans la bâtisse abandonnée.

J'avais quitté Londres depuis longtemps, car les plans que j'avais ourdis pour prouver ma supériorité au monde s'y étaient trouvés contrariés.

À force de rouerie et de coups bas, les monstres avaient remporté leur guerre contre moi. C'est pourquoi, lorsque j'ai atterri dans les Balkans à la fin du printemps 1995, dans le cadre d'une mission de maintien de la paix entreprise par l'Onu, ma haine ne connaissait plus de limites. C'était un univers en expansion perpétuelle. Un puits sans fond.

Vu ce qu'on m'avait obligé à subir, je ne voulais plus entendre parler de paix.

Je n'aspirais qu'à la violence. Je n'aspirais qu'au sacrifice.

J'exigeais que le sang coule.

Peut-être ce qui s'est déroulé moins de cinq semaines après mon arrivée sur les champs de bataille de Serbie, de Croatie et de Bosnie, au cœur de cette région instable et déchirée, au beau milieu de cette poudrière, peut-il être considéré comme un coup de pouce du destin.

Nous étions en juillet. L'après-midi touchait à sa fin. Nous suivions une route poussiéreuse, à une trentaine de kilomètres de la ville assiégée de Srebrenica, dans la vallée de la Drina. J'avais pris place sur le siège passager d'un Land Cruiser Toyota banalisé. J'observais le décor à travers la vitre. On m'avait équipé d'un casque et d'un gilet pare-balles.

Plongé dans un livre consacré à la mythologie grecque, je songeais que ce paysage dévasté que nous étions en train de traverser aurait pu constituer le théâtre d'une légende sombre et torturée. Des églantines fleurissaient parmi les cadavres mutilés, victimes des atrocités des uns ou des autres.

La bombe a éclaté sans préavis.

Je ne me rappelle pas le bruit de l'explosion qui a anéanti notre chauffeur, notre véhicule et ses deux passagers. En revanche, je sens encore l'odeur de la cordite et du carburant embrasé.

De même, je me souviens de l'invisible poing qui m'a alors frappé à toute volée pour me projeter à travers le pare-brise et déclencher à l'intérieur de mon crâne un orage électrique d'une puissance phénoménale.

La nuit commençait à tomber quand je suis revenu à moi. Mes oreilles tintaient, j'ignorais où je me trouvais et la nausée m'envahissait. Je me suis d'abord cru reparti quelques années en arrière : j'avais dix ans et deux garçons venaient de m'assommer au moyen d'une pierre. Mais j'ai bientôt identifié la carcasse calcinée du Land Cruiser, ainsi que les corps de mes compagnons. À côté de moi, j'ai découvert une mitraillette Sterling et un pistolet Beretta, éjectés de notre véhicule au moment de l'explosion.

Lorsque j'ai enfin réussi à tenir sur mes jambes, j'ai ramassé les armes et me suis mis en route. L'obscurité était complète.

Je titubais. Néanmoins, j'ai parcouru plusieurs kilomètres, franchi des champs et des forêts, avant d'atteindre un village au sud-ouest de Srebrenica. En dépit du terrible vacarme qui continuait de résonner au fond de mes oreilles, j'ai perçu quelque chose. Des hommes hurlaient dans les ténèbres, quelque part devant moi.

Je me suis senti irrésistiblement attiré par ces voix rageuses. Tandis que je me dirigeais vers elles, la haine, ma fidèle amie, déployait ses ailes noires et me poussait au meurtre.

Il fallait que je tue quelqu'un.

N'importe qui.

12

Ces hommes, au nombre de sept, étaient des Bosniaques, équipés de vieux fusils à canon unique et de carabines rouillées dont ils se servaient pour pousser devant eux trois adolescentes menottées, sans ménagement, comme ils auraient mené du bétail vers un enclos.

M'ayant aperçu, l'un d'entre eux s'est mis à crier. Tous ont aussitôt braqué dans ma direction leurs armes dérisoires. Pour des motifs qui ne se sont révélés à moi que beaucoup plus tard, je n'ai pas ouvert le feu, quand pourtant j'aurais pu les exterminer tous, les Bosniaques aussi bien que leurs prisonnières.

Au lieu de quoi je leur ai dit la vérité : j'appartenais à la mission de l'Onu, le véhicule dans lequel je me trouvais avait explosé, je devais joindre ma base par téléphone. Les sept hommes, visiblement rassurés par mes explications, ont baissé leurs armes en m'autorisant à conserver les miennes.

L'un d'eux, le seul à s'exprimer en anglais, bien qu'avec difficulté, m'a proposé de les suivre jusqu'au village, où je pourrais, a-t-il précisé, téléphoner du commissariat.

Je lui ai demandé de quoi étaient accusées les jeunes filles.

— Ce sont des criminelles de guerre, des Serbes. Elles appartiennent à un escadron de la mort. Elles travaillent pour le compte de Mladić, le « boucher des Balkans ». Les gens les ont surnommées « les Furies ». Ces gamines tuent de jeunes Bosniaques. Elles en ont tué des tas. Interrogez donc la plus âgée. Elle parle anglais.

Les Furies ?... J'en avais justement entendu parler la veille, dans mon livre consacré à la mythologie grecque. J'ai accéléré le pas pour examiner les adolescentes de plus près. L'aînée m'intéressait tout particulièrement : une fille revêche, au front large, à la noire chevelure en désordre, aux yeux mornes et sombres.

Les Furies ? Il ne pouvait s'agir d'une simple coïncidence. J'étais intimement convaincu d'avoir reçu à la naissance, en manière de don, la haine qui m'habitait. De même, j'ai compris ce soir-là que le sort n'avait pas placé par hasard ces jeunes filles sur mon chemin.

Malgré la douleur qui me déchirait la cervelle, je me suis adressé à la plus âgée des trois.

— Vous êtes vraiment des criminelles de guerre ?

Elle a tourné vers moi ses yeux mornes et sombres.

— Je ne suis pas une criminelle, a-t-elle craché. Mes sœurs non plus. L'année dernière, des porcs bosniaques ont massacré mes parents, puis ils nous ont violées toutes les trois, quatre jours d'affilée. Si j'en avais la possibilité, je tuerais tous les porcs bosniaques. Je leur ferais sauter la tête. Je les liquiderais tous, si je le pouvais.

Ses sœurs avaient dû deviner le sens de ses paroles, car elles ont, à leur tour, dirigé vers moi leurs regards ternes. Le choc de l'explosion, les terribles tressaillements au plus profond de mon cerveau, les yeux inexpressifs des adolescentes, le mythe des Furies... Tout a soudain pris sens, comme les pièces d'un puzzle qu'on aurait assemblées les unes aux autres.

Une fois parvenus au commissariat, les Bosniaques ont menotté leurs prisonnières à de lourds fauteuils en bois dont on avait rivé les pieds dans le sol. Puis ils ont quitté la pièce en refermant à clé les portes derrière eux. Les lignes téléphoniques ne fonctionnaient pas. Les vieilles antennes-relais non plus. On m'a conseillé de patienter là jusqu'à ce qu'on réussisse à prévenir les autres membres de la mission à laquelle j'appartenais. Ils viendraient me chercher pour me conduire, ainsi que les jeunes Serbes, dans un endroit plus sûr.

Lorsque mon interlocuteur bosniaque est sorti de la pièce, je me suis approché de l'aînée des trois sœurs.

— Crois-tu au destin? lui ai-je demandé.

— Barrez-vous.

— Est-ce que tu crois au destin? ai-je insisté.

— Pourquoi me posez-vous cette question?

— Puisqu'on t'accuse d'être une criminelle de guerre, ton destin, c'est la mort. Si on te condamne pour le meurtre de plusieurs dizaines de garçons sans défense, on dira qu'il s'agit d'un génocide. Même si tes sœurs et toi avez été violées, on vous pendra. C'est le châtiment qu'on réserve aux gens de ton espèce.

Elle a haussé le menton avec arrogance.

— Je n'ai pas peur de mourir pour ce que nous avons fait. Nous avons liquidé des monstres. Ce n'était que justice. Nous avons rétabli l'équilibre.

Des monstres et des Furies. Une folle excitation s'emparait peu à peu de moi.

— Peut-être, mais il n'empêche que tu vas mourir. Fin de l'histoire.

J'ai marqué une courte pause avant d'enchaîner.

— À moins qu'un autre destin ne t'attende. Il se peut que tous les moments de ton existence aient convergé un par un vers cet instant précis, vers ce lieu, vers cette nuit. Vers cette seconde où ton sort et le mien entrent en résonance.

Elle me dévisageait, incrédule.

— Votre sort et le mien « entrent en résonance »? Qu'est-ce que ça veut dire?

— Ça veut dire que je vais te sortir d'ici. Et qu'ensuite je veillerai sur toi. Je vous protégerai, toi et tes sœurs. Jusqu'à mon dernier souffle. Je t'offre une chance formidable.

Elle s'est soudain raidie.

— En échange de quoi? a-t-elle sifflé.

J'ai plongé mes yeux au fond des siens. J'ai sondé son âme.

— Tu risqueras ta vie pour me venir en aide, comme je m'apprête à risquer la mienne pour vous sauver.

Elle m'a coulé un regard oblique. Puis elle s'est tournée vers ses sœurs, auxquelles elle s'est adressée en serbe. Elles ont discuté longtemps. D'âpres murmures s'échappaient de leurs bouches.

Enfin, l'aînée m'a fixé.

— Vous êtes réellement capable de nous sauver? m'a-t-elle interrogé.

Le fracas métallique, à l'intérieur de mon crâne, n'avait pas cessé. En revanche, les brumes s'étaient dissipées : je jouissais d'une lucidité sans faille. J'ai hoché positivement la tête.

— Dans ce cas, a-t-elle déclaré, allez-y. Sauvez-nous.

Mon interlocuteur bosniaque est revenu dans la pièce.

— Quelles couleuvres ces diablesses sont-elles en train de vous faire avaler? m'a-t-il lancé.

— Elles ont soif. Soyez gentil, apportez-leur un peu d'eau. Le téléphone ne fonctionne toujours pas?

— Pas pour le moment.

— Très bien.

J'ai libéré le cran de sûreté de ma mitraillette et pointé le canon en direction de l'homme, que ses comparses venaient de rejoindre. J'ai ouvert le feu. Je les ai exécutés l'un après l'autre.

II

Les Jeux sont ouverts

13

Le taxi s'immobilisa devant un immeuble de verre et d'acier, en plein cœur de la City, le quartier financier de Londres. Quand il en descendit, Peter Knight avait encore, présent à l'oreille, les sanglots de sa mère. Amanda n'avait jamais autant pleuré depuis la mort de son premier époux.

En apprenant la terrible nouvelle, elle s'était effondrée dans les bras de son fils, qui ne percevait que trop bien la profondeur de son désespoir – on lui avait poignardé l'âme. Knight, que la détresse de sa mère replongeait dans des affres qu'il avait lui-même connues, se désolait qu'Amanda eût à traverser une pareille épreuve. Il ne souhaitait cette torture mentale à personne.

Gary Boss avait fini par les rejoindre dans la bibliothèque où, face au visage dévasté de sa patronne, il avait failli fondre en larmes à son tour. Quelques minutes plus tard, le détective recevait un texto de Jack Morgan, lui enjoignant de se rendre immédiatement au siège londonien de Private : le *Sun* venait de faire appel à l'agence pour examiner la lettre expédiée à l'une de ses journalistes par un individu revendiquant le meurtre de sir Denton. Boss lui assura qu'il allait prendre soin d'Amanda.

— Mieux vaut que je reste, objecta l'enquêteur, dévoré par la culpabilité. Jack comprendra. Je vais l'appeler.

— Non ! s'écria sa mère avec violence. Je veux que tu ailles travailler, Peter. Je veux que tu t'attelles à ce que tu sais faire le mieux. Je veux que tu mettes la main sur le déséquilibré qui a assassiné Denton. Je veux que tu me le livres pieds et poings liés. Et je veux qu'on le brûle vif.

Tandis que Knight s'élevait à bord de l'ascenseur vers le sommet du gratte-ciel, il songea aux responsabilités qu'Amanda venait de lui confier par ces mots. Il sentit aussitôt l'affaire se frayer un chemin dans les méandres de sa cervelle. Bientôt, elle deviendrait son unique obsession. Il en allait toujours ainsi lorsqu'on le chargeait d'une enquête importante. Il s'en trouvait comme possédé. Celle-ci relevait en outre de la croisade personnelle. Peu importaient les événements à venir, peu importaient les obstacles qui se dresseraient sur sa route, peu importait le temps qu'il lui faudrait : il s'était juré de jeter en prison le meurtrier de Denton Marshall.

La porte de l'ascenseur s'ouvrit sur un hall à la décoration futuriste, dont les murs s'ornaient d'œuvres illustrant les grandes étapes de l'histoire de l'espionnage, de la médecine légale et de la cryptographie. Si le crash d'un avion en mer du Nord avait brusquement réduit les effectifs de la filiale anglaise de Private International, les lieux n'en grouillaient pas moins d'agents issus des quatre coins du monde : ils venaient récupérer leurs laissez-passer de sécurité pour les JO, ainsi que leurs ordres de mission.

Knight, qui fendait la foule où il reconnut plusieurs visages, passa devant une maquette du cheval de Troie, puis d'un buste de sir Francis Bacon, avant d'atteindre une paroi de verre blindé. Il fixa un scanner rétinien en effleurant de l'index un lecteur d'empreintes. L'un des panneaux vitrés coulissa. Un homme aux cheveux roux apparut, le visage semé de taches de rousseur, la mise débraillée et la barbe en bataille. Il portait un jean cargo, un maillot de l'équipe de football du West Ham United FC, ainsi que des savates noires.

— Salut, Hooligan, lança Knight avec un sourire.

— Qu'est-ce qui t'amène, Peter ?

Jeremy « Hooligan » Crawford lorgna les vêtements abîmés du détective.

— T'as baisé avec un orang-outan, ou quoi?

Après la mort de Wendy Lee dans la catastrophe aérienne, Hooligan avait pris la tête des services scientifique et technologique, ainsi que du département médico-légal de Private Londres. À un peu plus de trente ans, Crawford était un garçon caustique et farouchement indépendant – un ours d'une intelligence étonnante.

Il avait grandi à Hackney Wick, l'une des banlieues les plus défavorisées de la capitale. Bien que ses parents eussent à peine fréquenté l'école, le jeune surdoué avait quitté Cambridge à dix-neuf ans, diplômes de mathématiques et de biologie en poche. Deux ans plus tard, docteur en criminologie et en médecine légale, il avait été recruté par le MI5 à sa sortie de l'université de Staffordshire. Après huit ans de bons et loyaux services, il avait intégré l'agence Private, qui avait doublé son salaire.

Hooligan, qui aimait le football à la folie, ne manquait pas un match du West Ham United FC de Londres. La fureur qui s'emparait de lui lors des rencontres importantes lui avait valu le surnom de « Hooligan », dont il s'enorgueillissait contre toute raison.

— Je me suis battu avec le capot et le toit d'un taxi. Mais je suis toujours là, c'est l'essentiel.

Knight s'interrompit quelques instants avant d'enchaîner.

— A-t-on déjà reçu la lettre du tueur présumé?

— Elle arrive, répondit Crawford en se dirigeant vers l'ascenseur.

Le détective se retourna pour découvrir Karen Pope, la journaliste, serrant contre sa poitrine une grande enveloppe en papier kraft. Hooligan la rejoignit. La jeune femme marqua un temps d'arrêt, visiblement décontenancée par l'aspect débraillé de son interlocuteur, auquel elle tendit une main hésitante. Il la mena jusqu'à Knight et se chargea des présentations.

Pope lui manifesta aussitôt de la distance, examinant d'un air suspicieux ses vêtements sales et déchirés.

— Mon rédacteur en chef souhaite que vous agissiez au plus vite, et dans la plus grande discrétion. En d'autres termes, vous seul devrez vous occuper de cette affaire, monsieur Crawford.

— Appelez-moi Hooligan.

Au premier regard, Knight avait jugé la jeune femme rigide et revêche. Mais peut-être ne devait-il cette mauvaise impression qu'à la douleur qui l'assaillait depuis l'accident, ou au désarroi dans lequel l'avait plongé l'insondable chagrin d'Amanda.

— Je travaille sur le meurtre de Denton Marshall pour le compte de cette agence. Et pour celui de ma mère.

— Votre mère?

Le détective lui exposa les faits, mais la journaliste demeurait incrédule.

Knight perdit patience.

— Vous est-il venu à l'esprit que je connais peut-être sur cette enquête des détails que vous ignorez?

14

Piquée au vif, Karen Pope rougit, indignée.

— Rappelez-moi votre spécialité, poursuivit Knight. Les pages financières? La rubrique criminelle?

— Je m'occupe des sports, répliqua-t-elle en haussant le menton. Pourquoi cette question?

— Parce que ça confirme ce que je viens de vous dire : je connais forcément des détails que vous ignorez.

— Voyez-vous ça! railla la journaliste. Le fait est que c'est moi qui suis en possession de la lettre suspecte, monsieur Knight. Et pour être pleinement honnête, j'aimerais autant traiter avec monsieur… euh… monsieur Hooligan.

Avant que le détective ait eu le temps de répondre, une voix masculine s'éleva.

— Il serait plus judicieux de laisser Peter se charger de cette enquête, mademoiselle Pope. Il est notre meilleur élément.

Un grand Américain dégingandé, à l'allure séduisante de surfeur, tendit la main à Karen Pope.

— Jack Morgan. Enchanté. Votre rédacteur en chef m'a confié l'analyse de la lettre. J'aimerais donc être de la partie.

— Soit, lâcha la journaliste, mollement convaincue. Mais il est primordial que personne ici ne révèle le contenu de ces feuillets tant que le *Sun* ne les aura pas publiés. Nous sommes bien d'accord?

— Parfaitement, répondit Morgan en lui décochant un large sourire.

Knight admirait les manières du propriétaire de l'agence Private. Plus jeune que lui, il débordait d'enthousiasme. C'était un fonceur, un garçon intelligent et motivé, convaincu que le secret de la réussite consistait à s'entourer de collaborateurs intelligents et motivés, qu'il payait grassement. Très affecté par la mort de Carter, et celle de ses trois confrères, au-dessus de la mer du Nord, il s'était empressé de traverser l'Atlantique pour aider Peter Knight à redresser la barre de l'agence londonienne.

Hooligan proposa qu'on descende dans son laboratoire, situé à l'étage inférieur. Jack ralentit l'allure pour attendre Knight, qui traînait un peu la jambe.

— Bravo pour Lancer, le félicita-t-il. Tu lui as sauvé la vie.

— Le client est roi.

— Il se sent une telle dette envers toi qu'il m'a suggéré de t'offrir une prime.

Le détective s'abstint de tout commentaire. Depuis sa récente promotion, il n'avait pas encore été question d'augmentation de salaire.

Morgan parut s'en souvenir.

— Nous parlerons argent après les Jeux, promit-il à son subordonné.

Il le considéra d'un œil inquiet avant de poursuivre :

— Tu es sûr que ça va ?

— J'ai l'impression d'avoir disputé un match de rugby, mais à part ça, tout roule.

Hooligan les conduisit à l'autre bout de son royaume technologique, de son empire dernier cri, jusqu'à une antichambre où il demanda à ses hôtes de revêtir une combinaison jetable, munie d'une capuche.

L'opération arracha à Knight quelques gémissements, après quoi il suivit le scientifique à l'intérieur d'un sas ouvrant sur la salle blanche. Hooligan s'approcha d'un microscope électronique, trônant auprès d'un spectrographe ultramoderne. Il s'empara de l'enveloppe que lui tendait Pope, l'ouvrit pour en examiner le contenu.

— C'est vous qui avez glissé les pages dans des chemises, demanda-t-il à la jeune femme, ou ont-elles été expédiées en l'état?

La question parvint à Knight au travers d'écouteurs intégrés à la capuche de sa combinaison. Il lui sembla suivre une conversation entre deux astronautes perdus dans l'espace.

— C'est moi, expliqua la journaliste. J'ai jugé utile de les protéger.

— Excellente initiative, remarqua Hooligan, pointant sur elle l'un de ses doigts gantés avant de se tourner vers ses deux acolytes. Excellente initiative.

Le détective avait beau se méfier de Karen Pope, force lui fut d'approuver.

— Qui a touché ces feuillets avant que vous les mettiez à l'abri? demanda-t-il.

— Seulement moi. Et le tueur, je suppose. Ce tueur a d'ailleurs un nom. Il se fait appeler Cronos.

15

Un moment plus tard, le curieux air de flûte s'échappa de la carte musicale accompagnant le funeste courrier. Knight s'en trouva immédiatement excédé : il lui semblait que l'assassin se moquait d'eux. Il parcourut la lettre, ainsi que les documents joints. Après quoi il transmit l'ensemble des feuillets à Morgan.

Sans doute ce dernier se sentit-il pareillement exaspéré par la mélodie, car il s'empressa de refermer la carte pour que cesse l'air de flûte.

— Ce type est complètement givré, commenta-t-il.

— Pas tant que ça, objecta Karen Pope. Vous avez vu les preuves qu'il apporte contre Marshall et Guilder, son ancien partenaire en affaires ? Elles sont convaincantes.

— Je n'y crois pas une seconde, s'indigna le détective. Je connaissais personnellement Denton Marshall. C'était l'honnêteté incarnée. Et quand bien même ces documents seraient authentiques, ils ne justifient nullement qu'on décapite un homme. Ce gars est cinglé. Et d'une arrogance rare. Il se fiche de nous. Il prétend que nous ne réussirons pas à l'arrêter. Par-dessus le marché, il nous annonce que ce meurtre n'est que le premier d'une longue série.

Jack Morgan approuva d'un hochement de tête.

— Il faut être un monstre pour commettre un acte pareil, ajouta-t-il.

— Je vais examiner le contenu de l'enveloppe, intervint Hooligan. On trouve ce genre de puce musicale dans de nombreuses cartes de vœux ou d'anniversaire. Nous n'aurons sans doute aucun mal à en déterminer la marque et le modèle.

— Je voudrais relire la lettre, dit Knight.

Tandis que Pope et Morgan observaient le scientifique en train d'extraire d'un coup de scalpel dans le papier cartonné les composants électroniques de la carte, le détective se concentra de nouveau sur la missive du tueur. L'air de flûte s'éteignit pour de bon.

La première phrase était rédigée en étranges symboles dont Knight supposa qu'il s'agissait de grec ancien. L'inconnu avait écrit les suivantes en anglais :

> *On a dénaturé les jeux Olympiques tels qu'on les célébrait dans l'Antiquité. Les Jeux de l'ère moderne n'honorent plus ni les dieux ni les hommes. Il n'y est même plus question de concorde entre les humains. Les Jeux actuels constituent une parodie, ils ne sont qu'une attraction mise sur pied tous les quatre ans par des bateleurs de foire. Et cette déchéance, on la doit à des voleurs, des tricheurs, des meurtriers et des monstres.*
>
> *Prenons l'exemple du grand Denton Marshall et de son complice, le gros Richard Guilder. Il y a sept ans, sir Denton a bradé les Jeux, il en a piétiné les valeurs sacrées. Consultez les documents que je joins à ma lettre, tout y est : pour s'assurer qu'on attribuerait bel et bien les Jeux de 2012 à la ville de Londres, sir Denton et M. Guilder ont astucieusement délesté leurs clients d'une partie de leur patrimoine pour placer l'argent sur des comptes off-shore détenus par des sociétés écrans, elles-mêmes détenues par d'autres sociétés écrans, elles-mêmes détenues par certains membres du Comité olympique international. Paris, l'adversaire direct de la capitale londonienne dans la compétition, n'a jamais eu la moindre chance.*

Pour rétablir la pureté des Jeux, les Furies et moi esti-
mons qu'il est de notre devoir de punir sir Denton de
ses offenses en le mettant à mort. Personne ne pourra
nous arrêter, nous sommes des êtres supérieurs, nous
vous dominons de très loin. Nous sommes capables de
déceler la corruption là où vous ne voyez rien, nous
débusquons les monstres, nous les exterminons pour
l'honneur des jeux Olympiques.

Cronos

16

À la relecture de la lettre, Knight conçut plus de colère encore, et davantage d'angoisse. Vu le sort qu'il avait réservé à sir Denton, Cronos était manifestement un grand malade – doué, hélas, d'une raison redoutable. Le détective sentait ses cheveux se dresser sur sa tête.

Et puis il y avait ce maudit air de flûte, qui ne lui sortait plus de l'esprit. Quel genre de dingue était capable de dénicher une pareille mélodie? Quel dingue avait pu rédiger ces mots? Cronos était très habile : en alliant les deux, il avait réussi à produire chez ses destinataires un terrible sentiment d'effroi. La menace devenait palpable. La violence s'imposait.

À moins que Knight fût trop proche de l'enquête pour garder les idées claires?

Il alla chercher un appareil photo, afin de prendre des clichés en gros plan de la liasse de feuillets. Jack Morgan le rejoignit.

— Qu'en penses-tu, Peter?

— Je suppose que c'est l'une des Furies, comme il les appelle, qui a tenté de tuer Lancer cet après-midi. Une femme conduisait ce taxi.

— Quoi? s'écria Karen Pope. Pourquoi ne me l'avez-vous pas dit?

— Eh bien, je vous le dis. Mais n'allez pas me citer dans votre canard.

— Quelle gaffe! éructa soudain Hooligan.

Tous se tournèrent dans sa direction. Il brandissait une fine pince entre les branches de laquelle il tenait emprisonné quelque chose.

— Qu'as-tu déniché? s'enquit Morgan.

— Un cheveu, triompha le scientifique. Sur la colle de l'enveloppe.

— Vous allez récupérer son ADN, c'est ça? lança la journaliste, surexcitée. Et le comparer aux prélèvements contenus dans votre base de données?

— Je vais essayer.

— Combien de temps vous faut-il?

— L'analyse complète me prendra environ une journée.

Pope secoua vigoureusement la tête.

— C'est trop long. Mon rédacteur en chef a été catégorique: il va devoir confier le contenu de l'enveloppe à Scotland Yard avant la parution de notre prochaine édition.

— Hooligan gardera un échantillon avant de leur remettre le tout, la rassura Morgan.

Knight se dirigea vers la sortie.

— Où allez-vous? s'alarma la jeune femme.

Le détective se figea. Après quelques instants d'hésitation, il choisit de lui dire la vérité.

— Je pense que la première phrase a été rédigée en grec ancien. Je vais donc rendre une petite visite à James Daring, le type qui présente « Secrets du passé » sur le câble. Je suppose qu'il sera capable de la déchiffrer.

— Je l'ai déjà rencontré, rétorqua Pope d'un ton méprisant. Ce jacasseur prétentieux se prend pour Indiana Jones.

— Ce « jacasseur prétentieux », répliqua Hooligan, est docteur en ethnologie et en archéologie. Il a obtenu ses diplômes à Oxford. Il est aussi, excusez du peu, le conservateur du département des antiquités grecques de notre musée.

Le scientifique lorgna du côté de Knight.

— Daring déchiffrera cette phrase sans le moindre problème, Peter. Et je parie que tu auras droit, en guise de bonus, à un exposé complet sur Cronos et les Furies. Amuse-toi bien.

La jeune femme fit la moue, comme si elle venait de goûter un mets acide.

— Ensuite? demanda-t-elle.

— J'irai sans doute voir Guilder.

— L'homme d'affaires? glapit la journaliste. Je vous accompagne!

— Non, assena l'enquêteur. Je travaille en solo.

— Mais je suis votre cliente, insista Karen Pope.

Elle dévisagea Morgan.

— Laissez-moi le suivre, implora-t-elle.

L'embarras qui se peignit sur les traits de son supérieur laissa entrevoir à Knight le poids qui pesait sur les épaules du fondateur de Private. Il venait de perdre quelques-uns de ses meilleurs agents dans un accident dont les causes demeuraient inexpliquées. Et ces pointures jouaient un rôle essentiel dans la mise en place des mesures de sécurité lors des jeux Olympiques. Puis voilà que sir Denton était mort. Et que Cronos avait surgi dans le tableau.

Knight savait déjà qu'il allait le regretter, mais il se résigna.

— Pour une fois, je vais changer mes habitudes, dit-il à Jack. Elle n'a qu'à venir avec moi.

— Merci, Peter, répondit Morgan avec un sourire las. Je te revaudrai ça.

17

Été 1995, toujours. Au cœur de la nuit, quarante-huit heures après que j'ai massacré les sept Bosniaques, un homme au teint basané, au regard fuyant, dégageant une odeur d'ail et de tabac mêlés, m'a ouvert la porte d'un atelier misérable, quelque part dans une banlieue de Sarajevo ravagée par la guerre.

Il était de ces monstres qui, partout dans le monde, prospèrent à la faveur des conflits et des crises politiques. Il était de ces créatures de l'ombre à l'identité incertaine, aux opinions mouvantes.

C'était l'un de mes camarades de notre mission de maintien de la paix qui m'avait appris l'existence du faussaire – il avait eu recours à ses services parce que la jeune fille dont il était tombé amoureux avait besoin de faux papiers pour quitter le pays avec lui, au terme de l'opération menée par l'Onu.

— On était tombés d'accord hier, a rappelé le faussaire après nous avoir fait entrer, les petites Serbes et moi, avant de refermer la porte derrière nous. Six mille pour les trois. Plus mille parce que c'était une commande urgente.

J'ai acquiescé d'un signe de tête en lui tendant une enveloppe. Il a compté l'argent qu'elle contenait, puis m'a remis une enveloppe similaire dans laquelle se trouvaient les trois faux passeports – un passeport allemand, un polonais et un slovène.

Je les ai soigneusement examinés, ravi des nouvelles identités que je venais d'offrir aux adolescentes. La plus âgée se prénommait maintenant Marta. Ensuite venait Teagan. La benjamine s'appelait Petra. Un sourire de satisfaction s'est dessiné sur mes lèvres : à mon initiative, elles avaient changé de coiffure et s'étaient fait teindre les cheveux. Personne ne reconnaîtrait plus en elles les trois sœurs que les paysans bosniaques avaient naguère surnommées « les Furies ».

— Excellent travail, ai-je félicité le faussaire en empochant les papiers. Ma mitraillette ?

Nous la lui avions confiée la veille en guise de garantie lorsque j'avais passé ma commande.

— Bien sûr. Justement, j'y pensais.

Le faussaire s'est approché d'un coffre-fort, dont il a déverrouillé la porte pour en extraire l'arme. C'est alors qu'il l'a pointée sur nous.

— À genoux ! a-t-il hurlé. J'ai lu dans le journal qu'un massacre avait eu lieu dans un commissariat, non loin de Srebrenica, et que trois filles serbes étaient recherchées pour crimes de guerre. Les autorités ont promis une récompense. Une somme rondelette.

— Sale petite vermine ! ai-je rétorqué avec dédain. On t'a donné de l'argent, et toi tu nous livres aux flics…

— C'est ce qui s'appelle profiter des circonstances, a-t-il commenté, un vilain sourire aux lèvres.

Le 9 mm équipé d'un silencieux a atteint le faussaire entre les deux yeux. Il est tombé à la renverse pour s'effondrer sur son bureau, les bras en croix. Entre-temps, il avait lâché ma mitraillette. Je l'ai ramassée avant de me tourner vers Marta, dont la poche droite avait été trouée par une balle.

Pour la première fois, j'ai lu dans ses yeux autre chose que de l'apathie. Pour la première fois, j'y ai perçu cette ivresse glacée que je connaissais bien. J'avais tué pour elle. Elle venait de tuer pour moi. Nos destins se trouvaient intimement liés, mais nous partagions en outre cette liqueur de l'âme qui monte à la tête de chaque soldat d'élite au retour d'une mission victorieuse. Ensemble, nous buvions cet alcool du cœur auquel s'abreuvent les êtres supérieurs quand ils exercent leur pouvoir de vie et de mort.

En quittant la masure du faussaire, j'ai songé que plus de deux jours avaient passé depuis l'explosion de notre Land Cruiser. On traquait les Furies. Le faussaire venait de me le confirmer.

Quant au véhicule dans lequel je me trouvais, on en avait forcément découvert la carcasse brûlée. De même, on avait noté que je manquais à l'appel.

Ce qui signifiait qu'on me recherchait aussi.

On n'allait sans doute pas tarder à me mettre la main au collet.

18

À 15 h 20, ce jeudi après-midi, Karen Pope et Peter Knight gravirent les marches de granit menant au British Museum, dans le centre de Londres. Comme ils pénétraient dans la vénérable bâtisse, le détective continuait de fulminer. Il aimait travailler sans partenaire – la solitude lui offrait ici et là des plages de silence durant lesquelles il réfléchissait à l'enquête en cours.

Mais Pope avait jacassé sans s'interrompre depuis qu'ils avaient quitté ensemble les bureaux de Private, l'accablant de renseignements dont il n'avait que faire : les moments forts de sa carrière, les misères que lui avait infligées le sale type avec lequel elle était sortie à Manchester, les difficultés qu'elle rencontrait au *Sun* parce qu'elle était la seule femme du service des sports.

— Ce doit être coton, commenta mollement Knight en se demandant comment éconduire cette casse-pieds sans plonger Jack Morgan dans l'embarras.

Sur quoi il la mena jusqu'à l'employée trônant derrière le comptoir d'information, à laquelle il présenta ses papiers d'identité, lui expliquant que son agence venait d'appeler pour obtenir d'urgence un rendez-vous avec James Daring.

La réceptionniste évoqua sur un ton pincé l'emploi du temps surchargé du conservateur, dont on inaugurait la nouvelle exposition le soir même. Néanmoins, elle indiqua aux deux visiteurs la direction à suivre pour le trouver.

Knight et Pope grimpèrent à l'étage et gagnèrent l'arrière de l'édifice. Enfin, ils atteignirent une entrée voûtée au-dessus de laquelle une affiche indiquait : *Jeux Olympiques de l'Antiquité, une rétrospective.*

Deux gardiens se tenaient devant le lourd rideau pourpre tendu en travers du passage. Dans le hall, des serveurs dressaient des tables et installaient un bar en vue de la réception qu'on donnerait dans quelques heures. Le détective montra son badge à l'un des gardiens, lui indiquant qu'il souhaitait rencontrer Daring.

— M. Daring est sorti pour...

— Pour déjeuner sur le pouce, Carl, l'interrompit une voix masculine. Mais me voici. Que se passe-t-il ? Qui sont ces gens ? Il me semble pourtant avoir été très clair : personne avant 19 heures.

Knight se tourna vers la silhouette familière du conservateur, bel homme au corps robuste, vêtu d'un short kaki, de sandales et d'une chemise safari. Tandis qu'il se hâtait vers les visiteurs, sa queue-de-cheval bondissait sur ses épaules. Il tenait à la main un iPad. Son regard mobile ne perdait rien du décor ou des individus qui l'entouraient.

Le détective l'avait vu maintes fois à la télévision : son fils Luke, qui allait avoir trois ans, raffolait de « Secrets du passé » – Knight le soupçonnait de n'être guère intéressé que par la musique mélodramatique accompagnant chaque nouveau numéro de l'émission.

— Mes enfants vous adorent, lança-t-il en lui tendant la main. Je suis Peter Knight, Private International. Mon agence a dû vous appeler.

— Karen Pope, s'immisça la journaliste. Je travaille pour le *Sun.*

Daring lorgna dans sa direction.

— J'ai déjà proposé à l'un des reporters du *Sun* de visiter notre exposition en compagnie des autres invités, dit-il. À partir de 19 heures. Que puis-je faire pour votre agence, monsieur Knight ?

— Mlle Pope et moi enquêtons ensemble, précisa ce dernier. Sir Denton Marshall vient d'être assassiné.

Le conservateur blêmit. Il cligna plusieurs fois des yeux avant d'ouvrir enfin la bouche.

— Assassiné? Oh mon Dieu, quelle tragédie! Il...

Daring eut un geste vers la tenture masquant l'entrée de l'exposition.

— Sans le soutien financier de Denton, nous n'aurions jamais pu mettre sur pied cette manifestation. C'était un homme charmant et d'une grande générosité.

Des larmes lui brouillèrent la vue. L'une d'elles glissa le long de sa joue.

— Je comptais le remercier officiellement ce soir, lors de la réception. Et... Mais que lui est-il arrivé au juste? Qui l'a tué? Et pourquoi?

— Il se fait appeler Cronos, exposa Karen Pope. Il m'a envoyé une lettre, dont une partie est rédigée en grec ancien. Nous sommes ici dans l'espoir que vous parviendrez à nous la traduire.

Le conservateur consulta sa montre, puis hocha la tête.

— Je peux vous accorder quinze minutes. Je suis navré, mais...

— Le vernissage, termina la journaliste. Nous comprenons. Un quart d'heure, ce sera parfait.

— Dans ce cas, suivez-moi.

James Daring entraîna les deux enquêteurs dans la salle d'exposition. L'homme et ses collaborateurs avaient accompli un travail remarquable : la rétrospective décrivait avec soin les jeux Olympiques tels qu'ils se déroulaient dans l'Antiquité, avant de les comparer à ceux de l'ère moderne. La présentation s'ouvrait sur une immense vue aérienne des ruines d'Olympie, en Grèce, où s'étaient déroulées les premières épreuves.

Pendant que Karen Pope confiait au conservateur une copie de la lettre de Cronos, Knight examina le cliché en se reportant aux légendes qui en détaillaient un à un les divers sites.

Entouré de champs d'oliviers, le sanctuaire accueillait en son centre l'Altis, composé de plusieurs temples, dont celui de Zeus, le plus puissant des dieux grecs. Durant les Jeux, on y accomplissait des rites et des sacrifices. Plus généralement, c'était Olympie tout entière qui semblait constituer un lieu de dévotion.

Pendant plus de mille ans, en temps de paix comme en temps de guerre, les Grecs s'y rassemblaient pour rendre hommage à Zeus et se mesurer lors de compétitions. À l'époque, les médailles n'existaient pas. Une couronne de branches d'olivier suffisait à honorer le vainqueur, ainsi que sa famille et la cité dont il était originaire.

Dans un second temps venaient les épreuves de l'ère moderne.

Knight était impressionné. Mais, à la réflexion, il s'aperçut que le cœur des organisateurs penchait nettement en faveur des compétitions antiques.

À peine avait-il commencé de s'en étonner que la journaliste l'interpella de l'autre bout du hall.

— Je crois que vous devriez venir immédiatement !

19

Planté devant une vitrine contenant des disques et des javelots antiques, ainsi que des vases en terre cuite figurant des scènes sportives, James Daring pointa l'index vers la première phrase de la lettre.

— Il s'agit effectivement de grec ancien, commenta-t-il : « Olympiens, vous vous trouvez sur les genoux des dieux. » Cette sentence tire son origine de la mythologie hellénique. Elle signifie que ce sont les divinités qui régissent le destin de certains mortels. Je crois qu'on l'emploie surtout lorsque les actes d'un homme ou d'une femme lui ont valu la colère des habitants du mont Olympe. Mais savez-vous qui serait plus à même que moi de vous renseigner sur le sujet ?

— Non. Qui donc ? s'enquit Peter Knight.

— Selena Farrell. Elle enseigne les lettres classiques au King's College. Une femme excentrique. Un esprit brillant. Dans une autre vie, elle a travaillé dans les Balkans, pour le compte de l'Onu. C'est là-bas que je… que je l'ai rencontrée. Vous devriez lui rendre visite. Elle développe des théories peu communes.

— Qui est Cronos ? interrogea Karen Pope en notant dans son carnet le nom de l'universitaire.

Le conservateur s'empara de son iPad, sur lequel il pianota avant de prendre la parole.

— Il s'agit d'un Titan, l'un des dieux primordiaux qui ont précédé les Olympiens. Là encore, Selena vous en parlera mieux que moi, mais Cronos était le fils de Gaïa et d'Ouranos, maîtres de la terre et du ciel.

Daring exposa ensuite à ses deux interlocuteurs que, à la demande de sa mère, Cronos s'était révolté contre son père, qu'il avait finalement émasculé au moyen d'une faux.

Une longue lame courbe, songea Knight. *C'est ainsi qu'Elaine a décrit l'arme du crime, si je ne m'abuse.*

— Selon le mythe, enchaîna le conservateur, le sang répandu par le père de Cronos aurait ensuite engendré les trois Furies, des esprits vengeurs comparables aux Gorgones. Cronos avait ensuite épousé Rhéa, qui avait donné naissance à sept des douze premiers dieux de l'Olympe.

Soudain, James Daring se tut. Il paraissait troublé.

— Que se passe-t-il? s'inquiéta Karen Pope.

— Cronos a accompli un acte épouvantable le jour où, sur la foi d'une prédiction, il a appris que son propre fils se retournerait contre lui.

— Quel genre d'acte? l'encouragea le détective.

Le conservateur tourna vers lui l'écran de son iPad. On y découvrait un tableau aux teintes sombres, représentant un personnage barbu, échevelé et à demi nu en train de mastiquer le bras ensanglanté d'un être humain beaucoup plus petit que lui. La pauvre créature avait déjà perdu l'autre bras, de même que la tête.

— Cette toile a été peinte par Goya, l'artiste espagnol, exposa Daring. Il s'agit de Saturne, l'équivalent romain du Cronos grec, dévorant son fils.

Knight se sentit de nouveau tenaillé par la nausée.

— Je ne comprends pas, fit Pope.

— Chez les Romains comme chez les Grecs, on rapportait que Cronos avait mangé ses enfants l'un après l'autre.

20

— Mangé ses enfants? répéta Karen Pope, la bouche tordue par une moue.

Peter Knight lorgna une fois de plus du côté de l'écran. Il vit en pensée ses jumeaux en train de s'amuser sur leur terrain de jeux favori, non loin de la maison. Il en conçut davantage de colère.

— Que voulez-vous, observa le conservateur, il s'agit d'un mythe.

Il continua son récit : furieuse que son époux ait massacré leurs rejetons, Rhéa se promit de tenir loin de lui ceux qui naîtraient encore. Lorsqu'elle fut de nouveau enceinte, elle se retira donc pour accoucher d'un garçon qu'elle prénomma Zeus, et s'empressa de le dissimuler. Elle enivra ensuite Cronos pour lui remettre, à la place du nourrisson, une pierre enveloppée dans des langes.

— Zeus ayant réussi, bien des années plus tard, à vaincre Cronos, il l'a contraint à régurgiter ses enfants. Puis il l'a précipité dans les noirs abîmes du Tartare. Enfin, je crois. Vous vérifierez auprès de Farrell.

— Très bien, conclut le détective.

La légende ferait-elle avancer l'investigation? se demandat-il. Ou n'avait-on rédigé cette lettre que pour entraîner les enquêteurs sur une fausse piste?

— Êtes-vous favorable aux Jeux de l'ère moderne? lançat-il à Daring sans préambule.

81

— Pourquoi cette question? rétorqua le conservateur en fronçant les sourcils.

— Parce qu'il me semble que votre exposition penche nettement en faveur des Jeux antiques.

— Absolument pas, s'indigna l'historien. Nous sommes demeurés impartiaux. Néanmoins, je vous accorde que, si les compétitions organisées à Olympie exaltaient le sens de l'honneur, les Jeux actuels sont tombés sous la coupe des entreprises. L'argent y règne en maître. À mon humble avis, en tout cas. Cela dit, j'avoue nager en pleine contradiction, puisque cette exposition n'aurait jamais eu lieu sans le soutien de mécènes privés.

— Dans une certaine mesure, vous partagez donc l'opinion de Cronos? hasarda Pope.

— Certes, répliqua Daring d'un ton glacé, j'estime que les Jeux modernes ont dévoyé l'idéal olympique. Mais je n'approuve nullement celui ou celle qui tue sous prétexte de « purifier » la compétition. Maintenant, si vous voulez bien m'excuser, je dois régler les derniers détails et me changer avant la réception.

21

Marta avait abattu le faussaire quelques heures plus tôt. Nous étions descendus tous les quatre dans un hôtel miteux, à l'ouest de Sarajevo. J'ai remis à chacune des trois sœurs une enveloppe contenant leur passeport, ainsi que de l'argent.

— Ne vous déplacez pas ensemble. Prenez chacune un taxi ou un bus différent pour aller d'abord à la gare. Puis choisissez des itinéraires séparés pour vous rendre à l'adresse inscrite sur un billet que j'ai glissé dans vos passeports. Dans la ruelle située derrière l'immeuble, il y a un petit mur de brique. Derrière la troisième brique à partir de la gauche, vous trouverez une clé. Achetez-vous à manger, puis installez-vous dans l'appartement pour m'y attendre. Ne sortez pas si vous n'y êtes pas obligées. Et ne vous faites pas remarquer. Contentez-vous de patienter.

Marta a traduit mes directives à ses sœurs.

— Quand nous rejoindrez-vous? m'a-t-elle demandé.

— D'ici à quelques jours. Pas plus d'une semaine, je pense.

Elle a acquiescé.

— Alors oui, nous vous attendrons.

Je l'ai crue aussitôt. Après tout, où ces adolescentes auraient-elles pu aller? Leur sort était lié au mien, le mien au leur. Jamais je ne m'étais senti pareillement maître de mon destin. J'ai quitté les trois sœurs et marché dans les rues, où j'ai volontairement sali un peu plus mes vêtements déjà souillés et tachés de sang. Enfin, j'ai jeté mes armes dans un cours d'eau.

Une heure avant l'aube, je me suis présenté en titubant aux portes de la garnison de l'Otan. Je manquais à l'appel depuis deux jours et demi.

J'ai prétendu auprès de mes supérieurs et des médecins que je n'avais d'abord gardé de l'explosion que de vagues souvenirs. Je leur ai dit que j'avais erré des heures durant, que j'avais dormi dans les bois. Le lendemain matin, je m'étais remis en marche. Ce n'est que la veille au soir, ai-je poursuivi, que la mémoire m'était intégralement revenue.

Après examen, les docteurs m'ont annoncé que je souffrais d'une fracture du crâne. Pour la deuxième fois de ma vie. Le surlendemain, je bénéficiais d'un rapatriement sanitaire.

Cronos s'en allait retrouver ses Furies.

22

À 15 h 55, Peter Knight quittait le One Aldwych, un hôtel cinq étoiles situé dans le West End, le quartier des théâtres. Karen Pope l'attendait sur le trottoir, les yeux rivés sur l'écran de son BlackBerry.

— Le portier m'a confirmé qu'il venait souvent ici prendre un verre, lui expliqua le détective. Mais il n'est pas encore arrivé.

Il parlait de Richard Guilder, l'associé de sir Denton Marshall.

— Allons l'attendre à l'intérieur, proposa-t-il à sa coéquipière.

Celle-ci secoua négativement la tête, avant de lui désigner du menton une rangée d'immeubles 1900 le long du Strand, l'une des artères les plus vivantes de la capitale.

— C'est bien le King's College? dit-elle. Là où travaille Selena Farrell, la spécialiste de grec ancien à laquelle notre Indiana Jones d'opérette nous a conseillé de rendre visite? J'ai effectué quelques recherches. Elle a beaucoup écrit sur Eschyle, un dramaturge de l'Antiquité, et plus précisément sur l'une de ses pièces, *Les Euménides*. Les Euménides sont des divinités vengeresses, qu'on appelle aussi... les Furies. Nous pourrions peut-être échanger quelques mots avec elle avant de rencontrer Guilder?

Knight grimaça.

— Je ne suis pas certain que le mythe de Cronos et des Furies nous permettra d'avancer dans l'enquête sur le meurtre de sir Denton.

— À ceci près qu'on vient de me transmettre une information dont vous n'avez pas encore connaissance, répliqua Pope en agitant son portable sous le nez du détective : Farrell s'est battue bec et ongles contre les Jeux de Londres. Elle est allée jusqu'à engager un procès dans l'espoir de faire annuler la construction du parc olympique, à l'est de la ville. Car figurez-vous que notre universitaire a perdu sa maison dans l'affaire.

Le pouls de Peter Knight s'accéléra. Il prit immédiatement la direction du King's College.

— C'est justement Denton qui s'est chargé des expropriations, lança-t-il à la jeune femme. Elle devait le haïr.

— Assez pour lui couper la tête, si ça se trouve, commenta la journaliste en tâchant de ne pas se laisser distancer.

Le téléphone de l'enquêteur vibra. Hooligan lui envoyait un texto :

Résultat du premier test ADN : le cheveu appartient à une femme.

23

Karen Pope et Peter Knight trouvèrent Selena Farrell dans son bureau. Jeune quadragénaire à la poitrine opulente, elle ressemblait aux hippies mal fagotés des années 1960 : ample robe paysanne aux tons passés, lunettes noires ovales. Aux pieds, des sabots. Nulle trace de maquillage. Un foulard retenu par deux épingles en bois lui servait de couvre-chef.

Mais c'est son grain de beauté qui retint l'attention du détective. Situé entre le menton et la joue, il lui rappela Elizabeth Taylor à ses débuts. Si cette femme prenait soin de sa mise, en conclut-il, elle pourrait être séduisante.

Tandis que celle-ci examinait sa pièce d'identité, il balaya du regard les photographies encadrées qui garnissaient les murs : Selena Farrell crapahutant au beau milieu d'un paysage écossais ; Selena Farrell posant près de ruines grecques ; Selena Farrell – manifestement, ce cliché était assez ancien – vêtue d'une chemise et d'un pantalon kaki, affublée de lunettes de soleil, immortalisée à côté d'un camion de l'Otan, une arme automatique entre les mains.

— Très bien, dit-elle en rendant son badge à Knight. De quoi allons-nous parler ?

— De sir Denton Marshall, membre du Comité d'organisation des jeux Olympiques, lui annonça l'enquêteur en guettant sa réaction.

L'universitaire tressaillit, puis fit une moue dégoûtée.

— Pour quelle raison ?

— On vient de l'assassiner, annonça Pope. Par décapitation.

Farrell parut sincèrement choquée.

— Par décapitation? Quelle horreur. Je ne l'aimais pas, mais… Il s'agit d'un acte barbare.

— Sir Denton vous a expropriée, remarqua le détective.

— En effet, confirma l'enseignante en se raidissant. C'est pourquoi je le haïssais. J'ai haï tous ceux et celles qui ont soutenu les Jeux. Mais je ne l'ai pas tué. Je ne crois pas à la violence.

Knight lorgna vers la photo sur laquelle elle figurait armée, mais il se garda de tout commentaire.

— Pouvez-vous nous dire où vous vous trouviez hier soir vers 22 h 45? l'interrogea-t-il.

Selena Farrell se renversa dans son fauteuil et ôta ses lunettes, révélant de superbes yeux saphir qu'elle plongea dans ceux de son interlocuteur.

— Je peux vous le dire, oui, mais je ne le ferai que si cela se révèle absolument nécessaire. Je tiens à préserver ma vie privée.

— Parlez-nous de Cronos, intervint Pope.

— Le Titan? s'étonna l'universitaire.

— Exactement.

Farrell haussa les épaules.

— Eschyle l'évoque dans ses pièces, en particulier dans le dernier volet de sa trilogie de l'*Orestie*, *Les Euménides*. Les Euménides, ou Furies, sont nées du sang d'Ouranos, le père de Cronos. Mais pourquoi me posez-vous cette question? Cronos n'est qu'une figure mineure de la mythologie hellénique.

La journaliste jeta un regard hésitant à Knight, qui hocha positivement la tête. La jeune femme fit jaillir de son sac son téléphone portable, qu'elle manipula pendant quelques secondes avant de reprendre la parole.

— J'ai reçu aujourd'hui une liasse de documents émanant d'un certain Cronos, qui revendique le meurtre de sir Denton.

Le paquet contenait une lettre, ainsi que cet élément sonore. Il s'agit de l'enregistrement d'un enregistrement, mais…

L'irritant petit air de flûte s'éleva du BlackBerry de Karen Pope.

L'enseignante se figea au bout de deux ou trois notes.

Puis, l'œil fixe, elle commença à s'agiter sur son siège. Elle jeta ensuite des regards égarés de droite et de gauche. Après quoi elle plaqua ses mains sur ses oreilles – les épingles qui retenaient son foulard sautèrent.

Affolée, elle tenta de le garder en place. Elle finit par bondir pour se ruer vers la porte.

— Je vous en supplie, hoqueta-t-elle, faites cesser cette musique! Elle me donne la migraine! Elle me rend malade!

Knight, qui s'était élancé à sa suite, la vit s'engouffrer dans les toilettes pour dames.

— Eh bien, quelle réaction! commenta Pope, qui venait de le rejoindre.

L'enquêteur approuva avant de regagner le bureau de Selena Farrell. Il sortit de sa poche un petit sac en plastique.

Il le retourna et, l'utilisant à la façon d'un gant, ramassa sur la table de travail l'une des épingles en bois.

— Que faites-vous? s'enquit la journaliste tandis qu'il refermait hermétiquement le sac à indices.

— Hooligan vient de m'écrire que le cheveu découvert sur l'enveloppe appartient à une femme.

Comme il entendait quelqu'un approcher, il fourra prestement le petit sac dans la poche intérieure de sa veste. Pope se tourna vers la porte, où apparut une femme, nettement plus jeune que la spécialiste de la Grèce antique, mais aussi peu douée qu'elle pour la mode.

— Pardon de vous déranger, commença-t-elle. Je m'appelle Nina Langor. Je suis l'assistante de Mlle Farrell.

— Est-ce qu'elle va bien? lui demanda la journaliste.

— Elle est rentrée chez elle. À cause d'une forte migraine, m'a-t-elle indiqué. Elle a ajouté que vous pourrez l'appeler lundi ou mardi. Elle vous expliquera.

— Elle nous expliquera quoi? s'étonna Knight.

— Je n'en ai pas la moindre idée, répondit Nina, décon-
certée. Je ne l'avais jamais vue se comporter de cette façon.

24

Dix minutes plus tard, Karen Pope gravissait les marches du One Aldwych, Peter Knight sur les talons. Ce dernier jeta un bref regard au portier qu'il avait interrogé plus tôt. L'homme fit oui de la tête. Le détective lui glissa dans la main un billet de dix livres.

— Farrell avait déjà entendu cette musique, remarqua la journaliste, qui se remémorait l'incident survenu au King's College.

— Sans aucun doute. Ça l'a drôlement secouée.

— Pourrait-elle être Cronos?

— Pourquoi pas? Elle utiliserait ce nom pour qu'on s'imagine avoir affaire à un homme.

Ils atteignirent le célèbre Lobby Bar, un espace triangulaire surmonté d'un haut plafond voûté. Le sol était recouvert de dalles en calcaire pâle. D'immenses fenêtres illuminaient les lieux, soulignant avec délicatesse un mobilier raffiné.

Si le Beaufort Bar, dans l'hôtel Savoy tout proche, exaltait le charme et la séduction, le Lobby Bar semblait dédié aux puissances de l'argent. C'est que le One Aldwych se situait tout près du quartier financier de Londres, aussi attirait-il entre ses murs les banquiers assoiffés, les richissimes traders et les hommes d'affaires désireux d'y célébrer la signature d'un gros contrat.

Knight repéra presque immédiatement Richard Guilder, le partenaire de sir Denton, parmi la cinquantaine de clients présents: un type énorme aux cheveux gris, sanglé dans un costume noir, tassé sur son siège à l'autre bout du bar.

— C'est moi qui parlerai le premier, décréta le détective à Karen Pope.

— Et pourquoi donc? s'insurgea celle-ci. Parce que je suis une femme?

— Avec combien de gros bonnets de la finance soupçonnés de corruption avez-vous eu l'occasion de vous entretenir depuis que vous écrivez dans les pages sportives? l'interrogea-t-il, un brin dédaigneux.

Pope se tut à contrecœur.

L'homme semblait perdu dans ses pensées. Il faisait tourner lentement dans sa grosse patte un verre en cristal contenant deux doigts de whisky. Knight s'apprêtait à se jucher sur le tabouret inoccupé à sa gauche lorsqu'un gorille s'interposa.

— M. Guilder désire rester seul, assena-t-il.

Le détective lui présenta son badge. Le garde du corps haussa les épaules et lui montra le sien. Il s'appelait Joe Mascolo. Salarié de Private New York.

— Vous êtes ici en renfort pour les Jeux? s'enquit Knight.

— C'est Jack qui m'a fait venir.

— Est-ce que je peux parler à Guilder?

— Il ne veut voir personne.

Le détective éleva la voix, assez pour que l'homme d'affaires l'entende.

— Monsieur Guilder? Je vous présente mes plus sincères condoléances. Je m'appelle Peter Knight. J'appartiens également à l'agence Private. Je travaille pour le compte du Comité d'organisation des Jeux de Londres. Et pour le compte de ma mère, Amanda Knight.

Mascolo était furieux.

Guilder se raidit, pivota sur son siège et scruta le visage de Knight avant de lui adresser la parole.

— Amanda. Mon Dieu. C'est…

Il secoua la tête et essuya ses yeux pleins de larmes.

— Je vous en prie, je me sens incapable d'évoquer Denton pour le moment. Je suis ici pour le pleurer. Seul. J'imagine que votre chère mère est en train d'en faire autant.

— S'il vous plaît, monsieur, s'obstina le détective. Scotland Yard…

— … est d'accord pour attendre demain matin, grommela le garde du corps. Appelez son bureau. Prenez un rendez-vous. Et fichez-lui la paix pour ce soir.

L'agent new-yorkais fusilla son confrère du regard et l'associé de sir Denton revint à son verre. Knight s'apprêtait à battre en retraite lorsque Karen Pope monta à l'assaut :

— Bonjour, monsieur Guilder. Je suis journaliste au *Sun*. L'assassin de sir Denton nous a envoyé une lettre dans laquelle il explique son geste. Selon lui, votre associé s'est livré avec vous à des activités illégales au sein de votre société.

Guilder se retourna d'un bloc, livide.

— Comment osez-vous ? Denton Marshall était l'homme le plus honnête au monde ! Jamais il n'a enfreint la loi de quelque manière que ce soit. Moi non plus. Peu m'importe ce qui est écrit dans cette lettre : tout est faux.

Pope lui tendit les photocopies des feuillets expédiés par Cronos.

— Le meurtrier prétend que ces documents proviennent des comptes de Marshall & Guilder. Plus exactement, des comptes secrets de votre entreprise.

L'homme d'affaires observa les pages que la jeune femme lui présentait, mais ne s'en saisit pas, comme si le temps lui manquait pour s'intéresser à ces accusations fantaisistes.

— Nous n'avons jamais eu de comptes occultes chez Marshall & Guilder.

— Vous en êtes sûr ? intervint Knight. Rien en rapport avec des transactions en devises étrangères effectuées au nom de vos plus gros clients ?

Le vice-président du fonds spéculatif ne dit mot, mais le détective crut voir le sang refluer de son visage rubicond.

— Si l'on en croit le dossier transmis par le tueur, sir Denton et vous détourniez une infime partie de chaque livre, de chaque dollar transitant par votre société. Cela peut paraître insignifiant, mais sachant qu'on parle de plusieurs centaines de millions de livres par an, ça commence à chiffrer…

Guilder posa doucement son verre sur le comptoir. Il s'efforçait de garder son calme, mais sa main tremblait un peu quand il la replaça sur sa cuisse.

— Est-ce tout ce que l'assassin de mon meilleur ami vous a raconté?

— Non, poursuivit Knight. Toujours d'après lui, l'argent ainsi récolté était placé sur des comptes off-shore avant d'être reversé à certains membres du Comité international olympique. Cela se serait passé en 2005. C'est ainsi que votre associé aurait « acheté » l'attribution des JO à la ville de Londres.

Guilder, visiblement éméché, parut soudain méfiant, comme s'il se rendait compte qu'il était trop saoul pour tenir cette conversation.

— Non, lâcha-t-il. Non, ce n'est pas… Je vous en prie, Joe, demandez-leur de partir.

— Foutez-lui la paix jusqu'à demain, obéit Mascolo. Je suis sûr que si vous appelez Jack, il vous dira la même chose que moi.

Avant que Knight ait eu le temps de répliquer, une balle traversa l'une des vitres du bar. Elle frôla Guilder pour s'en aller faire exploser l'immense miroir suspendu derrière le comptoir.

— Tout le monde à terre! hurla le détective, qui sortit son pistolet en tentant de repérer le tireur de l'autre côté de la fenêtre.

Il était trop tard. Une seconde balle atteignit le financier sous le sternum. Le choc rendit un son identique à celui d'un oreiller qu'on tapote.

Le sang de Guilder rougit aussitôt sa chemise blanche. L'homme s'effondra, emportant dans sa lourde chute un seau à champagne.

25

Dans le silence relatif qui s'abattit durant quelques secondes sur le légendaire Lobby Bar, le tireur, silhouette légère vêtue d'une combinaison de moto en cuir et d'un casque intégral, fit prestement volte-face et franchit d'un bond l'appui de fenêtre pour s'enfuir.

— Que quelqu'un appelle une ambulance! glapit Karen Pope. Il est touché!

Comme Mascolo s'élançait à ses trousses, les clients sortirent de leur torpeur. Tous se mirent à hurler. Ils couraient de droite et de gauche pour tenter de se mettre à l'abri.

Knight ne lâchait pas son confrère d'une semelle. Celui-ci sauta par-dessus une table basse en verre pour se jucher sur un sofa tendu de peluche grise. Knight eut la surprise de constater que l'Américain était armé.

Les lois britanniques étaient pourtant très strictes en la matière. Lui-même avait dû batailler deux années durant avec la bureaucratie pour obtenir son permis de port d'arme.

Mais déjà Mascolo faisait feu à travers la vitre. À l'intérieur de la pièce, le pistolet produisit le vacarme d'un canon. L'hystérie était à son comble. Knight repéra le tireur au milieu de la rue – il le distinguait mal, mais le doute n'était pas permis : il s'agissait d'une femme. À peine l'Américain eut-il tiré qu'elle se retourna et, dans un même mouvement, s'accroupit puis visa. C'était une professionnelle.

Knight n'avait pas eu le temps de répliquer. Mascolo préparait son second coup. La balle lui traversa la gorge. La mort fut instantanée. Il tomba du canapé et s'écrasa sur la table basse dans un grand fracas de verre.

Déjà, la femme s'en prenait à Knight, qui se baissa vivement. Il leva son arme au-dessus de l'appui de fenêtre et pressa la détente. Au moment où il tentait de se relever, deux impacts supplémentaires firent voler en éclats d'autres panneaux vitrés.

Une pluie de verre se déversa sur le détective qui, pendant une fraction de seconde, vit en pensée ses deux enfants. Il hésita à faire feu de nouveau. Quelqu'un hurla.

Debout à présent, Knight aperçut la meurtrière, à cheval sur une moto noire. La roue arrière fumait ; elle laissa une traînée de gomme sur la chaussée avant de foncer à pleine vitesse sur le Strand. Elle avait disparu.

Le détective jura, se retourna, posa des yeux effarés sur Mascolo, pour lequel aucun espoir n'était plus permis.

— Guilder est vivant ! lui cria Karen Pope. Où est l'ambulance ?

Knight se précipita vers l'homme d'affaires, à côté de qui la journaliste s'était agenouillée, dans une mare de champagne, de sang, de glace et de verre.

Il haletait en se tenant le ventre à deux mains. Sa chemise était trempée, l'hémorragie ne cessait pas.

L'espace d'un instant, le détective se rappela une scène similaire, un drap rougi…

— L'ambulance arrive, lui dit Pope d'une voix tendue. Mais je ne sais pas quoi faire. Personne ne sait, ici.

Knight ôta sa veste en hâte pour la presser contre la blessure de Guilder, après lui avoir écarté les mains. L'associé de sir Denton le fixa comme s'il avait compris qu'il était la dernière personne qu'il contemplerait de son vivant. Il ouvrit la bouche pour tenter de lui confier quelque chose.

— Du calme, monsieur Guilder. Les secours vont arriver.

— Non. Je vous en prie… Écoutez-moi…

Le détective se pencha vers le visage du mourant, qui lui livra un terrible secret avant que les ambulanciers fassent irruption dans le Lobby Bar. Puis il ferma doucement les yeux.

Du sang s'échappa de ses lèvres, son regard se ternit. Ses muscles se relâchèrent, tels ceux d'un dormeur glissant lentement dans le sommeil.

26

Quelques minutes plus tard, Peter Knight se tenait sur le trottoir, devant le One Aldwych, indifférent aux clients du bar qui se précipitaient, éperdus, en direction des restaurants et des théâtres voisins. Le détective était comme hypnotisé par le gyrophare de l'ambulance entraînant Guilder et Mascolo vers l'hôpital le plus proche – ses sirènes n'en finissaient pas de hurler.

Il se revit presque trois ans plus tôt, sur un trottoir identique, au beau milieu de la nuit. Une autre ambulance s'éloignait à pleine vitesse. Knight éprouvait de nouveau cette douleur qui ne l'avait pas quitté depuis.

— Knight? s'inquiéta Karen Pope.

Elle se tenait juste derrière lui.

Il cligna des yeux. Des autobus à impériale freinaient, des taxis klaxonnaient, des passants couraient en tous sens. Le détective se sentit brusquement déconnecté de la réalité ; trois années plus tôt, l'expérience avait été la même.

Londres ne s'arrête jamais. Londres ne s'arrête jamais, y compris au cœur de la tragédie. Que la victime soit un financier corrompu, un garde du corps ou une jeune...

Une main surgit devant lui. Deux doigts claquèrent sous son nez. Il sursauta. Pope l'observait d'un air mécontent.

— Allô ! Knight. Ici la Terre. Allô !

— Qu'est-ce qu'il y a? hurla-t-il.

— Je vous demandais si vous pensiez que Guilder allait s'en tirer.

— Non. Son esprit s'est envolé quand nous étions avec lui.

La journaliste le considéra longuement, incrédule.

— Que voulez-vous dire?

— C'est la deuxième fois de ma vie que quelqu'un s'éteint dans mes bras. La première fois, j'ai eu la même impression. Cette ambulance ferait mieux de ralentir. Guilder est aussi mort que Mascolo.

Les épaules de Pope s'affaissèrent légèrement. Au dialogue succéda un bref silence embarrassé.

— Je vais rentrer au bureau, dit enfin la jeune femme pour rompre la glace. Le bouclage est à 21 heures.

— N'oubliez pas d'indiquer dans votre article que Guilder a avoué sa faute juste avant de passer l'arme à gauche.

— Quoi? s'exclama Pope en attrapant son carnet de notes. Que vous a-t-il dit au juste?

— Qu'il avait mis sur pied l'escroquerie et que pas un penny n'a atterri dans la poche de l'un ou l'autre des membres du Comité national olympique. Il était l'unique titulaire des comptes off-shore. Sir Denton, lui, était innocent. Il a malencontreusement payé pour les malversations de son ami.

La journaliste cessa brusquement d'écrire, plus sceptique que jamais.

— Je n'avalerai pas de pareilles couleuvres. Il a couvert Marshall, c'est tout.

— Il s'agit de ses dernières paroles. Moi, je le crois.

— Parce que vous avez une bonne raison de le croire. De cette manière, le fiancé de votre mère se trouve blanchi.

— En tout cas, c'est ce qu'il m'a confié. Vous êtes bien obligée de mentionner ces aveux dans votre papier.

— Je laisserai parler les faits, concéda la jeune femme. Je ferai état des confidences de Guilder, comptez sur moi.

Elle consulta sa montre.

— Il faut vraiment que j'y aille.

— Ni vous ni moi n'irons nulle part pour le moment, la mit en garde le détective, accablé soudain par une immense lassitude. Les enquêteurs de Scotland Yard vont réclamer notre déposition. Il s'agit tout de même d'une fusillade. Je vais appeler Jack pour le mettre au courant, puis je contacterai la baby-sitter.

— Une baby-sitter ? s'étonna Pope. Vous avez des enfants ?

— Des jumeaux. Une fille et un garçon.

— Pourtant, plaisanta la journaliste en lorgnant la main gauche de Knight, vous ne portez pas d'alliance. Vous êtes divorcé ? Vous avez réussi à rendre votre épouse assez dingue pour qu'elle fiche le camp en vous laissant les mômes sur les bras ?

L'agent de Private la considéra d'un œil glacé, se demandant comment on pouvait se montrer insensible à ce point.

— Je suis veuf, mademoiselle Pope. Ma femme est morte lors de son accouchement. Elle s'est vidée de son sang dans mes bras il y a deux ans, onze mois et deux semaines. On l'a emmenée en ambulance, toutes sirènes hurlantes, comme il y a quelques minutes pour Guilder et son garde du corps.

La journaliste le fixa, hagarde, horrifiée.

— Peter, je suis navrée. Je…

Mais Knight lui avait déjà tourné le dos. Il se dirigeait vers l'inspecteur en chef Elaine Pottersfield, qui venait d'arriver sur les lieux.

27

La nuit descend sur Londres. La haine, ma vieille amie, est en effervescence : mon existence entière n'aura été, je m'en aperçois à présent, qu'un prélude à ce moment décisif, vingt-quatre heures, très précisément, avant la cérémonie d'ouverture d'une imposture planétaire.

Je me tourne vers mes sœurs. Ma haine bouillonne à l'intérieur de mon ventre. Nous sommes dans mon bureau. C'est la première fois, depuis plusieurs jours, que nous avons enfin l'occasion de nous retrouver tous les quatre. D'un seul regard, j'observe les jeunes femmes.

Teagan la blonde, aux gestes calmes, est en train d'ôter le foulard, le chapeau et les lunettes de soleil qu'elle portait au volant du taxi qu'elle a conduit un peu plus tôt dans la journée. Marta, la calculatrice, Marta à la chevelure d'ébène, pose son casque de moto sur le sol, à côté de son pistolet. Elle fait glisser la fermeture éclair de sa combinaison en cuir. Petra est la plus jeune, la plus séduisante. C'est elle encore qui joue le mieux la comédie. C'est la plus impulsive. Elle contemple son reflet dans le miroir du placard, pour juger de l'effet produit par sa robe de cocktail grise et ses cheveux récemment coupés, roux et courts.

Je connais désormais si bien chacune des trois sœurs qu'il me semble les côtoyer depuis toujours. Voilà dix-sept ans que nous ne nous quittons plus. En 1997, les adolescentes ont été condamnées par contumace pour l'exécution de plus de soixante Bosniaques par un tribunal de La Haye. Et depuis l'arrestation de Ratko Mladić l'an dernier, chef de file des escadrons de la mort en Bosnie, la traque n'a cessé de s'intensifier – les Furies sont activement recherchées.

Je le sais. Je me tiens au courant. Car mes rêves dépendent tout entiers de notre commune situation.

Quoi qu'il en soit, les jeunes femmes vivent depuis si longtemps dans la crainte d'être découvertes que leur personnalité s'en est trouvée à jamais modifiée. Mais cette perpétuelle menace ne les rend que plus dépendantes de moi. Elles me sont totalement dévouées, aux plans physique, mental, émotionnel et spirituel. Au fil des ans, mes désirs de vengeance sont devenus les leurs. Elles brûlent, presque aussi fort que moi, de voir se réaliser ces terribles rêves.

Je ne me suis pas contenté de les protéger : j'ai assuré leur éducation, je leur ai offert quelques menues opérations de chirurgie plastique, je les ai entraînées jusqu'à en faire des tireuses d'élite, des spécialistes du combat au corps à corps. Je leur ai appris l'art délicat de l'arnaque et du vol – de quoi rentabiliser mon investissement initial, mais cela est une autre histoire. Pour l'heure, il vous suffit de savoir qu'elles sont à présent les reines de l'action clandestine – je suis le seul au monde à leur être supérieur.

Certains d'entre vous sont peut-être tentés de me comparer à Charles Manson, ce prophète illuminé qui, dans les années 1960, a rassemblé autour de lui un groupe de femmes traumatisées pour les convaincre qu'elles étaient ses apôtres, envoyées sur terre pour perpétrer des crimes censés déclencher l'Armageddon. Mais vous vous trompez. Les Furies et moi nous révélons plus puissants, plus dangereux, plus sublimes que tout ce que Manson a jamais pu imaginer dans ses pires cauchemars nourris de drogues.

Teagan se verse un verre de vodka.

— Je n'avais pas prévu que ce type se jetterait devant mon taxi, explique-t-elle après avoir avalé une gorgée.

— Il s'appelle Peter Knight, lui dis-je en glissant devant elle un cliché récupéré sur Internet. Il travaille pour l'antenne londonienne de l'agence Private.

Sur la photographie, notre homme se tient debout, un verre à la main, auprès de sa mère, lors de la présentation de sa dernière collection de prêt-à-porter.

Teagan examine l'image, puis hoche la tête.

— C'est lui. J'ai eu tout loisir de le voir de près lorsqu'il est venu s'écraser contre mon pare-brise.

Marta fronce les sourcils en s'emparant du cliché. Elle le scrute à son tour avant de poser sur moi ses yeux d'agate.

— Il se trouvait avec Guilder au bar de l'hôtel, avant que j'entre en action. Je suis formelle. Il m'a tiré dessus après que j'ai abattu le gorille de l'homme d'affaires.

Je hausse un sourcil. Private ? Knight ? L'agence et son détective de choc ont failli faire échouer mes plans à deux reprises aujourd'hui. Destin ? Coïncidence ? Avertissement ?

— Il est dangereux, observe Marta, la plus perspicace des trois sœurs, celle dont les pensées suivent un cours presque identique aux miennes.

— Tu as raison, acquiescé-je.

Je consulte l'horloge murale. Je me tourne vers notre jeune rousse, qui continue de se pomponner devant la glace.

— Il est temps de te rendre à la réception, Petra. Je t'y rejoindrai plus tard. N'oublie pas notre plan.

— Je ne suis pas idiote, Cronos, me répond-elle en me jetant un coup d'œil excédé – grâce à des lentilles de contact achetées en vue de cette mission, elle arbore des iris vert émeraude.

— En effet, dis-je calmement, tu n'es pas idiote. Pas idiote du tout. En revanche, tu es impétueuse. Tu as donc tendance à improviser. Mais ce soir, il est essentiel que tu suives mes instructions à la lettre.

— Je sais ce que j'ai à faire, me rétorque-t-elle d'un ton glacé.

Puis elle quitte la pièce.

Le regard de Marta est resté posé sur moi.

— Et Knight ? s'enquiert-elle.

Marta est une jeune femme implacable. Cette rigueur me touche infiniment.

— Votre prochaine mission est pour demain soir, lui indiqué-je, ainsi qu'à Teagan. D'ici là, renseignez-vous sur ce M. Knight.

— Que cherchons-nous? demande Teagan en posant son verre sur la table.

— Ses points faibles, ma sœur. Les défauts dans la cuirasse. Tout ce qui peut nous être utile.

28

Il était près de 20 heures lorsque Peter Knight regagna sa maison de Chelsea, une demeure en brique rouge que sa mère lui avait offerte plusieurs années auparavant. Il se sentait éreinté, au terme d'une journée de travail bien remplie : il avait failli se faire écraser par une voiture, on avait tenté de l'abattre, il s'était vu contraint de briser à jamais les rêves de bonheur d'Amanda. Enfin, il avait subi par trois fois les questions de la redoutable inspectrice en chef Elaine Pottersfield.

Cette dernière n'avait guère apprécié ce qui l'attendait au One Aldwych : la fusillade avait certes coûté la vie à deux personnes, mais l'enquêtrice s'était fâchée tout rouge en apprenant que les scientifiques de l'agence Private avaient examiné avant ceux de Scotland Yard la lettre expédiée au *Sun* par l'assassin présumé de sir Denton.

— Je devrais vous coffrer pour obstruction !

Knight leva les mains en signe d'impuissance.

— C'est notre cliente qui a pris cette décision. Karen Pope, reporter au *Sun*.

— Qui se trouve où ?

Le détective balaya les lieux du regard. La jeune femme avait filé.

— Elle avait un article à rédiger avant le bouclage. Mais le journal comptait vous remettre l'ensemble des indices après avoir révélé l'affaire dans sa prochaine édition.

— Vous avez donc autorisé un témoin à quitter la scène de crime?

— Je travaille pour Private, pas pour la police. Je n'ai aucun droit sur Pope. Elle agit à sa guise.

L'inspectrice le considéra d'un œil noir.

— Vous m'avez déjà servi ce genre d'argument, Peter. Les conséquences ont été désastreuses.

Knight rougit jusqu'aux oreilles.

— Je ne tiens pas à poursuivre cette conversation. Vous feriez mieux de m'interroger au sujet de Guilder et de Mascolo.

— Alors allez-y, dit Pottersfield d'un ton rageur. Crachez-moi le morceau.

Il lui avait alors rapporté l'ensemble des faits, sans omettre le moindre détail. Leur rencontre avec Daring, puis Farrell, ainsi que tout ce qui s'était déroulé au Lobby Bar.

— Vous croyez aux aveux de Guilder? lui avait demandé l'inspectrice au terme de son exposé.

— Est-on capable de mentir lorsqu'on est en train d'agoniser?

Tandis qu'il grimpait les marches du seuil, il songea de nouveau à l'ultime confession du financier. Puis il revit en pensée Daring et Farrell. Étaient-ils impliqués dans ces meurtres?

Et si le conservateur était un fou furieux, prêt à tout pour réduire à néant les Jeux de l'ère moderne? Et si Selena Farrell n'était autre que la motarde vêtue de cuir qui avait tué Guilder et son garde du corps? Après tout, elle posait avec une arme sur l'une des photos accrochées au mur de son bureau.

L'instinct de Karen Pope ne la trompait peut-être pas. L'enseignante se cachait-elle derrière le pseudonyme de Cronos? Ou, du moins, était-elle en cheville avec ce malade? Et le conservateur des antiquités grecques? Il avait fait la connaissance de Farrell dans les Balkans, durant les années 1990…

Mais une petite voix souffla soudain à Knight de s'intéresser davantage aux gentils qu'aux méchants; il n'avait pas pris de nouvelles de sa mère depuis qu'il lui avait assené l'affreuse nouvelle.

Il allait l'appeler immédiatement. Mais, avant qu'il ait eu le temps d'introduire sa clé dans la serrure de la porte d'entrée, il entendit sa fille, Isabel, pousser un cri qui lui glaça le sang :

— Non! Non! Non!

29

Peter Knight ouvrit la porte en hâte.

— Non, Lukey! Non!

Les cris d'Isabel étaient de plus en plus stridents.

Son père entendit au loin un petit rire hystérique et suraigu, puis les pieds de la fillette trottinant sur le sol. Il découvrit un salon sur lequel une tempête de neige semblait avoir soufflé : de la poudre pour bébé demeurait en suspension dans l'air, les meubles en étaient couverts, de même que la pauvre Isabel qui, lorsqu'elle le vit, éclata en sanglots entrecoupés de hoquets.

— Papa! Lukey, il a… Il a…

La délicate enfant s'abandonna à une folle crise de larmes en se ruant vers le détective, qui voulut se pencher pour la consoler. Il grimaça : son corps demeurait terriblement douloureux, mais il souleva Isabel pour la serrer dans ses bras. Il faillit éternuer en respirant le talc. Les pleurs de l'enfant avaient strié son visage enduit de poudre et collé ses cils. Elle n'en restait pas moins exquise. La ressemblance avec sa défunte mère était frappante : la même chevelure fauve, les mêmes grands yeux cobalt qui brisaient le cœur de son père chaque fois qu'il y plongeait les siens.

— Tout va bien, ma chérie. Papa est là.

Les sanglots s'atténuèrent peu à peu.

— Lukey, il a… Il a renversé plein de poudre sur moi.

— Je vois ça, ma puce. Mais pourquoi?

— Parce qu'il trouve ça rigolo.

Sans lâcher sa fille, Knight se dirigea vers l'escalier en passant par la cuisine. Son fils babillait gaiement à l'étage.

Parvenu sur le palier, Knight se tourna vers la chambre de ses enfants, dont s'échappa une voix perçante de femme :

— Oh! Espèce de sale petit monstre!

Luke apparut, engoncé dans sa couche, le corps enduit de poudre pour bébé des pieds à la tête. Il tenait dans les mains une grosse boîte de talc et riait aux éclats. Jusqu'à ce qu'il remarque son père, qui le scrutait d'un air mécontent.

Terrorisé, le garçonnet recula en agitant les mains vers le détective, comme s'il s'agissait d'une apparition maléfique dont il tentait d'effacer la présence.

— Non, papa!

— Luke…, commença Knight.

Nancy, la baby-sitter, suivait l'enfant de près. Elle n'avait pas été épargnée par l'aspersion de talc et se tenait le poignet, le visage tordu de douleur.

— Je démissionne! cracha-t-elle à Knight. Ils sont complètement cinglés.

Elle pointa un doigt en direction de Luke, le bras tremblant.

— Celui-ci est le pire des deux, il est méchant. Quand j'ai essayé de le mettre sur le pot, il m'a mordue. Il m'a mordue jusqu'au sang! Je démissionne, et j'exige le remboursement de mes frais médicaux.

30

— Vous ne pouvez pas me faire ça! s'insurgea Peter Knight tandis que la nourrice esquivait Luke pour gagner l'escalier.

— Je vais me gêner! lui lança Nancy en le bousculant. Ils ont mangé, mais je ne leur ai pas donné le bain, et Luke a sali sa couche pour la troisième fois de l'après-midi. Bonne chance, Peter.

Elle rassembla ses effets et sortit en claquant la porte derrière elle.

— Nancy est partie, sanglota de nouveau Isabel. C'est la faute de Luke.

Dépassé par les événements, le détective se tourna vers son fils et se mit à hurler.

— C'est la quatrième cette année, Luke! Et celle-ci n'est restée que trois semaines à notre service!

La colère et le dépit le submergeaient. Le garçonnet, lui, se décomposa.

— Lukey désolé, papa. Lukey désolé.

En quelques secondes, l'enfant terrible s'effondra. Il paraissait si malheureux que son père se radoucit un peu. Sans lâcher Isabel, qu'il serrait toujours contre lui, et malgré la douleur qui lui transperçait le flanc, Knight s'accroupit en invitant d'un geste le bambin à le rejoindre. Luke se précipita pour jeter ses bras autour du détective, si violemment que celui-ci en eut le souffle coupé.

— Lukey t'aime, papa.

Malgré l'odeur nauséabonde qu'il dégageait, l'enquêteur souffla le talc qui lui poudrait les joues et l'embrassa.

— Papa t'aime aussi, mon bonhomme.

Puis, sur le front d'Isabel, il fit claquer un baiser si sonore que la fillette éclata de rire.

— Luke va prendre son bain et se changer, annonça-t-il. Toi aussi, ma puce, tu vas te laver.

Bientôt, les deux enfants barbotaient dans la baignoire, projetant des éclaboussures. Knight, qui avait extirpé son portable de sa poche, s'apprêtait à passer un appel lorsque Luke assena un coup de batte de cricket en mousse sur la tête de sa sœur.

— Papa! se plaignit cette dernière.

— Tape-le avec la batte pour te venger, ma chérie.

Il consulta la pendule murale. Il était plus de 20 heures. Toutes les agences de baby-sitting devaient avoir fermé leurs portes. Il composa le numéro de sa mère.

Amanda décrocha à la troisième sonnerie.

— Dis-moi qu'il s'agit d'un cauchemar, Peter. Dis-moi que je vais me réveiller bientôt.

— Je suis navrée, maman.

Elle étouffa ses sanglots.

— J'ai plus de chagrin qu'à la mort de ton père, articula-t-elle enfin. Je pense que j'éprouve ce que tu as ressenti quand tu as perdu Kate.

Les yeux du détective se remplirent de larmes. Un grand vide se creusa dans sa poitrine.

— Ce que j'ai ressenti, oui. Et ce que je continue de ressentir souvent.

— Dis-moi tout ce que tu sais, Peter, le pressa Amanda après s'être mouchée.

Il s'exécuta, lui résumant l'après-midi à grands traits. Les accusations portées par Cronos contre son fiancé la révoltèrent, mais elle pleura de nouveau lorsque Knight lui rapporta les dernières paroles de Guilder, qui innocentaient son associé.

111

— Je n'ai jamais douté de sa probité, la rassura Knight. Denton était un grand homme. Et il avait un cœur d'or.

— En effet, souffla Amanda, éperdue de chagrin.

— Partout où je suis allé aujourd'hui, on a loué sa générosité et son courage.

— Raconte-moi encore, Peter. J'ai besoin d'entendre ce qu'on a dit de lui.

Le détective lui rapporta le désespoir exprimé par Michael Lancer, qui tenait le financier pour un mentor, un ami et l'un des principaux artisans des Jeux de Londres.

— James Daring, le type du British Museum qui passe à la télé, lui a également rendu hommage. Sans le soutien de Denton, m'a-t-il dit, son émission n'aurait jamais vu le jour, pas plus que l'exposition sur les Jeux de l'Antiquité. Il s'apprêtait d'ailleurs à le remercier ce soir, lors du vernissage.

Il y eut un silence à l'autre bout du fil.

— C'est vraiment ce qu'a affirmé Daring?

— Bien sûr que oui, confirma Knight, croyant réconforter sa mère.

— Dans ce cas, cracha-t-elle, il s'agit d'un fieffé menteur.

— Comment ça? s'étonna l'agent.

— Denton lui a bien fourni de quoi démarrer son programme télévisé, admit Amanda. Mais jamais il n'a contribué à l'organisation de l'exposition. Au contraire. Daring et lui ont eu une violente altercation à ce sujet. Denton estimait que tout y plaidait contre les Jeux de l'ère moderne.

— J'ai abouti à la même conclusion lorsque je l'ai visitée cet après-midi.

— Denton était furieux. Il a refusé d'accorder le moindre penny supplémentaire au conservateur. Ils se sont brouillés.

Une version bien différente de celle de Daring, songea Knight.

— Quand cela s'est-il passé? demanda-t-il.

— Il y a deux mois. Trois, peut-être. Nous venions de rentrer de Crète et…

Ses sanglots reprirent de plus belle.

— Nous l'ignorions, Peter, mais notre escapade en Méditerranée aura été notre voyage de noces.

Elle hoquetait, submergée par l'affliction. Son fils se tut un long moment.

— Y a-t-il quelqu'un avec toi? finit-il par lui demander.

— Non, répondit-elle d'une toute petite voix. Peux-tu venir, Peter?

— Je voudrais bien, gémit-il, navré. Mais la nouvelle baby-sitter vient de démissionner et...

— Celle-là aussi? renifla Amanda, incrédule.

— Elle a claqué la porte il y a une demi-heure. Je vais devoir travailler sept jours sur sept pendant toute la durée des Jeux. J'ignore comment je vais me débrouiller. J'ai déjà fait appel à la plupart des agences de la ville. Plus personne ne voudra m'envoyer d'employée.

Amanda réfléchissait en silence, au point que Knight s'en alarma.

— Maman?

— Oui, je suis là, le rassura-t-elle d'un ton posé. Je vais m'en charger.

— Non, protesta-t-il. Tu n'es pas...

— Ça me permettra de m'occuper en dehors du travail, insista-t-elle. J'ai besoin de me changer les idées. Sinon, je vais devenir folle. Ou sombrer dans l'alcool et avaler des somnifères. Or, je n'en ai aucune envie.

31

À la même heure, au British Museum où se tenait une réception en l'honneur de l'exposition qu'il venait de consacrer aux jeux Olympiques de l'Antiquité, James Daring exultait. Savourant son triomphe, il évoluait parmi ses hôtes – qui comptaient parmi les personnalités les plus en vue de Londres, rassemblées là pour le vernissage.

La soirée avait été belle. Très belle.

Les critiques d'art venus visiter son installation en étaient sortis enchantés, séduits par la mise en regard des Jeux antiques et de ceux de l'ère moderne.

Mieux encore : plusieurs mécènes lui avaient fait part de leur intention d'injecter des fonds dans la production de « Secrets du passé ». Ils y achèteraient en outre des espaces publicitaires.

Qu'est-ce qu'il y connaissait, ce crétin de Denton ? songeat-il avec dédain. *Rien. Il n'y connaissait absolument rien.*

Daring avait fait du bon travail, et les résultats obtenus dépassaient ses attentes. Satisfait, il s'approcha du bar, où il commanda une autre vodka-Martini pour porter en silence un toast à son exposition. Et à bien davantage encore.

Bien davantage.

Il avait joué à merveille les amphitryons, pleurant la fin tragique de sir Denton Marshall à l'unisson de ses plus généreux donateurs. À présent, il se concentrait sur autre chose.

Où était-elle ?

Il finit par repérer une femme exquise à l'allure féline. Une courte chevelure flamboyante qui laissait voir ses épaules nues – elle portait une splendide robe de cocktail grise, qui mettait en valeur son regard d'émeraude. Le conservateur avouait un faible pour les rousses aux yeux verts.

Elle ressemble beaucoup à ma sœur. Et sur bien des plans. Cette façon, par exemple, d'incliner la tête lorsqu'elle s'amusait, comme c'était justement le cas. Une flûte de champagne à la main, elle flirtait avec un homme nettement plus âgé qu'elle, que Daring pensait avoir déjà vu. De qui s'agissait-il?

Peu importe. Il revint à Petra. Elle était impertinente, audacieuse, excentrique. Un frisson de plaisir lui parcourut l'échine. Elle se comportait envers cet homme avec un naturel déconcertant. Impertinente. Audacieuse. Excentrique.

Ce fut comme si la jeune femme avait capté ses réflexions.

Elle se détourna de son compagnon, scruta la foule pour repérer Daring, à l'autre bout de la salle. Elle le gratifia d'un sourire avide qui l'enflamma. Après s'être attardée quelques instants sur le visage du conservateur, elle battit des cils et reprit sa conversation. Bientôt, elle posa en riant une main sur la poitrine de son interlocuteur, puis s'excusa et partit.

Elle se dirigea vers Daring sans poser une seule fois le regard sur lui. Elle se fit servir un autre verre. Ils se rejoignirent enfin devant la table où trônaient les desserts. Le conservateur feignait de s'absorber dans la contemplation des crèmes brûlées.

— Il est saoul, murmura la jeune femme avec un léger accent d'Europe de l'Est. Il va rentrer en taxi.

Elle prélevait dans un plat des tranches de fruit au moyen d'une pince.

— Nous devrions y aller aussi, tu ne crois pas? enchaîna-t-elle.

Il l'observa à la dérobée. Une folle aux yeux verts! Il rougit de plaisir.

— Absolument, lui souffla-t-il. Saluons la compagnie et filons.

— Pas ensemble, imbécile. Mieux vaut ne pas attirer l'attention. Tu n'es pas d'accord?

— Bien sûr que si, approuva-t-il. Tu as raison. Je t'attends près de Bloomsbury Square.

32

Peu après 21 heures la parution d'un article signé Karen Pope dans l'édition en ligne du *Sun*, les radios londoniennes commencèrent à relayer l'information. On se concentrait sur la figure de Cronos, on diffusait le petit air de flûte.

Une heure plus tard, Peter Knight avait changé la couche de Luke, il avait lu une histoire aux jumeaux avant de les coucher. La BBC, à son tour, donnait dans le sensationnel : ses journalistes rapportaient en continu les accusations de corruption portées à l'encontre de sir Denton par son meurtrier, ainsi que l'ultime confession de Guilder, qui innocentait son associé et ami.

Le détective passa l'aspirateur jusqu'à 23 heures, afin d'éliminer dans la maison toute trace de talc. Ensuite, il se versa un whisky, avala quelques comprimés d'antalgique et se mit au lit. Son téléphone sonna. C'était Jack, très éprouvé par la mort de Joe Mascolo. Il exigea de son agent qu'il lui raconte par le menu la fusillade survenue au One Aldwych.

— Il a fait preuve d'un courage exceptionnel, conclut Knight. Il a immédiatement foncé en direction de la tueuse.

— Du Mascolo tout craché, commenta Jack d'une voix triste. Il était l'un des meilleurs flics de Brooklyn avant que je l'embauche pour assurer des missions de protection à New York. Il ne se trouvait à Londres que depuis quelques jours.

— C'est terrible.

— En effet. Et il me reste à prévenir sa femme.

Sur quoi, le directeur de Private raccrocha. Knight s'avisa qu'il avait oublié de mentionner la démission de sa baby-sitter. C'était mieux ainsi. L'Américain avait assez de soucis pour le moment.

Knight alluma la télévision. Sur toutes les chaînes, le décès de Marshall et de Guilder occupait l'antenne. On insistait sur le parfum de mystère qui entourait l'affaire, on évoquait à mots couverts les querelles byzantines précédant immanquablement le choix d'un nouveau site olympique. On ajoutait que le drame constituait pour la capitale anglaise un véritable camouflet, à la veille de la cérémonie d'ouverture.

Quant aux Français, ils se répandaient en reproches dans les médias : faisant fi des aveux de Guilder, ils accordaient foi aux soupçons de fraude émis par Cronos. Ils étaient furieux.

Le détective éteignit le poste. Il demeura assis dans son fauteuil, silencieux. Puis il souleva son verre pour avaler une longue gorgée de whisky, avant de poser le regard sur la photographie trônant sur le buffet.

Kate, son épouse, y figurait sur une lande écossaise illuminée par le soleil de juin. Le visage tourné vers l'objectif, la jeune femme enceinte rayonnait. Elle exhalait l'amour et la joie dont, hélas, Knight devait se trouver si cruellement privé quelque temps plus tard. Presque trois années s'étaient écoulées depuis.

— Ça a été une rude journée, lui murmura-t-il. J'ai mal partout, et quelqu'un se donne beaucoup de peine pour mettre un terme aux JO. Ma mère est dévastée. Les enfants sont venus à bout d'une autre baby-sitter et toi... Toi, tu me manques. Plus que jamais.

Son cœur devenait de plus en plus lourd, il lui semblait qu'il était tout près de se noyer. Le détective se laissait doucement couler au fond de son chagrin. Il se complut durant une minute ou deux dans ces abysses, puis il fit ce qu'il faisait immanquablement lorsque, au beau milieu de la nuit, les souvenirs l'assaillaient jusqu'à le rendre fou.

Ayant saisi à pleins bras ses couvertures et son oreiller, il gagna la chambre des enfants à pas de loup. Il s'allongea sur la banquette, d'où il contempla les deux petits lits, peu à peu apaisé par la douce odeur des jumeaux, bercé par leur souffle lent et régulier.

33

L'effet des analgésiques s'estompant, la douleur transperça de nouveau le flanc droit de Peter Knight vers 7 heures le lendemain matin. Puis il perçut un petit grincement. Il se souleva sur un coude : allongée sur le ventre et les yeux clos, Isabel dormait comme un loir, mais le lit de Luke se balançait doucement.

Le garçonnet s'était agenouillé dans son sommeil et, la tête reposant sur le matelas, il oscillait de droite et de gauche. Son père s'assit pour mieux l'observer. Depuis près de deux ans, Luke se livrait presque chaque matin à ce rituel inconscient.

Quelques minutes plus tard, le détective se glissait hors de la chambre, la tête bourdonnant de questions. Son fils souffrait-il de troubles du sommeil ? Était-il victime d'apnée ? Cela expliquait-il qu'il fût tellement agité, quand sa sœur à l'inverse était le calme incarné ? Était-ce pour cette raison qu'il parlait encore très mal et n'était pas encore propre, alors que Bella se montrait en avance de plusieurs mois sur la plupart des autres enfants ? Et puis Luke mordait, ce pouvait être à cause de cela…

Renonçant à tirer des conclusions définitives, Knight prit une douche puis se rasa en écoutant la radio. Le meurtre de sir Denton et les menaces de Cronos, annonçait-on, avaient conduit Michael Lancer, ainsi que les dirigeants de Scotland

Yard et du MI5, à annoncer un renforcement de la sécurité lors de la cérémonie d'ouverture des Jeux. On conseillait aux petits veinards munis de billets de se présenter au parc olympique dès l'après-midi, afin d'éviter la cohue aux postes de contrôle lorsque le soir viendrait.

Ayant entendu que l'agence Private s'était vu confier un rôle majeur dans la mise en place de ces mesures de sécurité accrues, le détective tenta d'appeler Jack. En vain. Mais sans doute l'Américain aurait-il besoin de lui dans très peu de temps.

Certes, Amanda lui avait promis de l'aider, mais il lui fallait une nounou sur-le-champ. Il tira un dossier d'un tiroir. À l'intérieur se trouvait la liste de toutes les agences de baby-sitting de la ville. Il entreprit de leur téléphoner une à une. La femme qui lui avait adressé Nancy et l'employée qui l'avait précédée partit d'un grand éclat de rire.

— Une nouvelle nourrice? Tout de suite? Vous n'avez aucune chance.

— Pourquoi?

— Parce que vos enfants ont acquis une réputation épouvantable et que les jeux Olympiques débutent ce soir. L'ensemble de mon personnel est occupé pour les deux prochaines semaines, au moins.

Le détective appela trois autres sociétés. Ses trois interlocutrices lui tinrent un discours identique. L'exaspération le gagnait. Il adorait Isabel et Luke, mais il avait juré à sa mère de mettre la main sur l'assassin de sir Denton et Private avait besoin de lui.

Il renonça à se mettre en colère et croisa les doigts pour qu'Amanda ait eu plus de chance que lui, puis s'acquitta de quelques tâches depuis son domicile. D'abord, il fit venir un coursier, qu'il chargea de déposer au laboratoire dirigé par Hooligan l'épingle à cheveux de Selena Farrell, sans doute porteuse de l'ADN de l'enseignante.

Puis il résolut d'en apprendre plus sur cette dernière, ainsi que sur Daring. Il fallait au moins découvrir où leurs chemins s'étaient croisés pour la première fois. Le conservateur avait évoqué les Balkans. C'était probablement là-bas qu'on avait pris le cliché figurant l'universitaire une arme à la main.

Hélas, il n'obtint de ses recherches sur Internet que la liste des ouvrages publiés par Farrell et quelques mentions de son opposition, sept ans plus tôt, à la construction du parc olympique.

« Il s'agit d'un projet calamiteux, avait-elle écrit dans un article édité par le *Times*. Les jeux Olympiques sont devenus pour les promoteurs le plus sûr moyen de détruire notre patrimoine immobilier, de chasser de notre capitale des familles entières, de délocaliser des entreprises. Je souhaite qu'un jour les hommes et les femmes responsables de ce désastre paient pour ce qu'ils auront infligé, avec l'argent du contribuable, à l'ensemble des expropriés londoniens. »

Qu'ils paient? songea Knight avec amertume. *Qu'ils paient?...*

34

Vingt-quatre heures plus tôt, le sale petit air de flûte avait provoqué chez elle une violente migraine accompagnée d'épouvantables nausées. Vingt-quatre heures plus tard, le vilain petit air de flûte s'obstinait à résonner à l'intérieur de sa tête. Selena Farrell gisait sur le lit, dans sa chambre, dont elle avait tiré les rideaux.

Comment était-ce possible? Et qu'avaient bien pu penser le détective et la journaliste? En s'enfuyant ainsi, elle leur avait donné toutes les raisons du monde de la suspecter. Avaient-ils commencé à fouiner dans son passé?

L'enseignante avait quitté en hâte l'université pour se réfugier dans son petit appartement propret de Wapping. Une affreuse sensation lui embrasait la gorge. Elle avait passé l'après-midi à ingurgiter des litres d'eau, puis elle avait avalé une poignée d'antiacides. Peine perdue.

Elle subissait ces crises de migraine depuis l'enfance. Des cachets, prescrits par son médecin, lui avaient permis d'en atténuer l'intensité. Mais une douleur sourde et brûlante persistait à l'arrière de son crâne.

Pour le moment, Farrell résistait à la tentation de la noyer dans l'alcool: lorsqu'elle s'enivrait, elle devenait une autre.

Je n'irai pas là-bas ce soir, songea-t-elle avant de se remémorer la jolie jeune femme alanguie sur un canapé rose. C'en fut aussitôt terminé de ses bonnes résolutions. Elle se leva pour se rendre à la cuisine. Elle ouvrit la porte du réfrigérateur, s'empara d'une bouteille de vodka Grey Goose.

Bientôt, la spécialiste de l'Antiquité avalait son deuxième verre. La migraine avait totalement reflué, entraînant avec elle l'insupportable petit air de flûte. Une flûte de Pan, ou syrinx, constituée de sept tubes de roseau accolés. Il s'agissait, avec la lyre, d'un des plus vieux instruments au monde. Mais le mystérieux son voilé qu'il produisait lui avait valu, dès les premiers temps, d'être banni des célébrations olympiques : sa voix, jugeait-on, convenait mieux aux funérailles.

— De toute façon, tout le monde s'en fiche, grommela Farrell avant de s'offrir une rasade supplémentaire. Les Jeux n'ont qu'à aller se faire foutre. Et sir Denton avec. Que tout le monde aille se faire foutre.

La métamorphose s'opérait peu à peu sous l'effet de la vodka. L'enseignante décida de ne plus s'appesantir sur l'injustice dont elle avait été victime, sur l'oppression généralisée, sur ce qu'elle avait perdu. On était vendredi soir. On était à Londres. Elle connaissait des lieux où aller. Des gens à voir.

Un frisson lui parcourut l'échine, qui se mua en appétit charnel tandis qu'elle titubait jusqu'à sa chambre pour extirper d'un placard une housse à vêtements, dont elle fit glisser la fermeture éclair.

À l'intérieur se trouvaient une superbe jupe noire moulante, généreusement fendue sur le côté droit, ainsi qu'un chemisier de satin bordeaux sans manches, au décolleté plongeant.

35

À 17 heures, ce vendredi, Peter Knight préparait le dîner des jumeaux dans la cuisine, résigné à manquer la cérémonie d'ouverture.

Au fond, c'était peut-être mieux ainsi : il se sentait fourbu. À peine Luke avait-il ouvert les yeux, en pleurant, que le détective s'était consacré corps et âme à ses enfants. Il pestait intérieurement contre les agences de baby-sitting ; il enrageait de ne pouvoir avancer dans l'enquête sur le meurtre de sir Denton.

Vers midi, pendant qu'Isabel et son frère s'amusaient, il avait appelé Amanda pour prendre de ses nouvelles.

— J'ai dormi deux heures, l'informa-t-elle. Dès que je piquais du nez, je rêvais de Denton, je m'apaisais. Mais au réveil, tout me revenait à la figure.

— Je suis navré, maman, compatit Knight, qui ne se rappelait que trop bien les insomnies dont il avait souffert après la mort de Kate, les crises d'angoisse qui le tenaillaient dans le noir, au point qu'il lui semblait parfois que la folie le guettait.

— J'ai oublié de te dire, enchaîna-t-il pour changer de conversation. Mike Lancer m'a invité à assister à la cérémonie d'ouverture dans la tribune officielle. Si tu me déniches une nourrice, nous pourrons y aller ensemble.

— Je ne suis pas sûre d'être prête à supporter la compassion que tous ces gens vont forcément me témoigner. Et puis il ne faudrait pas qu'on s'imagine que je me montre là-bas pour faire la fête.

— Les Jeux de Londres appartiennent à l'héritage de Denton. En venant, tu honorerais sa mémoire. Par ailleurs, ça te distrairait un peu de quitter la maison pour défendre avec moi sa réputation.

— Je vais y réfléchir.

— Et puis tant que je n'ai pas de baby-sitter, je ne peux pas avancer dans l'enquête.

— Comme si je l'ignorais! s'écria sa mère en lui raccrochant au nez.

Vers 15 heures, alors que les enfants faisaient la sieste, leur père parvint à joindre Jack. L'Américain avait beau jouer les types décontractés, Knight perçut aussitôt une tension dans sa voix – il était soumis à de nombreuses pressions.

— Nous nous démenons pour dégoter une nourrice, lui affirma le détective.

— Très bien. Parce qu'on a vraiment besoin de toi.

— Et merde! lâcha Knight après avoir raccroché.

À 17 h 30, on sonna. Il jeta un coup d'œil par le judas. Sa mère se tenait devant la porte, élégamment vêtue d'un chemisier et d'un pantalon noirs. Des escarpins complétaient sa tenue, ainsi qu'un collier de perles grises et des boucles d'oreilles assorties. Des lunettes de soleil lui mangeaient le visage. Le détective ouvrit.

— Je t'ai trouvé une baby-sitter pour la soirée, lui annonça Amanda en faisant un pas de côté pour la lui présenter.

La nounou n'était autre que Gary Boss, visiblement contrarié. Il exhibait un pantalon corsaire kaki, des chaussettes à motifs en losange, des mocassins, ainsi qu'un nœud papillon à rayures obliques; il avait une allure folle.

Il examina le détective en grimaçant, comme si celui-ci était responsable de tous les maux de la terre.

— Je me suis personnellement adressé à l'ensemble des agences de baby-sitting de la ville, assena-t-il à Knight. Vos enfants y sont connus comme le loup blanc, Peter, c'est le moins qu'on puisse dire. Bref, où sont-ils, ces gredins? N'oubliez pas de me transmettre leur emploi du temps.

— Dans le salon. Ils regardent la télé.

Dès que l'assistant personnel d'Amanda eut pénétré dans la maison, le détective se tourna vers sa mère.

— Il est vraiment capable de prendre soin d'eux ? lui demanda-t-il.

— J'ai triplé son salaire horaire pour l'occasion, qui me coûte déjà les yeux de la tête. Ça devrait lui suffire à s'acquitter correctement de sa mission.

Elle ôta ses lunettes noires : elle avait les yeux rouges et bouffis.

Knight grimpa l'escalier quatre à quatre et se changea dans sa chambre. En redescendant, il découvrit les jumeaux dissimulés derrière le canapé, observant Boss d'un regard soupçonneux. Amanda n'était pas avec eux.

— Son Altesse se trouve déjà dans la voiture, indiqua son assistant. Elle vous attend.

— Je fais, papa, intervint Luke en désignant sa couche.

Pourquoi était-il incapable d'utiliser les toilettes ?

— Bien, décréta le détective. Leur nourriture est dans le frigo, dans des boîtes en plastique. Il suffit de la réchauffer quelques minutes au micro-ondes. Luke est autorisé à manger un peu de glace en dessert. Bella y est allergique : donnez-lui plutôt des biscuits. Ensuite le bain. Puis au lit à 21 heures. Nous devrions rentrer vers minuit.

Knight alla embrasser ses enfants.

— Soyez gentils avec M. Boss. Il est votre nounou pour ce soir.

— Je fais, papa, se plaignit le garçonnet.

— Il y a une petite urgence du côté de Luke, dit le détective à l'assistant. Vous feriez mieux de le changer maintenant. Sinon, vous serez obligé de lui donner le bain plus tôt que prévu.

Boss le gratifia d'un regard désespéré.

— Le changer ? Ôter une couche pleine d'excréments ? Moi ?...

— Vous êtes la baby-sitter.

Knight réprima un éclat de rire en quittant la maison.

36

Tandis que Peter Knight et sa mère se rendaient à la gare de Saint-Pancras pour grimper à bord du rapide qui les mènerait vers Stratford et le parc olympique, Selena Farrell se sentait formidablement sexy.

La nuit tombait sur Soho. Il régnait une chaleur étouffante et l'enseignante, ivre de vodka, s'était muée en prédatrice. Depuis Tottenham Court Road, elle se dirigea vers Carlisle Street. Elle lorgnait de temps à autre son reflet dans les vitrines des boutiques, observait le regard des hommes et des femmes qu'elle croisait sur sa route. Elle ondulait dans sa jupe et son chemisier qui la moulaient comme une seconde peau.

Savamment maquillée, elle portait des lentilles de contact d'un bleu intense. Ses cheveux, teints en noir, encadraient joliment son visage, soulignant le grain de beauté que Knight avait repéré sur sa joue. Personne – pas même son assistante – n'aurait été en mesure de la reconnaître.

Farrell adorait l'état dans lequel elle se trouvait. Elle était une créature anonyme dévorée par le désir charnel, une créature en quête de proies. Elle ne possédait plus rien de commun avec l'enseignante qu'on rencontrait dans les couloirs de l'université.

Parvenue sur Carlisle Street, elle poursuivit jusqu'au n° 4 et entra. Le Candy Bar comptait parmi les plus anciennes et les plus grandes discothèques lesbiennes de Londres. Farrell s'y rendait chaque fois qu'elle avait besoin de se détendre.

Elle se dirigea vers le bar, le long duquel se pressaient de jolies femmes. L'une d'elles, exquise et menue, la repéra, pivota sur son tabouret et, un mojito à la main, lui décocha un sourire entendu.

— Syren St. James!

— Salut, Nell, répondit Farrell en l'embrassant sur la joue.

Celle-ci posa une main sur son avant-bras et examina sa tenue.

— Bon sang, mais regarde-toi : plus belle et plus radieuse que jamais. Où étais-tu passée? Je ne t'ai pas vue depuis presque un mois.

— Je suis venue il y a quelques jours. Avant ça, je me suis rendue à Paris pour mon travail. Une nouvelle mission.

— Veinarde, s'enthousiasma Nell avant de prendre une mine de conspiratrice. Si tu en as envie, on peut toujours s'éclipser et...

— Pas ce soir, chérie, l'interrompit Farrell avec douceur. J'ai d'autres projets.

— Dommage. Il est déjà arrivé, ton projet?

— Je n'ai pas encore regardé.

— Comment s'appelle-t-elle?

— Ça, c'est un secret.

— Comme tu voudras, répliqua Nell, soudain boudeuse. Si ton secret ne se montre pas, repasse donc par ici.

L'enseignante lui souffla un baiser avant de s'éloigner. Son cœur impatient battait au rythme de la musique qui s'élevait en grondant du sous-sol. Elle scruta la salle dans ses moindres recoins avant de monter à l'étage. Elle y détailla les femmes rassemblées autour de la table de billard. Toujours rien.

Elle commençait à songer qu'on lui avait posé un lapin. Elle finit par rejoindre le sous-sol, où une stripteaseuse évoluait au son des accords produits par le DJ, une certaine V. J. Wicked. Des sofas roses s'alignaient contre le mur, face à l'effeuilleuse.

Farrell découvrit celle qu'elle cherchait sur l'un des canapés, à l'autre bout de la salle ; elle faisait tourner entre ses doigts une flûte de champagne. Cheveux noirs de jais réunis en queue-de-cheval serrée, robe de cocktail noire, toque assortie d'une voilette de dentelle – on ne distinguait que le hâle de sa peau et ses lèvres rubis.

— Bonsoir, Marta, lança l'universitaire en s'installant dans un fauteuil voisin.

Marta détacha son regard de la stripteaseuse et sourit.

— J'étais certaine que tu viendrais, répondit-elle.

Elle possédait un délicieux accent d'Europe de l'Est.

Humant le parfum de la jeune femme, Farrell se sentit envoûtée.

— Je ne voulais pas manquer ça.

Marta laissa courir ses ongles rouge vif sur le dos de la main de l'enseignante.

— Je m'en doutais. Nous n'allons tout de même pas laisser les Jeux commencer sans agir, n'est-ce pas?

37

À 19 heures, la planète entière avait les yeux braqués sur le parc olympique de Londres, dans l'enceinte duquel se trouvaient le stade où se pressaient quatre-vingt mille personnes, le village des athlètes, ainsi que des installations flambant neuves destinées à accueillir les compétitions cyclistes, les matchs de basket et de handball, les épreuves de natation et de plongeon.

Les médias leur avaient néanmoins préféré l'*ArcelorMittal Orbit* du sculpteur britannique Anish Kapoor – la tour, commandée à l'artiste pour l'occasion, était devenue le symbole du Parc et des Jeux. Culminant à près de cent quinze mètres, elle se révélait plus haute que Big Ben ou la statue de la Liberté. Cette vaste structure en métal rouge comportait d'énormes bras dont les torsions, les courbures et les entrelacs évoquaient à Peter Knight des hélices d'ADN prises de folie. On trouvait à deux pas du sommet un restaurant, ainsi qu'une plate-forme d'observation. Plus haut encore, un autre brin d'ADN s'incurvait pour former une arche géante.

À travers la baie vitrée d'un salon réservé aux membres du Locog, le détective orienta ses jumelles vers l'immense vasque olympique, installée par-dessus le toit de la plate-forme d'observation. Comme Knight se demandait par quel prodige on allait parvenir à l'embraser, son attention fut attirée par un présentateur de la BBC qui, sur un écran tout proche, annonçait qu'on estimait à près de quatre milliards le nombre de téléspectateurs sur le point de suivre la cérémonie d'ouverture.

— Peter? l'appela Jack Morgan dans son dos. Quelqu'un désire te parler.

Le détective baissa ses jumelles et se retourna pour découvrir, à côté du directeur de l'agence Private, le président du Locog, Marcus Morris, naguère ministre des Sports au sein d'un gouvernement travailliste.

Les deux hommes se serrèrent la main.

— C'est un honneur, dit Knight au président.

— J'aimerais que vous me rapportiez très exactement ce que vous a confié Richard Guilder avant de mourir au sujet de Denton Marshall.

Knight s'exécuta.

— L'escroquerie n'avait pas le moindre rapport avec l'organisation des JO, conclut-il. Guilder ne visait que son enrichissement personnel. J'en ferai la déclaration sous serment si cela est nécessaire.

— Je vous remercie, dit Morris en lui serrant de nouveau la main. J'aurais été fort contrarié que des soupçons d'irrégularité financière viennent planer sur ces Jeux. Ce qui, hélas, ne change rien pour Denton. Sa mort est une tragédie.

— À bien des égards, en effet.

— Votre mère paraît tenir le coup.

Depuis leur arrivée, on se montrait d'une prévenance exquise avec Amanda, qui se trouvait actuellement derrière eux, dans la foule.

— Elle est très courageuse, commenta son fils. Et lorsqu'elle a appris que Cronos accusait Denton de corruption, son chagrin s'est partiellement changé en colère. Ce n'est d'ailleurs pas une bonne chose, me semble-t-il.

— Sans doute pas. À présent, veuillez m'excuser, j'ai un discours à prononcer.

— Et des jeux Olympiques à ouvrir, ajouta Jack Morgan.

— C'est juste, approuva Morris avant de se retirer.

L'Américain scruta le stade bondé. Il s'attarda sur la ligne des toits.

— La sécurité des lieux est parfaitement assurée, observa Knight. Ne t'inquiète pas. Il nous a fallu plus d'une heure pour passer le poste de contrôle de Stratford. Et tous les types armés étaient des Gurkhas.

— Les plus redoutables guerriers du monde, compléta Jack en hochant la tête.

— Tu as besoin de moi?

— Non, tout va bien. Profite plutôt du spectacle. Tu l'as mérité.

— Où est Lancer? s'étonna le détective. Comment pourrait-il manquer une célébration qu'il a lui-même mise sur pied?

— C'est un secret, murmura l'Américain avec un clin d'œil. Au fait, Mike m'a demandé de te remercier une nouvelle fois. Et tu devrais me présenter à ta mère. Je tiens à l'assurer de ma sympathie.

Le portable de Knight vibra au fond de sa poche.

— Bien sûr. Attends une seconde.

L'appel provenait de Hooligan. L'agent décrocha à l'instant où les lumières baissaient dans le stade – les spectateurs commencèrent à applaudir.

— J'assiste à la cérémonie d'ouverture, indiqua Knight à son correspondant. Ça vient de démarrer.

— Pardon de te déranger, répliqua le scientifique d'un ton bourru, mais il faut bien que certains d'entre nous continuent de bosser. J'ai les résultats concernant les cheveux que tu m'as fait parvenir tout à l'heure. Ils…

Le tumulte d'une fanfare retentit dans tous les haut-parleurs du stade.

— Répète! brailla le détective en se fourrant un doigt dans l'oreille gauche pour tenter de s'isoler un peu du fracas ambiant.

— Le cheveu sur l'enveloppe expédiée par Cronos et ceux de Selena Farrell! hurla Hooligan. Ils appartiennent à la même personne!

38

— Nous tenons Cronos! souffla Peter Knight d'une voix rauque en raccrochant. Au même instant, un puissant projecteur transperça les ténèbres pour s'immobiliser sur une silhouette solitaire recroquevillée au centre du terrain.

— Quoi? s'exclama Jack Morgan, abasourdi.

— Ou du moins l'une de ses Furies, précisa le détective, qui exposa à son supérieur la concordance des deux échantillons d'ADN. On a rasé la maison de Farrell pour construire ce stade. Elle a déclaré dans un article que les responsables devraient un jour payer. Et elle a complètement perdu la boule quand nous lui avons fait écouter le petit air de flûte.

— Appelle Pottersfield, lui conseilla l'Américain. Qu'elle se rende au domicile de l'enseignante et le place sous surveillance policière jusqu'à ce qu'elle ait obtenu un mandat de perquisition.

Dans l'enceinte sportive, un solo de clarinette s'éleva. Du coin de l'œil, Knight vit la silhouette centrale se relever. L'homme portait un costume vert. À la main, il tenait un arc, et un carquois garni de flèches lui barrait le dos. Robin des bois?

— Si ça se trouve, énonça Knight, une sourde angoisse lui enserrant soudain la poitrine, elle est ici. Dans le stade.

— Tous les billets d'entrée sont nominatifs.

Mais, déjà, Jack Morgan se détournait de la baie vitrée pour quitter le salon, le détective à sa suite.

Dans leur dos, la foule en délire se déchaînait : le spectacle, conçu par le réalisateur britannique Danny Boyle, retraçait à coups de chansons et de danses la riche histoire de Londres. La musique résonnait dans le long corridor emprunté par les deux hommes. Knight, qui entendait rouler les tambours, composa en hâte le numéro de l'inspectrice en chef. Dès qu'elle eut décroché, à la troisième sonnerie, il lui fit part du lien avéré entre Selena Farrell et la lettre expédiée par Cronos.

À côté de lui, Morgan téléphonait aussi, exposant les mêmes faits à son correspondant.

— Comment avez-vous obtenu l'ADN de Farrell ? s'étonna Pottersfield.

— C'est une longue histoire. Nous sommes actuellement à sa recherche, au cas où elle aurait pénétré dans le stade. Vous devriez filer chez elle.

Jack et lui raccrochèrent en chœur. Le détective observa les quatre agents armés de Private, qui gardaient l'entrée du salon réservé aux membres du Locog.

Son supérieur lut dans ses pensées.

— Personne ne peut avoir accès à cet endroit, le rassura-t-il.

Knight allait hocher la tête en signe d'approbation, mais il se ravisa.

— Les membres du Comité ne sont pas forcément les seules cibles, prévint-il. L'assassinat de Guilder en est la preuve.

— Nous en tiendrons compte.

Au moment où les deux hommes s'engageaient dans l'enceinte sportive, Mary Poppins, tenant son parapluie à bout de bras, décolla de l'*ArcelorMittal Orbit* pour voler jusqu'à la réplique de la tour de Londres dressée maintenant sur le terrain. Les spectateurs hurlaient de joie. Mais la célèbre nounou disparut dans un nuage de fumée avant d'atteindre son but. Des éclairs blanc et rouge zébrèrent l'obscurité, des timbales résonnèrent : on évoquait le Blitz, la vaste campagne de bombardements menée par les Allemands au début de la Seconde Guerre mondiale.

Puis la fumée se dissipa pour laisser apparaître plusieurs centaines de figurants diversement vêtus, qui dansaient aux abords de la fausse tour de Londres. C'était cette fois la ville la plus cosmopolite au monde qu'on était en train de célébrer.

Knight, lui, avait les yeux partout. Quelle action une déséquilibrée pourrait-elle entreprendre au cœur d'un endroit comme celui-ci? Il repéra un accès à l'ouest.

— Où est-ce que ça mène? interrogea-t-il.

— À la piste d'entraînement. C'est là que les délégations se trouvent réunies avant la Parade des nations.

Pour quelque obscur motif, le détective se sentait irrésistiblement attiré dans cette direction.

— Je vais y faire un tour.

— Je t'accompagne, répondit Jack en lui emboîtant le pas.

Dans le stade, les lumières s'éteignaient de nouveau. Sauf une. Un projecteur encore, une fois de plus braqué sur la silhouette de Robin des bois, juché à présent bien au-dessus de la scène, dans la partie sud de l'édifice.

Le comédien désigna de la main le sommet de l'*Orbit*, au-delà de la plate-forme d'observation. D'autres projecteurs y firent surgir des ténèbres deux gardes de la reine. Campés de part et d'autre du chaudron olympique, ils s'en approchèrent lentement, du même pas raide et fier. Puis ils pivotèrent pour se retrouver face au public. Leur tunique rouge resplendissait, ainsi que leur bonnet noir en poil d'ours.

Deux gardes supplémentaires se montrèrent de chaque côté de la scène principale. Le volume de la musique s'atténua. La voix d'un présentateur retentit dans le silence:

— Mesdames et messieurs, la reine Élisabeth II et la famille royale.

39

Les projecteurs se braquèrent sur la souveraine, toute de bleu vêtue. Tandis qu'elle s'avançait vers le micro, elle sourit en saluant ses sujets. Charles, William, Kate et d'autres membres de la maison de Windsor la suivaient de près.

Dans sa brève allocution, la reine souhaita la bienvenue aux jeunes gens venus des quatre coins de la planète. Peter Knight et Jack Morgan demeurèrent quelques instants bouche bée, puis ils poursuivirent leur chemin. Les discours officiels se succédaient. Le détective et son supérieur atteignirent les tribunes surplombant le tunnel d'accès. Des agents de sécurité exigèrent de voir leurs badges et leurs pièces d'identité avant de les laisser rejoindre la balustrade. De nombreux gardes népalais les scrutèrent aussitôt.

— Je n'aimerais pas qu'un de ces gars-là me prenne en grippe, observa Jack pendant que les athlètes afghans se présentaient à l'entrée du terrain.

— Les soldats les plus valeureux du monde, confirma Knight en louchant vers les longs couteaux à lame recourbée que les Gurkhas portaient à la ceinture.

On avait décapité sir Denton au moyen d'un long couteau à lame recourbée, songea-t-il au passage.

Il s'apprêtait à faire part de sa remarque à Morgan lorsque Marcus Morris mit un terme à son allocution en s'écriant :

— La plus éminente cité de la terre souhaite la bienvenue à la jeunesse du monde entier !

Sur la scène, à l'extrémité sud de l'enceinte sportive, les Who apparurent, lâchant d'emblée les premières notes de « The Kids Are Alright ». Au même instant, la parade des athlètes commença ; la délégation afghane ouvrait la marche.

Dans les gradins, l'excitation semblait à son comble. L'enthousiasme monta pourtant d'un cran lorsque les Rolling Stones succédèrent aux Who. Keith Richards fit gicler de sa guitare le riff inaugural de « Can't You Hear Me Knocking ».

Les flashes crépitèrent par milliers. La ferveur olympique venait de s'emparer pour de bon de toute la ville de Londres.

Au-dessous de Morgan et Knight, les Camerounais pénétraient sur les pistes.

— C'est lequel, Mundaho ? s'enquit l'Américain. Il est bien camerounais, n'est-ce pas ?

— Tout à fait.

Le détective examinait les membres de la délégation, parés de vert et de jaune. Enfin, il repéra un grand gaillard rieur, dont la chevelure s'ornait de coquillages et de perles.

— Le voici.

— Tu crois qu'il est vraiment capable de battre Shaw ?

— En tout cas, il en est persuadé.

Filatri Mundaho avait fait son entrée sur la scène internationale sept mois plus tôt, à Berlin, lors d'une course où personne ne l'attendait. C'était un garçon longiligne – un physique assez semblable à celui de Zeke Shaw, l'extraordinaire coureur jamaïcain.

Celui-ci ne se trouvait pas à Berlin, mais, à part lui, le gratin du sprint mondial était au rendez-vous. Quant à Mundaho, il s'était aligné au départ du 100 mètres, du 200 mètres et du 400. Le Camerounais avait remporté haut la main l'ensemble des épreuves éliminatoires, ainsi que les trois finales. Du jamais-vu.

Dès lors, les spéculations étaient allées bon train : parviendrait-il à renouveler son exploit aux Jeux de Londres ? En 1996, à Atlanta, l'Américain Henry Ivey avait décroché une médaille d'or et établi de nouveaux records du monde sur

100 et 200 mètres. À Pékin, douze ans plus tard, Shaw avait gagné le 100 mètres et le 200 mètres ; il avait à son tour pulvérisé le record du monde des deux disciplines. Mais, aux JO, aucun homme n'avait encore grimpé sur la première marche du podium dans les trois épreuves du sprint.

Filatri Mundaho allait tenter l'impossible.

Selon la légende, rapportée par ses entraîneurs, on avait découvert le coureur à l'occasion d'une compétition organisée dans l'est du Cameroun, peu après qu'il avait échappé aux forces rebelles qui, quelques années plus tôt, s'étaient emparées de lui pour en faire un enfant soldat.

— Tu as lu son interview ? demanda Jack à son agent. Il prétend qu'il doit sa vitesse et son énergie aux balles qu'il entendait alors siffler dans son dos.

— Non, je ne l'ai pas lue. Mais je comprends que ça puisse devenir une sacrée source de motivation !

40

Vingt minutes plus tard, tandis que les Who et les Rolling Stones continuaient de dérouler leur répertoire à tour de rôle, la délégation américaine pénétra dans le stade. Jack Morgan avait fait la connaissance de Paul Teeter, son porte-drapeau, à Los Angeles.

— Paul a étudié à l'université de Californie, expliqua le patron de Private à Peter Knight. Il lance le poids et le disque. Il est bourré de talent. Un cœur d'or, par ailleurs. Il travaille beaucoup avec les jeunes des quartiers défavorisés. Tous les spécialistes le voient déjà sur la plus haute marche du podium.

Détournant les yeux du robuste barbu, le détective se concentra sur la jeune femme qui s'avançait à sa suite. La semaine précédente, il l'avait découverte dans l'édition londonienne du *Times*, posant en bikini. À près de quarante ans, elle possédait un corps de rêve.

— C'est Hunter Pierce? s'enquit-il auprès de Morgan.

Ce dernier confirma d'un hochement de tête admiratif.

— Quel parcours, souffla-t-il.

Son mari était mort deux ans plus tôt dans un accident de la route, laissant derrière lui trois enfants de moins de dix ans. Médecin urgentiste à San Diego, Pierce avait failli, en 1996, rejoindre l'équipe olympique de plongeon. Elle avait finalement renoncé au sport de haut niveau pour poursuivre ses études et fonder une famille.

Mais, à la suite du décès de son époux, elle avait retrouvé le chemin des piscines, et, à la demande de ses enfants, elle s'était remise à la compétition, à l'âge de trente-six ans. Dix-huit mois plus tôt, elle avait, contre toute attente, remporté sous les yeux ébahis de ses trois bambins les qualifications du plongeon à dix mètres pour les JO de Londres.

— Tu l'as dit, approuva Knight.

Souriante, Hunter Pierce saluait la foule, les Zimbabwéens sur les talons.

La délégation de Grande-Bretagne – le pays hôte – fermait la marche. Son porte-drapeau n'était autre que la nageuse Audrey Williamson, qui avait raflé deux médailles d'or aux Jeux de Pékin.

Le détective désigna du doigt les athlètes les plus susceptibles de se faire remarquer lors des compétitions. Parmi eux se trouvaient Mary Duckworth, la marathonienne, Mimi Marshall, jeune sprinteuse de dix-huit ans aux qualités exceptionnelles, ainsi que le boxeur Oliver Price.

Peu après, on entonna « God Save The Queen », puis l'hymne olympique. Les athlètes prononcèrent le serment.

— Je me demande qui va allumer la vasque, dit Morgan.

— Tous les habitants de ce pays se posent la même question, répondit Knight.

Chacun y allait de son pronostic. Un peu plus tôt dans l'année, la flamme était arrivée de Grèce. On l'avait portée jusqu'à Much Wenlock, dans le Shropshire, où Pierre de Coubertin, considéré comme le père des Jeux de l'ère moderne, avait proposé pour la première fois de redonner ses lettres de noblesse à la compétition, en 1892.

Depuis, la flamme avait circulé en Angleterre, au pays de Galles et en Écosse. La rumeur enflait à chaque nouvelle étape : qui allumerait le chaudron ?

— Les bookmakers penchent pour sir Cedric Dudley, exposa le détective à son supérieur. Il a remporté cinq médailles d'or en aviron. Mais certains aimeraient que sir Seymour Peterson-Allen soit l'heureux élu : il a été le premier à couvrir le mile en moins de quatre minutes.

La musique des *Chariots de feu* retentit soudain. La foule exultait. Deux hommes firent leur entrée sur la piste, juste au-dessous de Morgan et Knight. Ils soutenaient ensemble le flambeau.

Le premier était bien sir Cedric.

Il courait aux côtés de…

— Bon sang, mais c'est Lancer! s'écria le détective.

Le décathlonien salua joyeusement les spectateurs de la main. Son compère et lui se dirigèrent vers l'escalier en spirale qui flanquait la fausse tour de Londres. Une silhouette, toute de blanc vêtue, les y attendait.

41

Au même moment, Karen Pope se trouvait dans la salle de rédaction du *Sun*, au huitième étage d'un immeuble de bureaux moderne situé à Thomas More Square, non loin des docks Sainte-Catherine, sur la rive nord de la Tamise. La jeune femme avait envie de rentrer chez elle pour dormir un peu, mais elle suivait la retransmission télévisée de la cérémonie d'ouverture des JO sans plus pouvoir s'en détacher.

Sur l'écran, Lancer et Dudley continuaient de progresser en direction de la blanche silhouette qui patientait au pied de l'escalier menant au sommet de la tour. L'allégresse générale avait eu raison du cynisme ordinaire de la journaliste ; elle se laissait prendre au jeu.

Elle mesurait soudain l'importance de l'événement pour la ville de Londres. Pour la Grande-Bretagne tout entière.

Elle jeta un coup d'œil vers Finch, son rédacteur en chef. Des larmes d'émotion embuaient le regard du vieux briscard.

— Vous savez qui sait ? fit-il. Celui qui va allumer la vasque ?

— Non, je n'en ai pas la moindre idée.

— C'est...

— Vous êtes bien Karen Pope ? l'interrompit une voix masculine.

La jeune femme se retourna : un coursier débraillé l'observait d'un air las.

— En effet, c'est moi.

Le garçon lui remit une enveloppe sur laquelle son nom se trouvait apposé en étranges lettres capitales – il y en avait de toutes les couleurs, et de fontes diverses. Karen Pope sentit sa gorge se nouer.

42

L'ultime porteur de la flamme grimpait l'escalier. La foule applaudissait à tout rompre. On sifflait, on tapait des pieds.

Peter Knight fronça les sourcils en levant la tête vers le sommet de l'*Orbit*, où se tenaient toujours les gardes, de part et d'autre du chaudron olympique. Comment diable allait-on passer de la fausse tour de Londres à celle d'Anish Kapoor?

Le dernier porteur leva la torche à bout de bras dans un tonnerre de bravos.

L'arc en main, Robin des bois s'élança de l'échafaudage surplombant l'une des scènes. Suspendu à des câbles, il survola une partie du stade en direction du flambeau. Les spectateurs étaient subjugués.

L'archer trempa la pointe de sa flèche dans la torche embrasée. Puis il prit son élan. Il ne cessait de s'élever en bandant son arc.

Parvenu au faîte de l'*Orbit*, il libéra sa flèche, qui déchira la nuit pour passer entre les gardes de la reine et se ficher à l'intérieur de la vasque.

D'immenses flammes jaillirent aussitôt de cette dernière et la voix de Jacques Rogge, président du Comité international olympique, retentit :

— Je déclare ouverts les jeux Olympiques de Londres 2012!

De la cime de l'*ArcelorMittal Orbit* s'échappèrent des feux d'artifice, tandis que les cloches des églises londoniennes sonnaient à toute volée. Sur le terrain, les athlètes s'encourageaient, échangeaient des pin's, immortalisaient les moments magiques qu'ils étaient en train de vivre.

Les yeux de Knight s'emplirent brusquement de larmes. Il ne s'attendait pas à éprouver une telle fierté pour sa ville ni pour son pays.

Son portable se mit à vibrer au fond de sa poche.

— Cronos vient de m'expédier une autre lettre! lui hurla une Karen Pope en pleine crise d'hystérie. Il y revendique le meurtre de Paul Teeter, le lanceur de poids américain!

— Mais non, voyons, commença le détective, je viens de le voir et…

Déjà, il avait compris.

— Où est Teeter? cria-t-il à Jack Morgan en se mettant à courir. Cronos va essayer de le tuer!

43

Peter Knight et son supérieur fendirent la foule. L'Américain hurlait dans son portable – il transmettait les dernières nouvelles au chef de la sécurité. Les deux hommes brandirent leur badge avant de pénétrer sur le terrain.

Knight repéra aussitôt Teeter : l'athlète, toujours chargé de son drapeau, bavardait avec Filatri Mundaho, le sprinter camerounais. Comme le détective se ruait vers eux, la bannière étoilée s'affaissa. Teeter chuta lourdement, pris de convulsions ; une mousse sanglante se formait à la commissure de ses lèvres.

Déjà, des voix frénétiques s'élevaient parmi la délégation américaine. On cherchait un médecin. Hunter Pierce se précipita. Elle s'agenouilla près du lanceur de poids, que Mundaho considérait avec horreur.

— Il s'est écroulé d'un coup, souffla-t-il à Knight.

Celui-ci se sentait sonné. Tout s'était déroulé si vite. Trois minutes plus tôt, Cronos proférait ses menaces. Comment aurait-on pu agir à temps ? Personne n'était en mesure de sauver le sportif américain.

Dans les haut-parleurs, un grésillement céda bientôt la place au vilain petit air de flûte.

Le détective s'affolait. Il se rappela l'effet dévastateur de la mélodie sur Selena Farrell lorsqu'il la lui avait fait entendre dans son bureau. Puis il s'avisa que la plupart des athlètes autour de lui s'étaient tournés vers les écrans géants, qu'ils désignaient du doigt. Partout s'inscrivait la même phrase en immenses lettres rouges :

HONTE AUX JEUX OLYMPIQUES !

III

L'homme le plus rapide du monde

44

Peter Knight était hors de lui. Cronos agissait en toute impunité. Il venait d'empoisonner Teeter au nez et à la barbe des agents de sécurité, et voilà maintenant qu'il piratait le système informatique du Parc – son message allait jusqu'à s'étaler sur les tableaux des scores.

Selena Farrell était-elle capable d'accomplir de tels exploits?

Mike Lancer rejoignit Jack Morgan et son subordonné au pas de course. Il paraissait prématurément vieilli. Il eut un mouvement du menton en direction des écrans.

— Qu'est-ce que ça veut dire? Et cette musique infernale, qu'est-ce que c'est?

— C'est Cronos, l'informa le détective. Il vient de revendiquer l'attentat.

— Quoi?

Lancer nageait en plein désarroi. Il aperçut le docteur Pierce, flanquée de deux auxiliaires médicaux, s'affairant autour du lanceur de poids.

— Il est mort? demanda t il.

— Je l'ai vu avant que Pierce le prenne en charge, répondit Knight. Il avait de la mousse sanglante plein la bouche. Il convulsait. Manifestement, il était en état de choc.

— On l'a empoisonné?

— Nous devons attendre le résultat de l'analyse de sang.

— Ou de l'autopsie, intervint Jack pendant qu'on se hâtait d'emporter l'athlète inconscient, allongé sur une civière, vers l'ambulance la plus proche ; le docteur Pierce courait derrière.

Quelques applaudissements retentirent çà et là dans le stade en guise d'encouragements. Néanmoins, la plupart des spectateurs quittaient l'enceinte sportive, les mains sur les oreilles pour se préserver du sinistre petit air de flûte. Ils lançaient des coups d'œil inquiets vers le message de Cronos, qui continuait d'illuminer les écrans.

HONTE AUX JEUX OLYMPIQUES !

— Je me fous complètement des arguments de Cronos, décréta Morgan d'une voix tremblante, tandis que l'ambulance prenait la direction de l'hôpital. Paul Teeter est un type épatant. J'ai visité l'un des centres médico-sociaux qu'il parraine à Los Angeles. Les gamins l'adorent. Quel genre d'ordure est capable de s'en prendre à ce gars-là, de commettre une pareille horreur un tel jour ?

Knight revit en pensée le professeur Farrell, fuyant son bureau la veille. Où se trouvait-elle ? Pottersfield l'avait-elle arrêtée ? Était-elle Cronos ? Ou l'une de ses Furies ? Comment était-on parvenu à empoisonner le lanceur de poids ?

Le détective s'approcha de Mundaho, auquel il se présenta avant de lui demander ce qu'il avait vu au juste. Le sprinter camerounais lui rapporta dans un mauvais anglais que, quelques minutes avant de perdre conscience, Teeter s'était mis à transpirer abondamment ; il avait le teint écarlate.

Knight s'adressa ensuite à d'autres sportifs américains : le lanceur de poids avait-il bu avant le début de la cérémonie ? Un sauteur en hauteur lui apprit que Teeter avait vidé l'une des bouteilles d'eau en plastique que les bénévoles, ou « maîtres des Jeux », avaient distribuées par milliers aux athlètes peu avant la Parade des nations.

Le détective transmit ces renseignements à Morgan et Lancer. Ce dernier porta son talkie-walkie à ses lèvres pour exiger d'une voix tonitruante que tous les maîtres des Jeux demeurent dans l'enceinte du stade jusqu'à plus ample information.

Le chef de la sécurité, arrivé quelques minutes plus tôt, jetait des regards mauvais aux écrans géants.

— Éteignez tout! hurla-t-il dans son émetteur, et faites taire cette satanée flûte, nom de Dieu! Et je veux savoir comment on s'y est pris pour pénétrer dans notre réseau. Je veux le savoir maintenant!

45

Paul Teeter, athlète éminent et défenseur infatigable de la jeunesse défavorisée, s'éteignit dans l'ambulance, peu après minuit. Il avait vingt-six ans.

Quelques heures plus tard, Peter Knight fit un cauchemar, mettant en scène le sale petit air de flûte, la tête décapitée de Denton Marshall, la poitrine ensanglantée de Richard Guilder, le cadavre de Joe Mascolo gisant parmi les mille éclats de verre de la table basse, au beau milieu du Lobby Bar, et la bouche sinistrement mousseuse du lanceur de poids.

Le détective s'éveilla en sursaut. Son cœur battait la chamade et, durant un court instant, il se demanda où il était.

Puis il entendit Luke sucer son pouce dans l'obscurité. La mémoire lui revint aussitôt. Il s'apaisa peu à peu et remonta la couverture en songeant à la mine de Gary Boss lorsqu'il avait regagné son domicile vers 3 heures du matin.

Au milieu d'un salon sens dessus dessous, l'assistant personnel de sa mère jura à Knight que plus jamais il ne s'occuperait de ses enfants – deux fous furieux, selon lui. Quand bien même Amanda quintuplerait son salaire.

Cette dernière en voulait elle aussi à son fils : il l'avait abandonnée dès le début de la cérémonie d'ouverture, sans daigner, jugeait-elle, répondre à ses appels après l'annonce du décès de Teeter. Mais le détective était débordé.

Il tâcha de se rendormir, en vain : il pensait à la baby-sitter qu'il devait dénicher, il pensait à sa mère, il pensait au contenu de la deuxième lettre de Cronos. Jack, Hooligan et lui avaient examiné la missive dans la salle blanche du laboratoire de Private vers 1 heure, peu après que Karen Pope la leur avait apportée.

« Quel honneur peut-on tirer d'une victoire imméritée ? commençait-il. Quelle gloire peut-on obtenir en trichant pour vaincre son adversaire ? »

Aux dires du meurtrier, Teeter était un imposteur, « emblématique de ces légions d'athlètes corrompus prêts à utiliser n'importe quelle substance illicite pour améliorer leurs performances ».

Cronos poursuivait en assurant que le lanceur de poids, ainsi que d'autres sportifs qu'il ne nommait pas, consommaient du bois de velours de cerf pour augmenter leur force ou leur vitesse, et pour récupérer plus rapidement. Car de toutes les substances vivantes, le bois de cerf possède le taux de croissance le plus élevé. On en tire donc une puissante hormone, dont le règlement des Jeux interdit l'usage. Néanmoins, administrée sous forme de spray buccal, elle devient pratiquement indétectable lors des analyses sanguines.

« Les effets du pantocrine sont considérables, enchaînait Cronos. En particulier pour un lanceur de poids, dont la masse musculaire augmente ainsi de façon spectaculaire. »

Le meurtrier s'en prenait ensuite à deux herboristes (l'un exerçant à Los Angeles, l'autre à Londres), censés ravitailler Teeter.

Les documents joints à la missive semblaient étayer la thèse de Cronos. On recensait quatre factures émises par les herboristes incriminés, ainsi qu'un reçu postal : un colis de velours de cerf en provenance de Nouvelle-Zélande avait été livré à Los Angeles, dans une entreprise de construction appartenant au beau-frère de Paul Teeter, et prénommé Philip. Cronos avait ajouté de prétendus résultats d'analyses sanguines, pratiquées par un laboratoire indépendant.

« Les conclusions sont probantes, commentait-il. On note une indéniable présence de pantocrine dans l'organisme de Teeter au cours des quatre derniers mois. » Le bilan était sans appel : « C'est pourquoi il convenait de sacrifier ce tricheur invétéré, afin de laver la compétition et rendre leur pureté aux jeux Olympiques. »

Allongé sur la banquette dans la chambre des jumeaux, plusieurs heures après avoir lu ces mots, Peter Knight retournait mille et une pensées dans son esprit surchauffé. *C'est comme ça que tu comptes rendre leur pureté aux JO ? En multipliant les meurtres ? Quel genre de cinglé est capable de faire une chose pareille ? Et pourquoi ?*

46

Je sillonne la ville plusieurs heures durant après la perte de conscience de Teeter sous les yeux du monde entier. Nous tenons notre vengeance et j'exulte en secret. Nous venons de prouver notre supériorité – face à nous, les efforts déployés par Scotland Yard, le MI5 et l'agence Private semblent dérisoires. Ils n'ont pas la moindre chance de me confondre, ni de mettre la main sur mes sœurs.

Partout où je vais, même à cette heure tardive, je croise des Londoniens en état de choc, tandis que les journaux placardent en une les écrans géants du stade ornés de notre message : HONTE AUX JEUX OLYMPIQUES !

Les gros titres me sont un régal : *Les Jeux endeuillés !*

Que s'imaginaient-ils tous ? Que nous allions les laisser salir sans broncher les rites ancestraux du sport ? Que nous allions les laisser fouler aux pieds les principes de la compétition, les mérites de la victoire et la grandeur immortelle ?

Ils se trompaient lourdement.

À présent, les noms de Cronos et de ses Furies courent sur les lèvres de milliards d'hommes et de femmes à travers le globe. Personne n'est en mesure de nous arrêter, nous tuons quand bon nous semble. Nous dénonçons, pour mieux en venir à bout, la face sombre du plus grand événement sportif de la planète.

Quelques imbéciles nous comparent aux Palestiniens qui, lors des JO de Munich en 1972, ont enlevé puis assassiné plusieurs athlètes israéliens. Ces crétins nous qualifient de terroristes, en soulignant cependant que nos motifs politiques demeurent obscurs.

Mais, hormis cette poignée de sots, je sens que le monde commence à nous comprendre. Un frisson me parcourt l'échine à la pensée qu'aux quatre coins de la terre on perçoit notre excellence. On s'interroge : comment des êtres tels que nous ont-ils consenti à cheminer aux côtés du commun des mortels? Des êtres d'exception, exerçant leur pouvoir meurtrier dans l'intention d'éradiquer à jamais la duperie et la corruption. Des êtres d'exception prêts à consentir mille sacrifices au nom de l'honneur et du bien.

Je me remémore en songe les monstres qui m'ont jadis assommé à coups de pierre, je me rappelle les yeux ternes de mes Furies le soir où j'ai massacré les Bosniaques, je lis encore la consternation sur chaque visage lorsqu'on a publiquement exposé les circonstances de la mort de Teeter.

Enfin, me dis-je, *les monstres sont en train de payer pour ce qu'ils m'ont infligé.*

L'aube se lève. Le jour naissant empourpre les petits nuages oblongs qui courent dans le ciel de Londres.

Je frappe à la porte latérale du logement occupé par les Furies. J'entre sans attendre de réponse. Des trois sœurs, seule Marta est encore debout. Des larmes de triomphe brillent dans ses yeux d'agate. Sa joie est pareille à la mienne.

— Tous est allé comme sur des roulettes, m'indique-t-elle en refermant la porte derrière moi. Teagan a tendu sa bouteille à l'Américain, après quoi elle s'est changée pour s'éclipser avant de risquer quoi que ce soit. Tout paraît écrit dans les astres.

— C'est déjà ce que tu m'as dit quand Londres a décroché les Jeux. Puis quand nous avons découvert une à une les preuves de la corruption des organisateurs et des participants.

— En effet. (Le visage de Marta irradie comme celui de tous les martyrs.) Les astres nous ont choisis. Nous sommes des êtres supérieurs.

— Mais attention. (Je tiens à modérer un peu son ardeur.) On va nous traquer, maintenant. Toutes nos affaires sont-elles en ordre?

— Toutes.

— L'usine?

— Teagan a bien travaillé. Personne ne peut découvrir quoi que ce soit.

— Et de ton côté?

— Tout s'est déroulé à merveille.

Je hoche la tête, satisfait.

— À présent, nous devons nous tapir dans l'ombre. Laissons opérer Scotland Yard, le MI5 et l'agence Private sans nous manifester. Ils finiront par se fatiguer. Et c'est alors qu'ils baisseront leur garde.

Marta hésite une seconde avant d'intervenir:

— Ce Peter Knight constitue-t-il toujours une menace pour nous, selon toi?

Je réfléchis un moment.

— Si quelqu'un représente un danger, c'est lui.

— Dans ce cas, nous avons découvert quelque chose. Knight possède un point faible. Et non des moindres.

47

Peter Knight s'éveilla en sursaut dans la chambre de ses enfants. Son téléphone portable sonnait. Le soleil qui se déversait à flots dans la pièce l'éblouit. Il tâtonna, s'empara du mobile et décrocha.

— Farrell a disparu, lui annonça l'inspectrice en chef de Scotland Yard, Elaine Pottersfield. Elle n'est pas à l'université. Elle n'est pas chez elle non plus.

Le détective s'assit en clignant des yeux.

— Vous avez perquisitionné son domicile et son bureau?

— Pour obtenir un mandat, je dois attendre que mon labo confirme les résultats obtenus par Hooligan.

— Il a déniché un indice supplémentaire cette nuit en examinant la deuxième lettre de Cronos.

— Quoi? glapit la jeune femme. Quelle deuxième lettre?

— Elle se trouve déjà dans vos locaux. Mais Hooligan a prélevé quelques cellules épithéliales dans l'enveloppe. Il vous a expédié la moitié de l'échantillon.

— C'est inadmissible! hurla Pottersfield dans le combiné. Private n'est pas censé analyser quoi que ce soit dans le cadre de cette enquête sans mon...

— Je n'y suis pour rien, répliqua sèchement Knight. C'est le *Sun* qui a exigé que nous procédions ainsi. Je vous rappelle que le journal compte à présent parmi nos clients!

— Je me fous de savoir qui...

— Et si vous laissiez retomber la pression cinq minutes? proposa le détective. Jusqu'ici, je vous ai transmis les infos au fur et à mesure.

L'inspectrice marqua un temps d'arrêt.

— L'essentiel, pour le moment, est de comprendre comment Cronos a réussi à pirater...

C'est alors que Knight remarqua que les jumeaux ne se trouvaient plus dans leur lit. Il consulta la pendule. 10 heures! Jamais, depuis la naissance de ses enfants, il ne s'était offert une telle grasse matinée.

— Il faut que j'y aille, Elaine! coupa-t-il. Les gosses!

Il raccrocha pour bondir hors de la chambre. Une fois sur le palier, mille pensées funestes l'assaillirent. Et s'ils étaient tombés? Et s'ils s'étaient malencontreusement amusés avec...?

Mais déjà le son de la télévision montait du rez-de-chaussée: les épreuves du 400 mètres nage libre avaient commencé. Ses muscles se relâchèrent d'un coup. Il descendit l'escalier agrippé à la rampe, les jambes flageolantes.

Luke et Isabel avaient disposé les coussins du canapé sur le sol. Ils y trônaient l'un et l'autre, pareils à de petits bouddhas. Autour d'eux gisaient des paquets de céréales et des briques de jus de fruits vides. Knight songea qu'il n'avait jamais contemplé spectacle plus délicieux.

Il prépara le petit-déjeuner des enfants avant de les habiller en guettant, sur l'écran de la télévision, les reportages consacrés à la mort de Paul Teeter. Scotland Yard et le MI5 se refusaient à toute déclaration. F7, la société recrutée par le Locog pour assurer la sécurité des Jeux, ne se manifestait pas davantage.

En revanche, Mike Lancer était partout, assurant aux journalistes qu'il n'y avait rien à craindre, même s'il endossait l'entière responsabilité des failles récemment détectées dans le système. Encore secoué par le drame de la veille, mais plein de résolution, il ajoutait que Cronos serait arrêté bientôt, puis traîné devant les tribunaux.

Knight, lui, n'avait toujours pas déniché de nourrice. Tant que la situation durerait, il ne pourrait se consacrer entièrement à l'enquête. Il avait appelé sa mère à plusieurs reprises, mais elle n'avait pas décroché. De guerre lasse, il tenta sa chance auprès d'une énième agence de baby-sitting, dont il implora la directrice de lui venir en aide. Elle répondit qu'elle serait en mesure de lui envoyer quelqu'un le mardi suivant.

— Mardi! s'écria-t-il.

— Je ne peux pas faire mieux. Avec les JO, tout le monde est débordé, monsieur.

Puis elle raccrocha.

Vers midi, les jumeaux exprimèrent l'envie d'aller jouer au square. Dans l'espoir qu'ils s'endorment mieux à l'heure de la sieste, leur père accepta de les y emmener. Il les installa dans la poussette et acheta sur le chemin un exemplaire du *Sun*. La température avait diminué, on évoluait sous un ciel sans nuages. Un temps idéal. Londres dans toute sa splendeur.

Le détective prit place sur un banc, tandis que Luke se précipitait vers le toboggan – Isabel avait opté pour le bac à sable. Mais Knight ne se souciait guère de ses enfants, il ne songeait pas non plus au climat exceptionnel sous lequel se déroulait le premier jour des rencontres sportives : Cronos occupait ses pensées. Quand avait-il prévu de frapper encore ?

Un texto lui parvint. Hooligan écrivait : *Les cellules épithéliales appartiennent à un homme. Non identifié pour le moment. Je file à Coventry pour le match Angleterre-Algérie.*

Un homme ? *Cronos ? Farrell ne serait donc que l'une des Furies ?* Déçu, le détective déplia son journal. Le récit de Karen Pope occupait la première page.

La journaliste revenait sur le décès du lanceur de poids en décrivant avec beaucoup de sobriété les événements qui avaient mené à la tragédie pendant la cérémonie d'ouverture. À la fin de son article, elle rapportait le démenti du beau-frère de Teeter concernant les accusations de dopage portées par Cronos : les résultats d'analyse, clamait-il, étaient des faux. Le bois de velours de cerf était pour lui. Il y avait recours pour soulager des douleurs chroniques au dos, qu'il devait à son métier.

— Bonjour… Monsieur?

Une voix de femme. Le soleil brillait si fort que Knight ne distingua d'abord qu'une silhouette : debout devant lui, elle lui tendait un prospectus. Il s'apprêtait à répondre qu'il n'était pas intéressé, quand il se ravisa et plaça sa main en visière. Visage quelconque. Cheveux courts et noirs. Yeux sombres. Corps musclé.

— Oui? s'enquit-il en saisissant l'imprimé.

— Je suis désolée, dit-elle avec un petit sourire gêné. (Une pointe d'accent d'Europe de l'Est perçait dans sa voix.) J'ai vu que vous aviez des enfants et je me demandais… Avez-vous des amis qui cherchent une nounou? À moins que vous…?

Abasourdi, le détective battit des paupières à plusieurs reprises avant de baisser les yeux sur le prospectus, sur lequel la jeune femme avait inscrit l'ensemble de ses références.

— Comment vous appelez-vous?

Elle s'assit, manifestement ravie.

— Marta. Marta Brezenova.

48

— C'est le ciel qui vous envoie, Marta Brezenova. (Le détective n'en finissait pas de saluer sa bonne fortune.) Je m'appelle Peter Knight, et j'ai justement besoin d'une nourrice.

D'abord incrédule, Marta rougit de plaisir. Elle porta deux doigts à ses lèvres.

— Ça alors! Vous êtes la première personne à qui je propose mes services. Nous étions faits pour nous rencontrer, on dirait.

— Peut-être bien, répondit le détective, peu à peu gagné par l'enthousiasme de la jeune femme.

— Non, je vous assure, c'est le destin! insista Marta.

Knight revint au prospectus.

— Vous avez un CV? Les coordonnées de vos anciens employeurs?

— Bien sûr.

Fouillant dans son sac, la jeune femme en extirpa un feuillet admirablement mis en pages, ainsi qu'un passeport estonien.

— Comme ça, vous saurez qui je suis, commenta-t-elle en tendant ses papiers à son interlocuteur.

— Mes enfants se trouvent là. Luke est sur le toboggan et Isabel joue dans le bac à sable. Allez les voir. Pendant ce temps, je vais lire votre CV et appeler vos anciens patrons.

Knight souhaitait observer la réaction des jumeaux. Les deux bambins avaient déjà rejeté tant de baby-sitters qu'il préférait attendre de les voir à l'œuvre avant de passer des coups de téléphone qui, au final, se révéleraient peut-être inutiles.

À sa grande surprise, Marta séduisit aussitôt Isabel, pourtant la plus rétive à l'intrusion d'un étranger au sein de son univers. La jeune femme l'aida à bâtir un château de sable avec un tel entrain que Luke ne tarda pas à abandonner son toboggan pour se mêler au jeu. Trois minutes plus tard, Lukey Knight, la terreur des nounous de Chelsea, riait aux éclats en remplissant son seau.

Le détective se pencha attentivement sur le CV de celle qui venait d'apprivoiser ses enfants. Marta avait trente-cinq ans. De nationalité estonienne, elle avait obtenu ses diplômes à l'université américaine de Paris.

Au cours de ses deux dernières années de faculté, puis durant six ans encore, elle avait travaillé successivement auprès de deux familles françaises, dont elle avait mentionné les coordonnées dans son CV.

Celui-ci indiquait en outre qu'elle parlait anglais, français, estonien et allemand, et qu'elle avait intégré un cursus d'études en thérapie du langage à l'université de Londres. Issues de tous les pays, les jeunes femmes étaient nombreuses, comme elle, à s'installer à Londres, où elles traquaient les emplois sous-qualifiés pour le plaisir d'habiter la plus belle ville du monde.

Quel coup de bol, songea Knight en extirpant son portable. *Soyez sympa, dites-moi que tout ça est vrai...*

Petra de Maurier décrocha presque immédiatement. Elle s'exprimait en français. Le détective se présenta et lui demanda s'ils pouvaient poursuivre la conversation en anglais. Elle répondit par l'affirmative d'un ton méfiant, mais dès qu'il lui apprit son intention d'embaucher Marta Brezenova, elle s'enflamma. Elle ne tarissait pas d'éloges sur la jeune femme qui, expliqua-t-elle, avait su se montrer à la fois douce, patiente et ferme avec ses quatre enfants. La meilleure nounou du monde, conclut-elle.

— Pourquoi est-elle partie? l'interrogea Knight.

— Mon mari a été nommé au Vietnam pour deux ans. Marta n'a pas souhaité nous accompagner. Mais nous nous sommes séparés en excellents termes. Vous avez beaucoup de chance, cher monsieur.

Teagan Lesa, la deuxième mère à avoir fait appel aux services de la jeune Estonienne, manifesta un engouement égal à celui de Mme de Maurier.

— Lorsque Marta a été acceptée à la fac de Londres, j'ai failli pleurer. Mes trois enfants, eux, y sont franchement allés de leur larme, y compris Stephan, qui est pourtant un petit garçon très courageux. Si j'étais à votre place, je l'embaucherais avant que quelqu'un d'autre s'en charge. Ou alors, dites-lui de revenir à Paris. Nous l'y accueillerions à bras ouverts.

Après avoir raccroché, le détective réfléchit un moment. Il ne pourrait pas appeler les universités de Londres ni de Paris avant lundi. Puis une idée lui vint. Il composa le numéro d'Elaine Pottersfield.

— Vous m'avez raccroché au nez, lui cracha aussitôt celle-ci.

— J'étais obligé. J'aimerais que vous contrôliez un passeport estonien pour moi.

— Hors de question! protesta l'inspectrice.

— C'est pour les jumeaux, Elaine, insista Knight sur un ton de supplique. Une nourrice vient de surgir de nulle part, et elle a l'air épatante, mais je voudrais m'assurer qu'il ne s'agit pas d'une escroquerie. Seulement, nous sommes dimanche. Vous êtes mon unique recours.

Il y eut un long silence à l'autre bout du fil.

— Donnez-moi le nom de la fille et le numéro de sa pièce d'identité, lâcha enfin Pottersfield.

Ayant énoncé le numéro du passeport, le détective s'aperçut que Marta grimpait avec Isabel sur le toboggan. Sa fille sur un toboggan? C'était une première. Elles glissèrent en chœur. Une ombre inquiète passa sur le visage de l'enfant mais, déjà, elle battait des mains, prête à recommencer.

— Marta Brezenova, intervint l'inspectrice en chef. Ce n'est pas une reine de beauté, dites-moi.

— Pourquoi? Vous pensiez que je n'engageais que des mannequins pour s'occuper des jumeaux?

— Non, en effet. Elle est arrivée de Paris il y a dix jours. Elle est ici pour poursuivre ses études à l'université de Londres.

— Thérapie du langage. Je vous remercie, Elaine. Je vous revaudrai ça.

Comme Luke éclatait d'un rire tonitruant, il mit un terme à la communication. Son fils et sa fille galopaient parmi les agrès, poursuivis par une Marta qui s'esclaffait avec eux en mimant un monstre de comédie.

Vous n'êtes certes pas un canon, mademoiselle Brezenova, songea Knight. *Mais vous venez de décrocher votre premier emploi à Londres.*

49

Lundi 30 juillet 2012

En début d'après-midi, Billy Casper, l'inspecteur de police, considéra Peter Knight d'un œil soupçonneux.

— S'il n'y avait que moi, lui dit-il, je ne vous laisserais pas entrer. Mais Pottersfield tient à ce que vous observiez les lieux. Alors montez. Deuxième étage. Porte droite.

Le détective gravit l'escalier. À présent que Marta Brezenova était apparue dans sa vie, il pouvait enfin se consacrer pleinement à l'enquête. Il avait déniché la perle rare. Les jumeaux avaient succombé à son charme en moins de deux jours. Ils étaient devenus plus propres, moins turbulents, et manifestement plus heureux. Knight avait appelé l'université de Londres : Marta y étudiait bel et bien la thérapie du langage. Rassuré, il n'avait pas pris la peine de contacter l'université américaine de Paris.

Elaine Pottersfield l'attendait à l'entrée de l'appartement de Selena Farrell.

— Vous avez trouvé quelque chose ? s'enquit-il.

— Nous avons trouvé des tas de choses.

Lorsque le détective eut enfilé des gants et des surchaussures, l'inspectrice l'autorisa à pénétrer dans le logement. La section scientifique de Scotland Yard et des experts du MI5 passaient les lieux au peigne fin.

Dans la chambre de l'enseignante trônait une plantureuse commode munie de trois miroirs, dont les tiroirs ouverts révélaient une quantité impressionnante de produits de beauté – une bonne vingtaine de rouges à lèvres, autant de flacons de vernis à ongles et de pots de fond de teint.

Voilà qui cadrait mal avec l'universitaire sans attrait que Peter Knight et Karen Pope avaient rencontrée quelques jours plus tôt. Le détective poursuivit son examen de la pièce : les placards regorgeaient de vêtements chic.

Avant qu'il ait eu le temps d'exprimer sa surprise, Pottersfield lui désigna du doigt, derrière un technicien penché sur l'ordinateur portable de Farrell, un secrétaire occupant un coin de la chambre.

— Nous y avons découvert toutes sortes de diatribes contre les méfaits des Jeux sur les quartiers de l'East End et des Docklands. Elle a même adressé plusieurs lettres incendiaires à Denton…

— Inspecteur ? l'interrompit l'informaticien avec animation. Je crois que je l'ai !

— Quoi donc ? l'interrogea Pottersfield en fronçant les sourcils.

L'homme pianota sur le clavier. Le vilain petit air de flûte s'éleva des enceintes de l'ordinateur, tandis que sur l'écran apparaissait le funeste message : HONTE AUX JEUX OLYMPIQUES !

50

Mardi 31 juillet 2012

Équipé d'un masque et d'un bonnet de chirurgien, d'un grand tablier en caoutchouc et de ces longs gants que portent les bouchers lorsqu'ils éviscèrent un porc ou un bœuf, je glisse avec précaution ma troisième lettre dans une enveloppe adressée à Karen Pope.

Plus de soixante-douze heures se sont écoulées depuis l'élimination du monstrueux Teeter. Déjà, le vent de panique a cessé de souffler. La compétition sportive bat son plein, les médailles d'or pleuvent sur les Jeux de Londres.

Samedi, nous faisions la une de tous les journaux. Dimanche, la presse s'appesantissait sur les efforts déployés par les forces de l'ordre pour déterminer comment on avait piraté le système informatique des JO – les reporters évoquaient aussi l'hommage rendu par la délégation américaine à ce porc corrompu de Teeter.

Hier, on insistait sur le fait que, ce meurtre mis à part, les Jeux de 2012 démarraient sans encombre. Ce matin, nous n'avions même plus les honneurs de la première page, consacrée à la fouille de l'appartement et du bureau de Selena Farrell où, affirmait-on, on avait découvert des indices reliant l'enseignante aux assassinats perpétrés par Cronos; Scotland Yard et le MI5 avaient émis contre l'universitaire un mandat d'arrêt national.

Il s'agit là de nouvelles préoccupantes, mais elles ne me surprennent nullement. Je ne m'étonne pas non plus de constater que deux exécutions ne suffisent pas à détruire les Jeux de l'ère moderne. Je l'ai su dès le jour où la capitale britannique a décroché le droit d'organiser la compétition. Depuis, mes sœurs et moi avons disposé de sept années pour mettre au point notre projet de vengeance. Sept ans pour infiltrer le système et le détourner à notre avantage. Sept ans pour fabriquer de fausses pistes propres à égarer la police, à l'empêcher de deviner le but ultime de notre action.

Toujours équipé de mon tablier et de mes gants, j'introduis l'enveloppe dans un sac en plastique à fermeture à glissière, que je remets à Petra, qui se tient auprès de Teagan, l'une et l'autre affublées d'un déguisement qui les rend méconnaissables aux yeux de tous – sauf aux miens comme à ceux de leur sœur aînée ; ce sont maintenant deux grosses femmes totalement dépourvues de charme.

— Rappelez-vous les horaires des marées, dis-je.

Petra, qui ne répond rien, détourne les yeux, comme si elle débattait en silence avec elle-même. Son attitude me contrarie.

— Compte sur nous, Cronos, réagit Teagan en chaussant des lunettes noires – elle porte sur la tête la casquette officielle des maîtres des Jeux.

Je m'approche de Petra.

— Est-ce que tout va bien ?

Elle hoche positivement la tête, mais son regard est chargé de confusion.

Je l'embrasse sur les joues avant de me tourner vers Teagan, ma guerrière de glace.

— Et l'usine ? dis-je.

— Ce matin. De la nourriture et des médicaments pour quatre jours.

— Surveille bien ta sœur, lui murmuré-je à l'oreille en l'étreignant. Elle est impulsive.

Le visage de Teagan demeure imperturbable. Ma guerrière de glace.

Tandis que j'ôte mes gants et mon tablier, les Furies quittent la pièce. Je passe une main sur la cicatrice en forme de crabe, à l'arrière de mon crâne. Ma haine s'embrase presque aussitôt. Je donnerais tout pour être ce soir à la place de l'une des deux sœurs. Je me console en songeant que notre geste ultime sera le mien, et le mien seul. Mon mobile jetable se met à sonner au fond de ma poche. C'est Marta.

— J'ai installé un mouchard dans le portable de Knight avant qu'il parte au travail, m'informe-t-elle. Je m'occuperai de l'ordinateur quand j'aurai couché les enfants.

— T'a-t-il accordé ta soirée?

— Je ne lui ai pas demandé.

Si cette petite imbécile se trouvait devant moi, je jure que je lui tordrais le cou.

— Comment ça, tu ne lui as pas demandé? rétorqué-je d'une voix tendue.

— Du calme. Je serai en position à l'heure prévue. Les enfants dormiront. Ils ne s'apercevront même pas de mon absence. Leur père non plus. Il m'a dit qu'il ne rentrerait que vers minuit.

— Comment peux-tu être sûre que les gosses ne se réveilleront pas?

— Parce que je vais les droguer.

51

Quelques heures plus tard, à l'intérieur du Centre aquatique érigé dans l'enceinte du parc olympique, la plongeuse américaine Hunter Pierce prenait son élan à dix mètres au-dessus des eaux. Elle s'éleva dans l'air chargé de chlore pour effectuer une double vrille avant de fendre la surface du bassin. Elle ne produisit qu'un léger clapotis et quelques orbes.

L'endroit était bondé. Comme les autres spectateurs, Peter Knight applaudit la prouesse de la jeune femme, il poussa des cris, siffla. Mais nul n'exprimait sa joie plus ouvertement que les deux filles et le petit garçon de la plongeuse. Assis au premier rang, ils tapaient des pieds et brandirent le poing lorsque leur mère émergea en décochant à la foule un sourire triomphant.

Pierce venait de réaliser son quatrième essai. Le meilleur, de l'avis du détective. Au terme des trois premiers, elle s'était classée en troisième position, derrière les athlètes coréenne et panaméenne. Contre toute attente, la Chine atteignait péniblement les quatrième et cinquième places.

Elle a toutes ses chances, songea Knight. *Et elle le sait.*

Depuis deux heures, il se tenait à l'entrée de la piscine, observant la foule et la compétition. Près de quatre jours s'étaient écoulés depuis la mort de Paul Teeter – quatre jours sans nouvel attentat. La veille, on avait découvert dans l'ordinateur de Selena Farrell le programme destiné à prendre le contrôle des tableaux des scores du stade olympique.

Chacun s'accordait à dire que la menace s'était éloignée. L'arrestation de l'enseignante n'était plus qu'une question de temps. L'enquête se réduisait maintenant à une traque.

Mais Knight continuait de craindre un autre assassinat. C'est pourquoi il avait soigneusement examiné le programme des épreuves, pour tenter de deviner où et quand Cronos frapperait à nouveau. Ce serait un événement majeur, largement couvert par les médias du monde entier. Cette finale du plongeon, par exemple, où Pierce était en passe de devenir la doyenne des championnes de la discipline.

L'Américaine se hissa hors du bassin, s'enroula dans une serviette et courut frapper de sa paume la paume ouverte de ses enfants, avant de pénétrer dans le jacuzzi, où ses muscles conserveraient leur chaleur et leur souplesse. Entre-temps, la foule avait rugi en découvrant ses notes sur le tableau : elles étaient exceptionnelles. De quoi permettre à la jeune femme de convoiter la médaille d'argent.

Le détective applaudit avec un enthousiasme accru. Les JO avaient besoin d'un miracle tel que celui-ci, qui s'opposât à l'ombre funeste que Cronos avait jetée sur la compétition. Pierce défiait son âge, elle défiait les statistiques, elle défiait la mort qui rôde. Elle était d'ailleurs devenue une sorte de porte-parole de la délégation américaine, ne craignant pas de vilipender le meurtrier après la mort tragique de Teeter. Et voici qu'à présent elle touchait presque du doigt l'or olympique.

Je suis un sacré veinard, se dit Knight. *En dépit des événements, je suis un sacré veinard. D'autant plus que j'ai trouvé Marta.*

La jeune femme était un véritable cadeau du ciel. Les jumeaux s'étaient métamorphosés à son contact. Luke envisageait même d'utiliser enfin le « popot pour les grands ». Marta se révélait d'un professionnalisme sans faille. La maison était impeccable – plus le moindre désordre, plus un grain de poussière. Le détective disposait à présent de tout le temps nécessaire pour traquer Cronos.

Hélas, Amanda, elle, redevenait chaque jour un peu plus le bourreau de travail solitaire qu'elle était avant de rencontrer Denton Marshall. En attendant l'hommage qu'elle comptait lui rendre après les Jeux, elle ne se préoccupait plus que de sa ligne de vêtements. Et son fils sentait poindre dans sa voix, lorsqu'ils s'appelaient, une amertume croissante.

— Ça vous arrive de répondre au téléphone? cracha soudain Karen Pope.

Knight se retourna dans un sursaut, étonné de découvrir la journaliste à ses côtés.

— Il fonctionne mal ces temps-ci, se justifia-t-il.

Il ne mentait pas: depuis la veille, des parasites gênaient ses communications, mais il n'avait pas pris le temps de le faire réparer.

— Dans ce cas, achetez-en un neuf. Mon patron exige sans cesse de nouvelles infos. J'ai besoin de vous.

— Vous vous débrouillez très bien sans moi, pour le moment.

En effet, la jeune femme venait de publier un article consacré aux résultats complets de l'autopsie du lanceur de poids. Teeter n'avait pas avalé de poison. On lui avait administré un cocktail de drogues destiné à accroître sa tension artérielle et son rythme cardiaque jusqu'à provoquer une hémorragie de l'artère pulmonaire – d'où la mousse sanglante que Knight avait observée aux commissures de ses lèvres.

Pope avait également obtenu un scoop de la part de Mike Lancer, qui lui avait expliqué comment Selena Farrell était parvenue à pirater le serveur informatique pour prendre le contrôle des panneaux d'affichage.

La faille dans le système, avait-il poursuivi, venait d'être détectée, puis corrigée. Quant aux bénévoles, on revérifiait avec soin leur identité. L'homme avait encore indiqué à la journaliste que les caméras de surveillance montraient une femme tendant une bouteille d'eau au lanceur de poids peu avant la Parade des nations. Hélas, la casquette officielle des maîtres des Jeux, dont elle était coiffée, ne permettait pas de distinguer son visage.

— Je vous en prie, Knight, implora-t-elle. J'ai besoin d'un tuyau.

— Vous en savez plus que moi sur l'enquête, rétorqua-t-il, tandis qu'une faute grossière de la plongeuse panaméenne venait de lui coûter un nombre important de points.

La Sud-Coréenne, qui occupait encore la première position, manqua son plongeon à son tour. C'était un boulevard qui s'ouvrait devant Hunter Pierce. Le détective gardait ses jumelles rivées sur l'Américaine – elle entamait son ascension vers le plongeoir, où elle allait effectuer son cinquième et dernier essai.

Karen Pope lui secoua l'avant-bras sans ménagement.

— J'ai appris que l'inspecteur Pottersfield était votre belle-sœur. Vous êtes forcément au courant d'éléments que j'ignore.

— Elaine ne m'adresse la parole que lorsqu'elle ne peut pas faire autrement, observa Knight en baissant ses jumelles.

— Et pourquoi donc?

— Parce qu'elle me tient pour personnellement responsable de la mort de mon épouse.

52

Lorsque Hunter Pierce eut atteint le plongeoir, Peter Knight se tourna vers la journaliste – elle était manifestement sous le choc.

— Et vous l'êtes? se hasarda-t-elle. Responsable?

Le détective soupira.

— Kate n'a pas eu une grossesse facile. Pourtant, elle tenait à accoucher chez nous. Je connaissais les risques. Nous les connaissions tous les deux, mais je me suis plié à ses exigences. Si elle s'était trouvée dans une clinique, elle aurait survécu. Et je me débattrai avec ça jusqu'à mon dernier souffle, parce que Elaine Pottersfield se chargera de me le rappeler sans cesse.

Pope se rembrunit, un voile de tristesse passa sur son visage.

— On vous a déjà dit que vous étiez un type compliqué?

Le détective ne répondit pas. Fasciné par la plongeuse américaine, il priait en silence pour qu'elle remporte l'or olympique. Le sport ne l'avait pourtant jamais passionné, mais cette fois... Cette fois, il avait conscience de vivre un moment historique. Cette veuve de trente-huit ans, mère de trois enfants, s'apprêtait à effectuer le plongeon le plus difficile de son programme.

En jeu : la plus haute marche du podium.

L'athlète effectua un mouvement parfait, si bien que les spectateurs exultèrent dès qu'elle pénétra dans l'eau – ses trois enfants dansaient en s'étreignant.

— Elle a réussi! hurla Knight qui, à sa grande surprise, sentit des larmes lui monter aux yeux.

Pourquoi diable ce qui se déroulait actuellement au Centre aquatique le mettait-il dans un tel état? Il avait la chair de poule en regardant la championne se précipiter vers son clan. Le vacarme devint proprement assourdissant; le tableau des scores venait de le confirmer: Hunter Pierce avait remporté la médaille d'or.

— Super, elle a gagné, lâcha Karen Pope d'un ton courroucé. Mais je vous en conjure, Knight, aidez-moi.

Le détective jeta autour de lui des regards coupables avant de sortir son portable de sa poche.

— J'ai ici la liste complète des pièces à conviction recueillies dans le bureau et l'appartement de Farrell.

La journaliste écarquilla les yeux.

— Merci. Je vous revaudrai ça.

— Ne mentionnez pas mon nom.

— De toute façon, le dossier est pratiquement bouclé, observa la jeune femme, un peu triste. Vu la manière dont ils ont relevé le niveau de sécurité sur l'ensemble des sites, cette cinglée n'a pas la moindre chance de récidiver. Vous n'êtes pas de mon avis?

Knight hocha la tête. Hunter Pierce souriait à travers ses larmes. La championne, songea-t-il, avait réussi à éclipser la tragédie.

Bien sûr, d'autres athlètes avaient fait preuve d'un courage exemplaire durant ces quatre derniers jours. Un nageur australien, qui s'était brisé la jambe l'année précédente, venait de remporter le 400 mètres nage libre. On pouvait aussi mentionner ce petit boxeur nigérien qui, élevé dans une extrême pauvreté, avait déjoué tous les pronostics en gagnant par KO ses deux premiers matchs.

Mais, dans l'esprit de Peter Knight, Pierce symbolisait à elle seule la splendeur des Jeux de l'ère moderne. Soumise à une terrible pression, elle avait su conserver une élégance sans faille. Sa victoire lavait avec éclat la souillure imprimée par Cronos sur la compétition.

Le portable du détective sonna. C'était Hooligan.

— Que veux-tu savoir que j'ignore? plaisanta Knight, dont l'inhabituelle désinvolture arracha un ricanement à Karen Pope.

— Tu te rappelles les cellules épithéliales découvertes dans la deuxième enveloppe? commença le scientifique. Pendant trois jours, mes recherches n'ont rien donné. Mais grâce à un vieux pote du MI5, je viens d'accéder à une base de données de l'Otan, à Bruxelles. Et bingo! Mais tu vas tomber à la renverse.

L'entrain de Knight retomba immédiatement.

— Je t'écoute, dit-il à son correspondant en se tournant vers la journaliste.

— L'ADN que j'ai récupéré correspond à celui d'un cheveu prélevé au milieu des années 1990 lors d'un test de dépistage de drogue pratiqué sur les candidats à une mission de maintien de la paix. Les membres de cette mission ont été expédiés dans les Balkans pour y assurer le respect du cessez-le-feu.

Knight était perplexe. Selena Farrell s'était certes rendue dans la région à cette époque, mais Hooligan avait été formel: l'ADN recueilli appartenait à un homme.

— Alors, qui? s'impatienta-t-il.

— Indiana Jones, lâcha le scientifique d'une voix dépitée. Cet enfoiré d'Indiana Jones.

53

À huit kilomètres de là, Teagan et Petra se dirigeaient sous un ciel de plomb vers la barrière de sécurité de l'O2 Arena, structure ultramoderne coiffée d'un dôme immaculé que transperçaient des poutres jaunes destinées à soutenir le toit de l'édifice. Trônant à l'extrémité nord de la péninsule de Greenwich, la salle accueillait d'ordinaire des concerts et des productions théâtrales de grande envergure. Rebaptisée North Greenwich Arena à l'occasion des jeux Olympiques, on y disputait en ce moment les épreuves de gymnastique.

Teagan et Petra portaient l'uniforme officiel des maîtres des Jeux. Quant aux autorisations qu'elles avaient en poche, elles faisaient d'elles des bénévoles assignées à l'événement le plus attendu de cette soirée : la finale de gymnastique féminine par équipes.

Teagan affichait une mine résolue. Les deux sœurs rejoignirent d'autres volontaires patientant au poste de contrôle. Petra, en revanche, avançait d'un pas hésitant, l'œil vague.

— Je t'ai dit que j'étais désolée, dit-elle.

— Un être supérieur ne commet pas d'erreurs aussi grossières, répliqua sa sœur d'un ton glacial.

— J'avais la tête ailleurs, se justifia Petra.

— Et où donc était-elle? Nous attendons ce moment depuis des années!

Petra poussa un soupir navré.

— Cette mission est différente de toutes celles que Cronos nous a confiées jusqu'ici. J'ai l'impression qu'il s'agit d'une opération suicide. Le sacrifice de deux Furies.

Teagan se figea et se tourna vers sa sœur, le regard noir.

— D'abord la lettre, et maintenant les doutes?

Petra se raidit.

— Que se passera-t-il si nous nous faisons prendre?

— Ça n'arrivera pas.

— Mais…

— Veux-tu que j'appelle Cronos, la coupa Teagan, pour lui annoncer que tu quittes le navire à l'instant crucial? Tiens-tu vraiment à provoquer sa colère?

Affolée, Petra cligna des yeux. L'angoisse tordit ses traits.

— Non, non. Je n'ai jamais dit que je renonçais. Je t'en supplie. J'accomplirai ma tâche.

Elle se redressa, brossa de la main le revers de sa veste.

— J'ai eu un instant d'hésitation, rien de plus. Même les êtres supérieurs se sentent parfois envahis par la crainte.

— Non, répliqua Teagan d'un ton cassant.

Lorsqu'elles avaient fait halte sur un trottoir, non loin du King's College, la cadette avait par mégarde ôté ses gants avant de sortir de sa poche la lettre destinée à Karen Pope. Teagan s'en était immédiatement emparée au moyen d'une lingette pour la remettre ensuite à un coursier à bicyclette qui n'avait pas eu un regard pour ces deux femmes dans leur déguisement d'obèses.

Petra, qui semblait se remémorer elle aussi l'incident, leva fièrement le menton.

— Je sais qui je suis! clama-t-elle. Je connais le sort qui m'attend. Je suis en paix avec moi-même.

Teagan fit signe à sa sœur d'ouvrir la marche. La jeune femme jubilait. Droguer un homme pour l'assassiner était une chose, mais rien n'égalait le plaisir de contempler dans les yeux sa future victime, pour lui montrer qu'elle se trouvait désormais en votre pouvoir.

C'était en Bosnie qu'elle avait eu pour la dernière fois l'occasion de s'abandonner à de telles délices. À d'autres que

Teagan, ces expéditions punitives auraient valu de terribles cauchemars. Mais la Furie était d'une autre étoffe.

Elle rêvait souvent des hommes et des adolescents qu'elle avait exécutés après la mort de ses parents, puis au viol collectif que ses sœurs et elle avaient subi. Ces songes sanglants étaient ses préférés. Elle n'appréciait rien tant que de revivre régulièrement ces scènes.

Elle sourit : les actes qu'elle allait perpétrer ce soir lui permettraient à coup sûr de repeupler ses nuits pendant de nombreuses années – elle célébrerait son triomphe au cœur des ténèbres, elle s'y cramponnerait, comme à une bouée de sauvetage, quand les temps deviendraient difficiles.

Les deux sœurs atteignirent enfin les détecteurs à rayons X. Des Gurkhas au visage de pierre, équipés d'armes automatiques, flanquaient le poste de contrôle. Pendant une fraction de seconde, Teagan craignit que Petra ne batte en retraite et ne s'enfuie.

Au contraire, la jeune femme présenta d'un geste assuré ses papiers d'identité au garde, qui glissa son badge dans un lecteur. Le système informatique lui indiqua qu'il avait face à lui une certaine Caroline Thorson. Il apprit en outre qu'étant diabétique Caroline était autorisée à pénétrer dans la salle avec son kit d'insuline.

L'homme désigna un bac en plastique gris.

— Déposez là-dedans votre kit d'insuline et tous les objets métalliques en votre possession. Y compris vos bijoux, ajouta-t-il en désignant la bague ajourée qu'elle portait au doigt.

Petra sourit, ôta l'anneau, qu'elle plaça dans le plateau à côté du kit d'insuline. Elle passa ensuite sans encombre sous le portique détecteur de métaux.

Teagan retira une bague strictement identique à celle de sa sœur.

— Ce sont les mêmes ? demanda le garde, qui avait vérifié entre-temps l'identité de la jeune femme.

— Nous sommes cousines, expliqua Teagan. C'est notre grand-mère qui nous a offert ces anneaux. Elle adorait les jeux

Olympiques. Hélas, elle nous a quittées l'an dernier. C'est pourquoi nous tenons à porter ces bagues chaque fois que nous travaillons ici.

— C'est gentil, s'attendrit l'homme en les regardant s'éloigner.

54

La plate-forme d'observation de l'*Orbit* pivota dans le sens des aiguilles d'une montre. La vue panoramique sur l'intérieur du stade était superbe – entraîneurs et athlètes y inspectaient la piste. Peter Knight avait quitté le Centre aquatique un peu plus tôt.

Appuyé au bastingage, le visage balayé par un vent frais d'est qui faisait courir les nuages à travers le ciel gris, Mike Lancer plissa les yeux en direction du détective.

— Le type de la télé ?

— Oui. Accessoirement conservateur des antiquités grecques au British Museum.

— Scotland Yard est déjà au courant ? s'enquit Jack Morgan.

Knight s'était hâté de rejoindre les deux hommes après avoir appelé son supérieur pour lui transmettre les résultats obtenus par Hooligan. Morgan et Lancer vérifiaient les mesures de sécurité en vigueur aux abords de la flamme olympique.

Le détective acquiesça.

— Je viens de parler à Elaine Pottersfield, ajouta-t-il. Deux de ses équipes sont en route pour le musée et le domicile de Daring.

Le silence tomba entre les trois hommes. La vasque olympique, embrasée au-dessus de leurs têtes, chargeait l'air d'une odeur âcre.

— Daring a disparu pour de bon ? demanda Jack.

— J'ai appelé sa secrétaire avant de téléphoner à Elaine, lui exposa Knight. Lorsqu'elle l'a vu pour la dernière fois, m'a-t-elle dit, il quittait la réception organisée pour le vernissage de son exposition. C'était jeudi, vers 22 heures. Environ six heures après que Selena Farrell s'est volatilisée elle aussi.

Lancer secoua la tête.

— Aviez-vous envisagé qu'ils pouvaient être complices? demanda-t-il au détective.

— Pas une seconde, avoua celui-ci. Mais le fait est qu'ils ont travaillé tous les deux dans les Balkans durant les années 1990, pour le compte de l'Otan. Et le fait est qu'ils ont tous les deux une dent contre les Jeux de l'ère moderne. Surtout, l'ADN ne ment pas.

— Maintenant que nous savons qui ils sont, ce n'est plus qu'une question de temps avant que nous leur mettions la main dessus.

— Mais d'ici là, remarqua Morgan, ils peuvent commettre d'autres meurtres.

Le conseiller en sécurité du Locog blêmit, puis souffla bruyamment.

— Où ça? gémit-il. C'est la question qui me taraude jour et nuit.

— Une compétition de premier plan, assura Knight. Ils ont tué Teeter pendant la cérémonie d'ouverture parce qu'ils savaient que le monde entier serait témoin de la scène.

— Quels sont les grands événements au programme des prochains jours? demanda Morgan.

Lancer haussa les épaules.

— C'est le sprint qui passionne le plus les foules. Plusieurs millions de personnes ont tenté d'acheter des places pour la finale du 100 mètres messieurs, qui se tiendra dimanche soir. Tout le monde espère un duel au sommet entre Zeke Shaw et Filatri Mundaho.

— Et pour aujourd'hui ou demain? insista le détective.

— La gymnastique féminine, répondit son supérieur. Ce sont les épreuves qui réalisent la plus grosse audience télévisée aux États-Unis.

Lancer consulta sa montre en grimaçant.

— La finale par équipes débute dans moins d'une heure.

— Si j'étais Cronos, décréta Knight, qui sentait l'angoisse le submerger peu à peu, c'est là que je frapperais.

Les trois hommes foncèrent vers l'ascenseur.

— Quel est le plus court chemin pour aller là-bas? s'enquit Morgan.

— Blackwall Tunnel, proposa son subordonné.

— Non, intervint Lancer. Scotland Yard a tout bouclé pendant la durée des compétitions pour éviter un attentat à la voiture piégée. Nous allons prendre la navette fluviale.

55

Après s'être présentées aux supérieurs hiérarchiques de Petra, les deux sœurs se dirigèrent vers la rangée de sièges dont la cadette aurait la charge. Elle se trouvait dans le bas des gradins nord, où aurait lieu l'épreuve de saut de cheval. Teagan poursuivit son chemin en direction du salon où elle devait bientôt jouer les serveuses. Elle prévint son chef qu'elle allait passer aux toilettes avant de commencer son service.

Petra s'y trouvait déjà. Son aînée s'enferma dans un box à côté du sien.

Elle ouvrit le distributeur de couvre-sièges en papier pour en retirer deux minces cartouches de CO_2, ainsi que deux petites pinces en plastique maintenues à l'aide de ruban adhésif.

Elle fit passer à sa sœur, sous la paroi de séparation, une cartouche et une pince. En échange, Petra lui remit par la même voie deux minuscules fléchettes, plus courtes que le dard d'une abeille et munies d'empennes miniatures où se trouvaient collées de fines aiguilles à insuline.

Restait un petit tube de plastique transparent, dont Teagan vérifia qu'il s'insérait, comme prévu, dans l'un des trous de sa bague. Satisfaite, elle fixa à l'autre bout la cartouche de CO_2, qu'elle colla sur son avant-bras au moyen d'un morceau d'adhésif.

Petra glissa le flacon d'insuline sous la paroi de séparation. Sa sœur utilisa sa petite pince pour s'emparer de l'une des fléchettes, dont elle piqua l'extrémité dans le bouchon caoutchouté du flacon. Elle recueillit le liquide pour en emplir l'un des trous minuscules de sa bague.

Ayant trempé la seconde fléchette, elle souffla dessus jusqu'à la sécher entièrement, après quoi elle la piqua avec soin au revers de sa veste – au cas où elle manquerait sa cible lors de sa première tentative. Enfin, elle redescendit délicatement la manche de son chemisier, avant de tirer la chasse d'eau et de quitter les toilettes.

Pendant qu'elle se lavait les mains, Petra sortit à son tour. Elle sourit timidement à sa sœur.

— Tu as tes abeilles? lui demanda cette dernière.

— Oui.

56

Il tombait une petite bruine tenace. Une nappe de brouillard, étonnante en cette saison, semblait se diriger droit sur la navette fluviale qui, longeant l'île aux Chiens, filait en direction de la péninsule de Greenwich. L'embarcation était bondée : des retardataires brandissaient leurs billets pour la finale de gymnastique sur le point de commencer.

Mais Peter Knight se souciait peu des passagers. Regardant devant lui, il observait le dôme illuminé de l'O2 Arena. C'était là, il s'en convainquait à mesure que le bateau s'en approchait, que Farrell et Daring avaient choisi de frapper à nouveau.

À ses côtés, Lancer s'agitait au téléphone. Il distribuait des ordres, annonçait son arrivée imminente, exigeait de tous ses subordonnés une attention de chaque instant. La brigade fluviale dépendant de Scotland Yard avait été prévenue ; un patrouilleur se trouvait déjà à l'ancre à l'arrière de la salle omnisports.

— Le voici ! lança Jack en désignant du doigt, à travers la brume, un gros engin pneumatique dont les deux moteurs qui le flanquaient dansaient sur l'eau comme des bouchons.

Cinq agents, équipés d'armes automatiques et tout de noir vêtus, patientaient à bord, droits comme des *i*. Un autre agent en combinaison étanche – une femme – pilotait un jet-ski presque silencieux, qui escorta la navette jusqu'au quai.

— Ils appartiennent aux services du contre-terrorisme, apprit Morgan à ses compagnons, une pointe d'admiration

189

dans la voix. Avec ces gars-là dans les parages, nos deux cinglés ne risquent pas de se carapater sur la Tamise.

Autour de l'enceinte sportive, les mesures de sécurité se révélaient pareillement impressionnantes. Des clôtures s'élevaient un peu partout, le long desquelles, tous les cinquante mètres, un Gurkha montait la garde. Quant aux agents affectés aux postes de contrôle, ils se montraient plus sourcilleux encore qu'à l'accoutumée – les files d'attente s'étiraient. Sans la présence de Lancer auprès d'eux, Knight et son supérieur y auraient sans doute perdu une bonne demi-heure. En moins de cinq minutes, le conseiller du Locog les fit entrer.

— Que cherche-t-on? s'enquit le détective tandis qu'une voix féminine, relayée par plusieurs dizaines de haut-parleurs, annonçait la première série d'épreuves dans un tonnerre d'applaudissements.

— Tout ce qui sort de l'ordinaire, répondit Lancer. Absolument tout.

— Ça fait combien de temps que les chiens ont fouillé le bâtiment? l'interrogea Jack.

— Trois heures.

— À votre place, je les ferais revenir, lui suggéra l'Américain. Et le réseau téléphonique?

— On a préféré le brouiller. C'est plus simple.

En contrebas, les équipes s'alignaient à côté des agrès; la compétition allait démarrer.

Les Chinoises se tenaient devant les barres asymétriques. Un peu plus loin, les Russes s'apprêtaient à grimper sur la poutre. L'équipe britannique, qui avait brillé lors des phases de qualification grâce aux performances exceptionnelles de Nessa Kemp, sa vedette incontestée, commencerait par l'épreuve au sol. Enfin, à l'autre bout de la salle, les Américaines se préparaient au saut de cheval. Des gardes – des Gurkhas pour la plupart – tournaient le dos aux athlètes: comme n'importe quel stadier, ils scrutaient le public.

Knight en conclut qu'il était pratiquement impossible que Cronos parvienne à faire une victime parmi les gymnastes.

Sauf, peut-être, s'il s'en prenait à l'une d'elles dans les vestiaires. Ou sur le trajet séparant l'O2 Arena du village olympique...

Et si, après tout, le meurtrier avait choisi de ne pas viser un athlète?

57

À 18h15 ce mardi soir, la dernière gymnaste chinoise acheva son programme à la poutre. Elle effectua une sortie impeccable.

Des cris de triomphe s'élevèrent des tribunes réservées à la Fédération chinoise de gymnastique. La victoire ne pouvait plus échapper à son équipe. Les Britanniques, contre toute attente, arrivaient en deuxième position. Les athlètes américaines comptaient sur la médaille de bronze. Les Russes, d'ordinaire si brillantes, avaient accumulé les erreurs – elles devraient se contenter d'une très modeste quatrième place.

Teagan posa son plateau chargé de verres sur le comptoir, avant de laisser tomber volontairement un stylo. Elle s'accroupit pour le ramasser. Quelques secondes lui suffirent à ajuster les uns aux autres les éléments composant l'arme qu'elle portait fixée à l'avant-bras.

Elle se releva en souriant au barman.

— Je vais desservir quelques tables.

Il approuva d'un hochement de tête et continua de remplir des ballons de vin rouge. Comme les athlètes chinoises se dirigeaient vers le saut de cheval, la jeune Furie s'exalta. Elle se fraya un chemin, au sein de la délégation asiatique, jusqu'à une femme corpulente vêtue d'un tailleur gris.

Elle s'appelait Win Bo Lee. Présidente du comité national de la Fédération chinoise de gymnastique, elle se révélait, à sa manière, aussi corrompue que Paul Teeter ou sir Denton Marshall. Cronos avait raison, songea Teagan. Des gens comme Win Bo Lee méritaient de mourir.

En s'approchant de cette dernière, elle manœuvra avec autant de discrétion que de dextérité le petit engin dissimulé sous sa manche. Dans un souffle léger, couvert par la rumeur des conversations, la minuscule fléchette se propulsa pour venir se ficher dans la nuque de Win Bo Lee. Celle-ci eut un sursaut et jura. Elle tenta de porter la main à son cou, mais Teagan la devança : d'une chiquenaude, elle délogea prestement la fléchette, qui tomba sur le sol, où elle l'écrasa d'un coup de talon.

Win Bo Lee se retourna d'un air courroucé, fusillant du regard la jeune femme qui, en échange, la dévisagea longuement – Teagan savourait ce moment, elle l'imprimait à jamais dans sa mémoire.

— Je l'ai eue, dit-elle enfin.

Elle s'accroupit avant que la Chinoise ait eu le temps de réagir et fit mine de ramasser quelque chose par terre. Elle se releva pour présenter à Win Bo Lee le cadavre d'une abeille dans le creux de sa paume.

— C'est l'été, expliqua-t-elle. Elles arrivent à entrer partout.

La Chinoise considéra longuement l'insecte, puis revint à Teagan ; elle semblait moins en colère.

— Vous êtes rapide, observa-t-elle. Mais moins rapide que cette sale bête. Elle m'a fait un mal de chien.

— Je suis navrée. Désirez-vous que je vous apporte un peu de glace ?

La présidente de la FCG hocha la tête en se massant la nuque.

— J'y vais tout de suite, madame.

Teagan débarrassa la table toute proche, planta une dernière fois son regard dans celui de Win Bo Lee. Elle s'éclipsa pour aller déposer les verres sur le comptoir du bar. Ensuite elle se dirigea vers la sortie, sans intention de retour. Déjà, elle revoyait la scène qui venait de se dérouler, dans un délicieux ralenti.

58

Je suis un être supérieur, songeait Petra en se dirigeant, le long de la piste d'élan du saut de cheval, vers l'un des Gurkhas, qui portait une fine moustache noire. *Je ne suis pas comme eux. Je suis le bras armé de la vengeance, je suis l'instrument de la purification.*

Elle se présenta au garde avec une pile de serviettes éponge, qui dissimulait sa main droite.

— C'est pour l'aire d'entraînement au saut de cheval, lui indiqua-t-elle avec un sourire.

D'un mouvement du menton, il autorisa la grosse femme à passer. Comme c'était la troisième fois qu'elle se présentait ainsi à lui, il ne prit même pas la peine d'examiner le linge.

Je suis un être supérieur, se répétait Petra. Soudain, comme au temps de son adolescence, à l'époque du viol et des meurtres, le monde alentour lui parut se mouvoir plus lentement qu'à l'accoutumée, dans un étrange silence feutré. C'est dans cet état de perception altéré qu'elle repéra sa proie : un petit homme qui, vêtu d'un sweat-shirt rouge à fermeture éclair et d'un pantalon blanc, se mettait à faire les cent pas tandis que la première athlète chinoise réglait le tremplin, bientôt prête à s'élancer.

Gao Ping – c'était son nom – entraînait l'équipe chinoise de gymnastique. Dans les grandes compétitions, on aurait dit un diable à ressort. Petra avait étudié son comportement sur plusieurs vidéos. Débordant d'énergie, incroyablement démonstratif, il ne cessait d'aiguillonner ses protégées afin qu'elles donnent, au moment opportun, le meilleur d'elles-mêmes. Mais l'homme avait aussi maintes fois foulé aux pieds l'idéal olympique – son sort était scellé.

An Wu, l'entraîneuse adjointe, non moins coupable que son supérieur, se tenait assise à proximité. Son visage impassible contrastait singulièrement avec les mimiques de Ping. Ce dernier, toujours en mouvement, ne ferait pas une cible facile. Mais Cronos avait été formel : c'était lui qu'il fallait frapper en premier. On ne s'occuperait d'An Wu que si l'occasion se présentait ensuite.

La Furie ralentit le pas afin de régler son rythme sur celui de l'entraîneur. Elle tendit, par-dessus la rambarde, sa pile de serviettes à un autre maître des Jeux ; Ping s'était penché sur l'une de ses petites gymnastes, qu'il exhortait à l'excellence.

La première athlète s'élança.

L'entraîneur effectua deux petits pas bondissants à sa suite, avant de se figer devant Petra. La jeune femme et le Chinois ne se trouvaient plus qu'à trois ou quatre mètres l'un de l'autre.

Une main sur la rambarde, la meurtrière se concentra sur le cou de sa future victime. Comme la gymnaste atteignait le tremplin, elle décocha sa fléchette.

Je suis un être supérieur, songea-t-elle encore.

59

Gao Ping se frappa la nuque du plat de la main juste avant que son athlète effectue, au terme de son saut, une réception parfaite. La foule se déchaîna. L'entraîneur grimaça en jetant des regards autour de lui, ahuri par ce qui venait de lui arriver. Mais déjà il avait secoué la tête – ce qui eut pour effet de le débarrasser de la fléchette. Il se rua en battant des mains vers sa gymnaste. La jeune fille rayonnait, elle levait les bras en signe de victoire.

— Cette gamine vient de tuer la compétition, décréta Jack Morgan, admiratif.

— Vraiment? demanda Peter Knight en baissant ses jumelles. Je regardais Ping.

— Le Joe Cocker de la gym?

Comme le détective éclatait de rire, il s'aperçut que l'entraîneur se frottait la nuque avant de reprendre ses pitreries : l'athlète suivante se préparait à sauter.

— J'ai l'impression que Joe Cocker vient de se faire piquer, dit Knight à son supérieur.

Il regarda de nouveau à travers ses jumelles.

— Par quoi? Une abeille? Comment peux-tu voir ça d'ici?

— Je n'ai pas vu la bestiole, mais j'ai vu sa réaction.

Derrière les deux hommes, Lancer parlait d'une voix tendue dans son talkie-walkie. Il vérifiait avec ses subordonnés le niveau de sécurité à l'intérieur comme à l'extérieur de l'O2 Arena et réglait les détails concernant la cérémonie de remise des médailles.

Le détective, lui, éprouvait un malaise diffus. Cramponné à ses jumelles, il observa de nouveau l'entraîneur chinois. Au moment où sa dernière protégée s'élançait en direction de la table de saut, il enchaîna les cabrioles à la manière d'un danseur vaudou. Même son adjointe, d'ordinaire si flegmatique, se laissa envahir par la liesse générale. Elle bondit en portant une main à sa bouche quand la gymnaste s'éleva dans les airs.

Mais An Wu se frappa tout à coup la nuque, comme si quelque chose venait de la piquer.

Encore une fois, la jeune compétitrice réussit une réception impeccable.

L'enthousiasme des spectateurs ne connaissait plus de limite. La Chine venait de décrocher l'or olympique. Ensuite venait la Grande-Bretagne, qui obtenait dans cette discipline le meilleur résultat de son histoire. Les équipes des deux nations laissaient exploser leur joie. Les Américaines exultaient aussi – elles repartiraient de Londres avec la médaille de bronze.

Knight scrutait l'assistance avec ses jumelles. Ping s'agitait en tous sens et ses championnes applaudissaient – l'attention générale se portait sur l'équipe chinoise.

À l'exception d'une blonde obèse arborant l'uniforme officiel des maîtres des Jeux. Tournant le dos à la fête, elle gravissait en boitillant l'escalier des gradins en direction d'une sortie. Elle ne tarda pas à disparaître.

Le détective lâcha brusquement ses jumelles.

— Il se passe quelque chose, annonça-t-il à Morgan et Lancer.

— Quoi donc? s'enquit l'ancien décathlonien.

— Les entraîneurs chinois. J'ai l'impression qu'ils ont été piqués tous les deux à la nuque. Ping et Wu. Et juste après, j'ai vu une grosse blonde, une bénévole, quitter la salle en vitesse alors que tout le monde était en train d'applaudir l'exploit de la Chine.

Jack ferma un œil, comme s'il visait une cible lointaine.

— Par où est-elle partie? demanda-t-il.

197

— Elle a emprunté la sortie supérieure, entre les sections 115 et 116. Il y a une quinzaine de secondes. Je crois qu'elle boitait un peu.

Lancer bondit sur sa radio.

— Central. Observez l'écran correspondant à la caméra du hall de sortie de la section 115. Distinguez-vous une bénévole? Une grosse blonde?

S'ensuivit un long silence sur les ondes. Pendant ce temps, on installait le podium au centre de l'O2 Arena.

Une voix masculine s'échappa enfin du talkie-walkie.

— Négatif, crachota-t-elle.

— C'est impossible, s'alarma Knight. Elle vient de quitter la salle.

L'ancien sportif le dévisagea un moment avant de porter à nouveau la radio à ses lèvres.

— Prévenez les agents du secteur : s'ils repèrent une grosse blonde en uniforme de maître des Jeux dans les parages, qu'ils l'appréhendent. Nous voulons l'interroger.

— Il faudrait demander à un médecin d'examiner les deux entraîneurs, suggéra Knight.

— Les athlètes ne sont jamais très chauds pour s'en remettre à l'avis d'un étranger. Mais je peux toujours alerter l'équipe médicale chinoise. Ça vous va?

Le détective approuva du menton.

— Où se trouve le poste de contrôle des caméras? s'enquit-il.

Lancer lui désigna une cabine vitrée au-dessus de leurs têtes.

— J'y vais, décréta Knight. Tenez-moi au courant.

60

Petra s'efforça de ne pas s'évanouir en refermant derrière elle la porte des toilettes. Elle prit une profonde inspiration. La puissance dont elle se sentait investie lui donnait envie de hurler.

Je suis un être supérieur. Je viens d'exécuter deux monstres. J'ai contribué à exercer notre vengeance. Je suis une Furie. Et les monstres sont incapables de mettre la main sur les Furies. Tous les ouvrages de mythologie l'attestent!

Tremblante d'émotion, elle se débarrassa de sa perruque blonde. Ses menues boucles rousses apparurent, plaquées contre son crâne au moyen de barrettes en plastique, qu'elle ôta également.

Empoignant le distributeur de couvre-sièges en papier, elle le détacha du mur. Elle plongea la main dans la profonde cavité que la boîte métallique dissimulait, afin d'en extraire une musette en caoutchouc bleu, un sac étanche contenant des vêtements.

Elle retira son uniforme pour le suspendre à une patère fixée à la cloison des toilettes. Puis elle défit les prothèses en silicone qu'elle portait aux hanches, au ventre et aux jambes pour se glisser dans la peau d'une obèse. Estimant qu'une fois lesté de ce matériel, son sac se révélerait trop lourd – et particulièrement encombrant durant l'évasion conçue par Cronos –, elle fourra les prothèses et la perruque au fond du trou ménagé dans le mur.

Quatre minutes plus tard, elle avait remis en place le distributeur de couvre-sièges. Elle sortit des toilettes, à l'épaule le sac étanche contenant sa tenue de bénévole.

Elle se lava les mains, inspecta sa mise : des chaussures de tennis en toile bleue, un pantalon blanc moulant, un pull sans manches en coton blanc, un collier en or aux lignes sobres et un blazer en lin bleu. Elle ajouta des lentilles colorées, avant de chausser une paire de lunettes de créateur. Satisfaite, elle sourit à son reflet.

La porte du box jouxtant celui que Petra venait de quitter s'ouvrit.

— Prête ? demanda la jeune femme sans se retourner.

— Je t'attends, répondit Teagan en rejoignant sa sœur.

Débarrassée de sa perruque brune, celle-ci avait retrouvé sa chevelure d'un blond vénitien. Équipée d'un sac étanche identique à celui de Petra, elle avait pour sa part troqué son uniforme contre une tenue décontractée.

— Tu as réussi ?

— Je les ai eus tous les deux, triompha Petra.

Teagan lui décocha un sourire admiratif.

— Tu vas devenir une légende.

— J'y compte bien.

Sur quoi, les deux Furies décampèrent.

Tandis qu'elles traversaient un hall, une voix retentit dans les haut-parleurs : « Mesdames et messieurs, veuillez regagner vos places. La cérémonie de remise des médailles est sur le point de commencer. »

61

Peter Knight examinait les images sur le mur d'écrans face à lui. Il se concentrait sur le hall supérieur des sections 115 et 116, où les spectateurs se hâtaient de regagner leurs sièges.

Deux femmes, toutes deux jeunes et minces – l'une avait une longue chevelure blonde, l'autre de courts cheveux roux –, quittèrent les toilettes pour se mêler à la foule. Le détective les remarqua à peine : il traquait une obèse en uniforme de maître des Jeux.

Néanmoins, quelque chose dans la démarche de la rousse attira son attention. Il tenta de repérer le duo. En vain. Les deux femmes s'étaient volatilisées. Elle boitillait, non ? Cela dit, elle n'avait pas un gramme de graisse superflu. En outre, elle n'était pas blonde.

La cérémonie commença par la remise de la médaille de bronze. Les jumelles en main de nouveau, Knight s'efforçait de repérer la rousse et sa compagne.

Mais lorsqu'on annonça la deuxième place remportée par le Royaume-Uni, le public se mit debout. L'O2 Arena résonnait de sifflets et de cris d'allégresse. Des fans déployèrent ici et là des drapeaux britanniques – le détective ne distinguait pratiquement plus rien.

Les Union Jack s'agitaient encore lorsqu'on invita les Chinoises à grimper sur la plus haute marche du podium. Knight abandonna momentanément ses recherches pour observer les entraîneurs.

Ping et Wu se tenaient au bord du praticable, aux côtés d'une petite femme trapue d'une cinquantaine d'années, vêtue d'un tailleur gris.

— Qui est-ce? demanda le détective à l'un des hommes en charge de la station vidéo.

— Win Bo Lee. Présidente de la Fédération chinoise de gymnastique. Une grosse légume.

Comme l'hymne national chinois commençait à retentir dans la salle, Knight revint à Ping et Wu. Il guettait le numéro délirant que, vu son tempérament, le premier ne manquerait pas d'offrir à ses fans.

Contre toute attente, l'homme affichait une mine étrangement sinistre. Les yeux rivés au sol, il se frottait la nuque sans se préoccuper du drapeau de sa patrie qu'on hissait en haut du mât.

Le détective s'apprêtait à repartir en quête de la rousse qui avait piqué plus tôt son intérêt, quand Win Bo Lee vacilla, comme saisie par un soudain vertige. Wu la rattrapa par le coude et l'aida à retrouver son équilibre.

Après s'être essuyé le nez, la présidente de la FCG considéra ses doigts avec inquiétude. Elle murmura quelques mots à l'oreille de l'entraîneuse adjointe.

Tandis que les dernières notes de l'hymne national chinois résonnaient dans l'O2 Arena, c'est Ping qui, à son tour, tituba sur le praticable. Le petit homme s'avança d'un pas mal assuré en direction du podium, une main étreignant sa gorge, l'autre, qu'il tendait vers ses gymnastes, paraissant implorer l'aide des jeunes filles. On aurait cru un naufragé en train de se noyer.

La musique se tut. Les athlètes, qui n'avaient cessé de fixer leur drapeau en laissant rouler sur leurs joues des larmes de bonheur, découvrirent un Ping à l'agonie, qui s'écroula à leurs pieds.

Les médaillées d'or se mirent à hurler.

De l'autre bout de la salle, Knight, pétrifié, regardait le sang dégouliner de la bouche et du nez de l'entraîneur.

62

Avant que l'équipe médicale ait eu le temps de se porter au secours de Ping, Win Bo Lee hurla qu'elle était devenue aveugle. Puis elle perdit connaissance – du sang s'écoulait de sa bouche, de ses yeux et de son nez.

Bientôt, un vent de panique souffla sur la salle omnisports. Des cris s'élevèrent. De nombreux spectateurs rassemblaient leurs affaires pour se diriger en toute hâte vers les sorties.

Dans le poste de sécurité de l'O2 Arena, Knight avait compris qu'An Wu se trouvait elle aussi en danger de mort, mais il s'obligea à reporter son attention sur les clichés du passage emprunté quelques minutes plus tôt par les deux suspectes. Les agents, pour leur part, croulaient sous les appels radio.

— On signale une explosion à l'extérieur du bâtiment! s'écria l'un d'eux. Sur l'une des berges! J'appelle la brigade fluviale.

Personne, dans la salle, n'avait entendu la déflagration. Heureusement. Sinon, la cohue se serait soldée par plusieurs dizaines de victimes. An Wu s'effondra à son tour; l'épouvante grimpa d'un cran.

Sur l'écran le plus proche, le détective repéra enfin ses deux cibles: elles empruntaient la sortie nord du complexe, au milieu d'un flot de spectateurs atterrés.

Knight ne distinguait pas leur visage, mais pour le reste, il était formel: la rousse boitillait.

— C'est elle! hurla-t-il.

Les agents de sécurité se préoccupèrent à peine de lui, débordés par les appels qui leur parvenaient de toutes parts. Le détective fonça vers la porte, l'ouvrit en grand et tenta de se frayer un chemin dans la foule.

Mais quelle issue avaient-elles choisie ? Est ou ouest ?

Knight décida qu'elles avaient opté pour l'ouest – les moyens de transport étaient plus proches. Il courait toujours, bousculant les spectateurs sur son passage, lorsqu'il entendit Jack Morgan le héler.

Le propriétaire de l'agence Private sortait de la salle pour le rejoindre.

— Je les tiens ! lui expliqua son subordonné. Deux femmes. Une blonde et une rousse. La rouquine boite. Appelle Lancer ! Qu'il boucle le périmètre.

Sans cesser de courir, l'Américain tenta de composer un numéro sur son portable.

— Et merde ! pesta-t-il. J'avais oublié : ils ont brouillé le réseau !

— Dans ce cas, nous sommes seuls sur le coup.

Les deux hommes accélérèrent l'allure, résolus à mettre un terme aux agissements des meurtrières.

Au bout du passage ouest, où il avait aperçu les deux femmes sur l'écran de contrôle, Knight poussa un juron en se maudissant de n'avoir pas emprunté l'autre issue. Enfin, il les discerna à une centaine de mètres devant lui : elles quittaient prestement les lieux par la sortie de secours.

— Elles sont là ! rugit le détective.

Il fit jaillir son badge de sa poche revolver et dégaina son Beretta pour tirer dans le plafond à deux reprises.

— Tout le monde à terre !

C'était comme si Moïse venait d'ouvrir en deux les flots de la mer Rouge. Les spectateurs se jetèrent au sol en tâchant de laisser le champ libre à Morgan et son subordonné. Ce dernier comprit tout en un éclair.

— Elles se dirigent vers la Tamise ! Ils ont fait exploser la bombe pour faire diversion et se débarrasser de la brigade fluviale !

C'est alors que tous les éclairages vacillèrent avant de s'éteindre. La salle omnisports et ses environs immédiats furent plongés dans les ténèbres.

63

Peter Knight s'immobilisa au cœur de l'obscurité, avec l'impression soudaine de se tenir au bord d'un précipice. Un vertige l'assaillit. Partout retentissaient des cris de terreur. Il extirpa de sa poche la lampe stylo suspendue en permanence à son porte-clés. Il l'alluma. Autour de lui, les ampoules rouges de l'éclairage d'urgence, actionné par des générateurs, se mirent lentement à luire.

Le détective et son supérieur reprirent leur course. Une vingtaine de mètres plus loin, ils atteignirent la porte coupe-feu, qu'ils tentèrent d'ouvrir d'un coup d'épaule. En vain. Elle était verrouillée. Knight tira aussitôt dans la serrure. De nouveaux hurlements d'effroi s'élevèrent, mais la porte céda.

Au bas de l'escalier qu'ils venaient de dégringoler, les deux hommes se retrouvèrent sur le quai de chargement de l'O2 Arena. Les lieux étaient encombrés de cars régie et d'équipements divers. Ici aussi, les ampoules rouges dispensaient leur faible éclat, mais Knight échoua dans un premier temps à repérer les deux fugitives : plusieurs dizaines de personnes s'agitaient autour de lui, plus éperdues les unes que les autres.

Il les distingua enfin. Elles s'apprêtaient à disparaître derrière une porte située à l'extrémité nord-est de la salle omnisports. Il se rua vers elles, bousculant au passage des journalistes courroucés.

Le détective brandit son badge sous le nez d'un agent de sécurité.

— Deux femmes, haleta-t-il. Par où ont-elles filé?

Le garde ne comprenait pas.

— Quelles femmes? J'étais...

Knight le repoussa pour franchir la porte à son tour. Le nord de la péninsule se trouvait plongé dans le noir, mais un orage venait d'éclater – par intermittence, des éclairs jetaient sur le décor leur lumière crue.

Des écharpes de brouillard s'enroulaient et se déroulaient au gré des vents. Il pleuvait à verse. L'enquêteur plaça son avant-bras en visière au-dessus de ses yeux. Lorsque l'éclair suivant déchira le ciel, il balaya du regard le grillage de deux mètres cinquante de haut qui séparait le complexe sportif d'un sentier bordant la Tamise.

La Furie blonde se tenait accroupie de l'autre côté de la clôture. La rouquine, à son sommet, s'apprêtait à sauter pour la rejoindre.

Knight brandit son pistolet, mais la nuit l'enveloppa de nouveau. La lampe stylo n'était d'aucune utilité contre ce noir d'encre bouillonnant sous l'effet de la tempête.

— Je les ai vues! lui cria Morgan.

— Moi aussi.

Le détective rempocha sa petite torche et rengaina son arme. Il escalada le grillage et se laissa tomber sur le chemin.

Le taxi fou l'avait heurté depuis cinq jours déjà, mais une douleur lui transperça les côtes lorsqu'il toucha le pavé. Sur sa gauche, l'une des navettes fluviales s'approchait.

Jack venait de sauter près de lui. Les deux hommes se précipitèrent vers l'embarcadère, illuminé par l'éclairage d'urgence. À une vingtaine de mètres de la rampe menant à l'appontement, ils ralentirent: deux Gurkhas gisaient au sol, la gorge tranchée d'une oreille à l'autre.

La pluie martelait le quai. Les moteurs de la navette grondaient de plus en plus fort; l'embarcation arrivait. Mais, tout à coup, Knight repéra le son d'un autre moteur.

— Ils ont un bateau! hurla Jack, qui avait compris en même temps que lui.

Sur le plancher de l'embarcadère, ils découvrirent le cadavre de la femme qui, un peu plus tôt, les avait escortés en jet-ski jusqu'à l'O2 Arena. On lui avait brisé les vertèbres. Un hors-bord commençait à accélérer malgré la pluie et le brouillard.

Knight avisa le jet-ski à l'arrêt, en repéra la clé sur le contact. Il sauta en selle, tandis que Morgan, qui avait entre-temps récupéré la radio de la malheureuse victime, s'installait derrière lui.

— Ici Jack Morgan! hurla-t-il à l'adresse de son correspondant. De l'agence Private. Avons trouvé le corps d'un agent de la brigade fluviale sur l'appontement. Nous prenons en chasse les meurtriers sur la Tamise. Je répète: nous prenons en chasse les meurtriers sur la Tamise.

Knight accéléra. L'engin bondit en avant, presque sans bruit. Quelques secondes plus tard, les deux hommes fendaient la purée de pois.

La visibilité n'excédait pas une dizaine de mètres et les flots étaient agités par un puissant courant dû à la marée descendante.

Sans attendre la réponse de son correspondant, l'Américain réduisit le volume sonore de son talkie-walkie, afin de mieux entendre le moteur du hors-bord qui, un peu plus loin, toussotait dans le brouillard.

Persuadé d'être en mesure de le rattraper sous peu, le détective mit les gaz en priant pour ne pas heurter d'obstacle. Des bouées flottaient-elles dans les parages? Sans aucun doute. Il aperçut le phare de Trinity Buoy Wharf.

— Ils se dirigent vers la Lea! cria-t-il par-dessus son épaule. La rivière traverse le parc olympique.

— Les tueurs prennent la direction de l'embouchure de la Lea! aboya Morgan dans sa radio.

Sur les berges de la Tamise, des sirènes se mirent à hurler. La vedette prit de la vitesse. La brume se dissipant un peu, Knight avisa à une centaine de mètres son ombre mobile, toutes lumières éteintes. Son moteur gronda soudain.

Le détective s'efforça de réduire l'écart entre son jet-ski et le bateau. Mais c'est alors qu'il s'aperçut que l'embarcation ne cherchait nullement à gagner l'embouchure de la Lea. Au contraire : elle fonçait droit sur un mur de soutènement.

— Ils vont s'écraser! hurla Jack.

Knight parvint à ralentir une fraction de seconde avant que le hors-bord s'écrase contre la paroi de béton et explose en milliers de boules de feu et de flamboiements qui semblaient lécher le brouillard et assécher l'averse.

Une pluie de débris et d'éclats ne tarda pas à tomber aux alentours, contraignant Knight et son supérieur à battre en retraite. Le vacarme ambiant les empêcha de percevoir le léger clapotis produit par trois nageurs qui, à la faveur de la marée descendante, se laissaient porter en direction de l'est.

64

Mercredi 1ᵉʳ août 2012

L'orage était passé. Lorsque Peter Knight s'engouffra dans un taxi en indiquant au chauffeur l'adresse de son domicile à Chelsea, il était 4 heures du matin.

Épuisé, trempé et furieux, il ne cessait de songer aux événements survenus depuis que le bateau des Furies s'était écrasé contre le mur de soutènement.

Moins d'une demi-heure après l'accident, des plongeurs s'étaient mis en quête d'éventuels cadavres, malgré les périlleux courants induits par la marée.

Elaine Pottersfield, à laquelle ses supérieurs avaient ordonné d'interrompre momentanément la fouille de l'appartement et du bureau de James Daring, vint grossir les rangs des agents de Scotland Yard surgis à l'O2 Arena après le triple meurtre.

Elle discuta avec Morgan et Knight, avant de voir Lancer. Ce dernier avait eu la présence d'esprit de faire boucler le périmètre après avoir entendu les coups de feu tirés par le détective. Hélas, ses ordres étaient parvenus trop tard pour empêcher la fuite des deux Furies.

Lorsque l'ancien décathlonien demanda aux électriciens de rétablir l'éclairage, on découvrit qu'un simple coupe-circuit avait permis aux terroristes de gérer la ligne principale à leur gré. Les techniciens vinrent à bout du sabotage en moins d'une demi-heure. Aussitôt, Knight et Pottersfield examinèrent les images filmées plus tôt par les caméras de sécurité, tandis que Morgan et Lancer participaient au contrôle des quelques milliers de témoins de la tragédie.

Hélas, la vidéo ne permettait pas de distinguer le visage des meurtrières – de toute évidence, elles connaissaient la position précise du moindre objectif, dont elles se détournaient systématiquement avec une habileté redoutable. Le détective se souvint d'avoir repéré les deux femmes au moment où elles quittaient les toilettes, peu après la disparition de la grosse blonde en uniforme.

— Elles ont dû se changer là-bas.

Knight et sa belle-sœur fouillèrent la pièce. Entre-temps, celle-ci avait appris au détective qu'on avait découvert le vilain petit air de flûte dans l'ordinateur de Daring, ainsi qu'une série de diatribes dénonçant les dérives commerciales des Jeux de l'ère moderne. Dans deux textes au moins, le conservateur notait que dans l'Antiquité on aurait eu vite fait de tordre le cou à cette corruption généralisée.

— Selon lui, développa Pottersfield, les dieux de l'Olympe auraient puni un à un les tricheurs. Leur mort, ajoute-t-il, n'aurait été qu'un « juste sacrifice ».

Un juste sacrifice? songea Knight. *Trois personnes sont mortes aujourd'hui. Pour quelle raison?*

Pendant que les deux enquêteurs passaient les toilettes au peigne fin, le détective se demanda pourquoi Karen Pope ne lui avait pas téléphoné. Elle avait pourtant dû recevoir une nouvelle lettre.

Au bout d'une vingtaine de minutes, Knight découvrit la cache derrière le distributeur de couvre-sièges. Une minute plus tard, il en extirpait une perruque blond platine.

— Quelle bourde! déclara-t-il en la brandissant sous le nez de l'inspectrice. On y trouvera forcément de l'ADN.

Pottersfield fourra le postiche dans un sac en plastique.

— Bien joué, Peter. Mais j'aimerais autant que personne ne soit au courant de votre trouvaille. Du moins jusqu'à ce que je l'aie fait analyser par nos services. Surtout, pas un mot à votre cliente, Karen Pope.

— Promis.

Peu après 3 heures du matin, comme il quittait l'O2 Arena, le détective croisa son supérieur, auquel, comme convenu, il ne parla pas de la perruque. Le fondateur de l'agence Private l'informa qu'un garde, assigné au contrôle des maîtres des Jeux, se rappelait parfaitement deux cousines, deux jeunes obèses dont l'une était diabétique ; l'une et l'autre portaient en outre une bague identique.

Le système informatique leur fournit des noms : Caroline et Anita Thorson, habitant au nord de Liverpool Street. Les policiers qu'on expédia à l'adresse indiquée y dénichèrent bel et bien les deux cousines. Elles dormaient sur leurs deux oreilles. Elles jurèrent n'avoir jamais mis les pieds à l'O2 Arena, encore moins y avoir joué les bénévoles lors d'une épreuve des jeux Olympiques. On les emmena pour la forme à New Scotland Yard, afin d'y poursuivre leur interrogatoire. Caroline et Anita se révélèrent d'innocentes victimes, dont on avait usurpé l'identité.

Le taxi fit halte devant le domicile de Peter Knight ; l'aube commençait à poindre. Cronos, se disait le détective, ou bien l'une de ses Furies, était un *hacker* brillant. L'un ou l'autre assassin avait par ailleurs obtenu l'accès à l'infrastructure électrique du complexe sportif…

Trop épuisé pour poursuivre ses raisonnements, il régla la course et demanda au chauffeur de patienter. Il se traîna jusqu'à la porte, pénétra dans la maison, alluma la lumière de l'entrée. Un léger grincement lui parvint de la salle de jeux. Allongée sur le canapé, Marta bâilla en repoussant sa couverture.

— Je suis terriblement navré, lui dit son employeur à voix basse. Je me trouvais à l'O2 Arena. Par précaution, les responsables de la sécurité y ont brouillé le réseau de téléphonie mobile. Pas moyen de vous appeler.

La jeune femme porta une main à sa bouche.

— J'ai vu ce qui s'est passé à la télévision. Vous étiez là-bas? Est-ce qu'on a attrapé les tueurs?

— Non, admit-il, contrarié. Nous ne savons même pas s'ils sont encore vivants. En tout cas, ils ont commis une énorme erreur. S'ils ne sont pas morts, nous leur mettrons bientôt le grappin dessus.

Marta bâilla de nouveau.

— Quelle erreur? s'enquit-elle.

— Je n'ai pas le droit de vous en parler. Un taxi vous attend devant la porte. Je l'ai déjà payé.

La nourrice adressa à son employeur un sourire fatigué.

— Vous êtes très prévenant, monsieur Knight.

— Appelez-moi Peter. À quelle heure pouvez-vous revenir?

— 13 heures?

Le détective approuva de la tête. Dans neuf heures. S'il réussissait à en grappiller quatre avant que les jumeaux se réveillent, il aurait beaucoup de chance.

Marta parut lire dans ses pensées.

— Isabel et Luke étaient très, très fatigués ce soir, dit-elle en se dirigeant vers la porte. Je crois qu'ils vous laisseront dormir tout votre saoul.

65

Peu après le lever du jour, dévasté par une migraine qui me fend littéralement le crâne en deux coups de hache, je me tourne vers Marta, ivre de rage :

— Quelle « erreur » ?

Son regard demeure aussi inexpressif que le soir où je l'ai sauvée en Bosnie.

— Je l'ignore, Cronos. Il n'a pas voulu me le dire.

J'observe ses sœurs, l'œil fou.

— Quelle erreur ?

— Nous n'avons commis aucune erreur, se défend Teagan en secouant la tête. Tout s'est déroulé selon nos plans. Petra a même réussi à faire deux victimes au lieu d'une.

— C'est vrai, confirme la cadette, la mine extasiée, proche du délire. J'étais alors un être supérieur, Cronos. Une championne. Personne n'aurait pu accomplir cette mission mieux que moi. Après les événements, nous avons sauté du bateau bien avant qu'il ne heurte le mur, puis la marée nous a portées. Nous avons respecté le timing à la seconde près. Nous avons été parfaites.

— Je suis arrivée chez Knight deux bonnes heures avant son retour, renchérit Marta en hochant le menton. Nous avons gagné, Cronos. Ils sont obligés d'annuler les jeux Olympiques, maintenant.

— Pas encore. Les sponsors et les médias vont s'y opposer le plus longtemps possible.

Quelle erreur avons-nous commise?

— Et l'usine? fais-je en me tournant vers Teagan.

— Je l'ai bouclée en partant.

— Va vérifier tout de même.

Puis je vais m'asseoir dans un fauteuil, près de la fenêtre. Quelle erreur avons-nous commise? Je laisse défiler dans mon esprit mille et une hypothèses. Hélas, il me manque des informations. Comment envisager des contre-mesures sans connaître la nature précise de cette maudite erreur?

Je jette à Marta un regard noir.

— Débrouille-toi pour en savoir davantage. À n'importe quel prix.

66

À 12 h 20 ce mercredi, dans le square proche du Royal Hospital, Peter Knight poussait la balançoire sur laquelle Isabel avait pris place. Luke se balançait aussi, s'aidant des mains et des pieds pour tenter de s'élever toujours plus haut. Son père freinait régulièrement ses ardeurs.

— Papa ! hurla le garçonnet. Luke veut aller haut !

— Mais pas trop haut, expliqua le détective. Sinon, tu vas tomber et te casser la tête.

— Non, papa, grommela l'enfant.

Isabel se mit à rire.

— C'est pas grave : Lukey, il a déjà sa tête cassée !

Une querelle s'ensuivit entre les jumeaux, qui contraignit leur père à les séparer : la fillette s'installa dans le bac à sable, tandis que Luke prenait d'assaut la cage aux écureuils. Lorsque les deux bambins furent enfin absorbés par leurs activités respectives, Knight bâilla, jeta un œil à sa montre – encore une heure et quart à tenir avant le retour de Marta – et s'assit sur un banc pour y consulter les nouvelles du jour au moyen de sa tablette numérique.

Les journalistes du monde entier revenaient sur l'assassinat de Gao Ping, d'An Wu et de Win Bo Lee. Partout, les chefs d'État condamnaient Cronos, ses Furies et leurs procédés indignes. Les athlètes ne disaient pas autre chose.

Le détective cliqua sur un lien hypertexte menant à une vidéo de la BBC. Le reportage s'ouvrait sur une série de réactions au triple drame. Inquiets, les parents de plusieurs sportifs espagnols, russes et ukrainiens souhaitaient que leurs rejetons abandonnent la compétition ; et tant pis s'ils brisaient leurs rêves olympiques. Les Chinois s'étaient plaints auprès du CIO, avant de publier un communiqué de presse dans lequel ils exprimaient leur mécontentement : le pays hôte, observaient-ils, se révélait incapable d'assurer la sécurité de l'événement – ils insistaient : quatre ans plus tôt, lors des Jeux de Pékin, jamais de tels manquements n'auraient pu être constatés.

Ces « manquements », le reporter tâchait ensuite de les mettre en lumière. Il s'en prenait ouvertement à la société F7, chargée de la surveillance des infrastructures. L'un des porte-parole de l'entreprise se défendait en affirmant que F7 accomplissait au contraire un travail exemplaire, avec « les personnes les plus qualifiées dans leur domaine ». La BBC raillait encore le système informatique, que les terroristes avaient piraté alors que Scotland Yard et le MI5, ses concepteurs, affirmaient avant le début des JO qu'il était « impénétrable ».

Les forces de l'ordre ayant refusé d'émettre le moindre commentaire, Mike Lancer se retrouvait en première ligne : c'est lui qui parlait à la presse, lui aussi qui s'était présenté devant plusieurs membres du Parlement – ces derniers souhaitaient le voir démissionner ; sinon, lui avaient-ils dit, il serait congédié.

— Je ne suis pas homme à me soustraire aux critiques si je les estime fondées, déclarait l'ancien décathlonien devant les caméras, à la fois rageur et bouleversé par la récente tragédie. Les terroristes sont parvenus à détecter, dans notre organisation, des failles que nous n'avions pas repérées. Je peux vous assurer que nous faisons actuellement tout ce qui est en notre pouvoir pour corriger ces erreurs. Quant à la société F7, l'agence Private, Scotland Yard et le MI5, ils déploient mille efforts pour retrouver les meurtriers et les appréhender avant qu'ils gâchent à nouveau ce qui devrait être la grande fête planétaire de la jeunesse et du renouveau.

En réponse aux députés qui réclamaient la tête de Lancer, Marcus Morris, président du Locog, jouait la carte du flegme britannique: pas question, expliquait-il, de céder à la panique engendrée par les actes odieux de Cronos. L'ancien décathlonien, répétait-il, avec l'appui des forces de l'ordre, réussirait à éviter d'autres drames. On mettrait la main sur les assassins, puis on les traînerait devant la justice.

Malgré la gravité générale du ton, le reportage se terminait sur une note positive: la scène se déroulait dans le village olympique dont, aux premières lueurs de l'aube, plusieurs centaines d'athlètes avaient envahi les trottoirs et les pelouses. Tous avaient allumé des bougies en hommage aux victimes. Hunter Pierce, la plongeuse américaine, le sprinter camerounais Filatri Mundaho, ainsi que les jeunes gymnastes chinoises avaient, d'une seule voix, qualifié les meurtres d'« actes démentiels et injustifiés, d'une atteinte portée à l'essence même de l'esprit olympique ».

Le journaliste précisait, pour conclure, que les plongeurs de la police continuaient d'explorer les eaux boueuses de la Tamise, non loin de sa confluence avec la rivière Lea. On avait d'ores et déjà découvert que le hors-bord qui s'était écrasé contre l'un des murs de soutènement avait été préalablement chargé d'explosifs. Pour l'heure, on n'avait retrouvé aucun cadavre. Ces nouvelles n'augurent rien de bon, finissait le reporter d'un ton lugubre, pour des Jeux déjà largement ébranlés par les catastrophes récentes.

— Knight?

Karen Pope, la journaliste du *Sun*, poussait la grille du square, le visage sombre et pétri d'angoisse.

Le détective fronça les sourcils.

— Comment avez-vous su que j'étais ici?

— Hooligan m'a dit que vous aimiez y emmener vos enfants, répondit la jeune femme, un malaise accru se peignant sur ses traits. Je suis d'abord passée chez vous.

— Vous allez bien?

— Non, avoua Pope d'une voix tremblante en s'asseyant près de Knight, les yeux embués de larmes. On s'est servi de moi.

— Cronos?

— Et les Furies, oui. Je n'ai rien demandé, mais je suis devenue partie intégrante de leur projet délirant. Je reconnais qu'au début j'étais ravie. Je me disais qu'avec ça ma carrière allait s'envoler, mais maintenant…

Submergée par l'émotion, elle détourna un instant le regard.

— Il vous a écrit une nouvelle lettre? s'enquit Knight pour l'encourager à poursuivre.

— Oui. J'ai l'impression d'avoir vendu mon âme…

Le détective découvrait la jeune femme sous un nouveau jour. Certes, elle pouvait se montrer caustique et indifférente. Mais voilà qu'elle se révélait aussi profondément humaine. Elle possédait une conscience et des principes. Elle remonta aussitôt dans l'estime de Knight.

— Ne dites pas ça, la rassura ce dernier. Vous n'approuvez pas les actes de Cronos, n'est-ce pas?

— Bien sûr que non.

— Dans ce cas, vous faites votre boulot, c'est tout. Votre tâche est délicate, mais elle est nécessaire. Avez-vous apporté la lettre avec vous?

— Non, je l'ai confiée à Hooligan ce matin. Un coursier l'a déposée hier soir chez moi. Il m'a dit que deux grosses femmes s'étaient adressées à lui devant le King's College pour lui confier le pli. Elles portaient l'uniforme des maîtres des Jeux.

— Ça concorde, observa le détective. Pour quelle raison Cronos a-t-il assassiné les trois Chinois?

— Parce qu'ils soutenaient la politique de leur nation, visant à recruter des gymnastes toujours plus jeunes au sein de leurs élites sportives.

La Chine, affirmait Cronos, bafouait allègrement le règlement olympique concernant l'âge des athlètes. On falsifiait les actes de naissance pour réduire des enfants en esclavage. Ping et Wu savaient, poursuivait le meurtrier, que 60 % de leurs gymnastes ne possédaient pas l'âge minimal requis. Win Bo Lee n'ignorait rien non plus – pis: elle était, aux dires de Cronos, à l'origine de ce système frauduleux.

— Comme d'habitude, enchaîna la journaliste, il a joint à sa lettre de nombreux documents étayant ses allégations.

Elle se remit à pleurer.

— J'aurais pu tout publier hier soir. J'aurais pu appeler mon rédacteur en chef. Mais c'était au-dessus de mes forces. Je… Ils savent où j'habite…

— Papa! intervint le garçonnet. Luke veut du lait!

Isabel ne tarda pas à le rejoindre.

— Moi aussi!

— Quelle poisse, maugréa le détective. J'ai complètement oublié d'en apporter.

Il se tourna vers Pope, la mine contrite.

— Je vous présente Karen, les enfants. Elle travaille pour un journal. C'est une amie, et c'est elle qui va s'occuper de vous pendant que je retourne à la maison chercher du lait.

— Je ne crois pas…, commença la jeune femme.

— Dix minutes, implora Knight. Un quart d'heure au maximum.

Pope considéra les jumeaux.

— C'est d'accord, accepta-t-elle à contrecœur.

— Je reviens tout de suite.

Il bondit sur ses pieds et traversa la pelouse en courant. Le trajet lui prit exactement six minutes. Il arriva devant son domicile le souffle court et le visage inondé de sueur.

Comme il enfonçait la clé dans la serrure, il constata, surpris, que la porte n'était pas verrouillée. Jamais il n'oubliait de le faire… Cela dit, il manquait de sommeil. Ceci pouvait expliquer cela.

Il pénétra dans l'entrée. Le plancher grinça aussitôt à l'étage. Puis quelqu'un y actionna un verrou.

67

En quatre pas silencieux, Peter Knight gagna le placard de l'entrée, sur l'étagère duquel il dissimulait un Beretta de réserve.

Il lui sembla qu'on déplaçait un meuble au premier. Il se déchaussa en se demandant si les bruits suspects venaient de sa chambre ou de celle des enfants.

Il gravit l'escalier avec la discrétion d'un chat. Parvenu sur le palier, il identifia la provenance du son : sa chambre. Il avança, arme au poing, jusqu'à pouvoir jeter un coup d'œil dans la pièce par la porte entrebâillée. Il distingua son bureau, et l'ordinateur portable posé dessus.

Il se concentra. Le silence régna pendant quelques minutes.

Puis on tira la chasse d'eau. Le détective n'ignorait pas que les cambrioleurs se soulageaient volontiers chez leurs victimes. Il avait donc affaire à un voleur... Il franchit le seuil de sa chambre en braquant son pistolet sur la porte des toilettes. La poignée tourna. Knight libéra le cran de sécurité du Beretta.

La porte s'ouvrit.

Marta sortit. Elle écarquilla les yeux.

— Ne tirez pas ! hurla-t-elle.

Le détective baissa son arme, ahuri.

— Marta ?

— Vous m'avez fait une de ces peurs, haleta celle-ci. J'ai le cœur qui bat la chamade.

— Je suis navré. Mais que faites-vous ici ? Je ne vous attendais que dans une heure.

— Je suis venue plus tôt pour que vous puissiez vous mettre rapidement au travail. Vous m'avez donné la clé. Je suis entrée. Quand j'ai vu que la poussette n'était plus là, j'en ai déduit que vous étiez allé au parc avec les petits. J'ai nettoyé la cuisine, puis je suis montée pour faire le ménage dans la chambre des enfants.

— Mais vous êtes dans la mienne… ?

— Je suis désolée, gémit Marta, embarrassée. J'ai eu une envie pressante…

Ils se turent un moment. Knight ne discerna pas la moindre ruse dans le regard de la jeune femme.

— Pardon, Marta, dit-il enfin. Je suis stressé ces temps-ci. J'ai réagi de manière excessive.

La sonnerie de son portable retentit.

À peine eut-il décroché qu'il reconnut en arrière-fond les cris des jumeaux.

— Pope ?

— Où êtes-vous ? s'enquit la journaliste d'une voix soucieuse. Vous n'en aviez soi-disant que pour un instant, et vos gosses sont en train de mettre une pagaille épouvantable, ici.

— J'arrive dans deux minutes, lui promit-il avant de raccrocher.

— L'une de mes amies, expliqua-t-il à Marta, qui le considérait d'un air interrogateur. Elle n'est pas très douée avec les enfants.

La nounou lui décocha un large sourire.

— Dans ce cas, j'ai vraiment eu raison de venir en avance.

— En effet. Mais maintenant, vous allez devoir courir.

Il dévala l'escalier pour se précipiter dans la cuisine. Il fourra la bouteille de lait dans un sac, ainsi qu'un paquet de biscuits et deux gobelets en plastique.

Il quitta la maison en compagnie de la baby-sitter, verrouilla la porte. Ils filèrent en direction du square où Luke, assis sur l'herbe, creusait le sol à l'aide de sa petite pelle, tandis que, agenouillée un peu plus loin, Isabel pleurait en s'efforçant, à la façon d'une autruche, d'enfouir sa tête dans le sable du bac.

Karen Pope observait la scène, immobile. Médusée.

Marta se baissa pour prendre Luke dans ses bras. Elle lui chatouilla le ventre. Le garçonnet se mit à rire et jeta ses bras autour de son cou.

Isabel cessa instantanément de pleurer. Elle secoua la tête pour débarrasser ses cheveux du sable qui s'y était collé.

— Papa! s'exclama-t-elle en se ruant vers Knight.

Ce dernier souleva l'enfant du sol et l'embrassa.

— Je suis là, l'apaisa-t-il. Et Marta aussi.

— Je veux du lait, exigea-t-elle avec une moue chagrine.

— J'en ai. Et j'ai apporté des biscuits.

Il remit le sac à la nourrice, qui entraîna les jumeaux vers une table de pique-nique, un peu à l'écart.

— Qu'est-ce qui s'est passé? demanda le détective à Karen Pope.

— Je n'en sais absolument rien, rétorqua-t-elle, excédée. J'ai eu l'impression qu'une bombe à retardement venait de m'exploser à la figure!

— Ça arrive souvent, observa Knight en riant.

— Elle est à votre service depuis longtemps? s'enquit la jeune femme en lorgnant Marta.

— Moins d'une semaine. Elle est formidable. La meilleure que...

Le portable de la journaliste se mit à sonner. Elle décrocha, écouta attentivement les paroles de son correspondant.

— Nous y serons dans vingt minutes! s'écria-t-elle.

Elle raccrocha.

— C'était Hooligan, exposa-t-elle calmement au détective. Il a trouvé une empreinte digitale sur le paquet que Cronos m'a fait parvenir hier soir. Il nous réclame au siège de l'agence Private.

68

Le visage de Hooligan s'éclaira d'un large sourire cerné par une barbe rousse de quatre jours – Knight eut un instant la vision d'un lutin déjanté. Le directeur du service scientifique de l'agence esquissa quelques pas de danse derrière son bureau avant de prendre la parole.

— Nous avons un troisième nom, exulta-t-il. Un truc énorme, comme dirait Jack. Je viens de recevoir deux coups de fil de La Haye en moins d'une heure.

— La Haye? répéta le détective, étonné.

— Le Tribunal pénal international pour l'ex-Yougoslavie, précisa Hooligan à l'instant où Morgan faisait son entrée, pâle et les traits tirés. Car l'empreinte appartient à une femme recherchée pour génocide.

Tout allait soudain si vite que mille pensées contradictoires se bousculaient dans l'esprit de Knight. Certes, Daring et Farrell avaient tous deux travaillé dans la région pour le compte de l'Otan, à la fin du conflit. Mais qu'avaient-ils à voir avec des crimes de guerre? Avec un génocide?

— Nous t'écoutons, dit Morgan à Hooligan.

Ce dernier s'approcha d'un ordinateur portable. Il pianota sur le clavier. Sur un grand écran situé à l'autre bout de la pièce, une photographie en noir et blanc apparut, un cliché de piètre qualité figurant une adolescente. Elle arborait une coupe au bol et un chemisier clair boutonné jusqu'en haut du col. On ne remarquait rien d'autre, l'image était trop floue.

— Je vous présente Andjela Brazlic, annonça le scientifique. Selon le procureur chargé des crimes de guerre, cette photo aurait été prise il y a environ dix-sept ans. Cette fille doit donc en avoir aujourd'hui un peu moins de trente.

— Qu'a-t-elle fait? interrogea Knight, qui peinait à associer ces traits juvéniles à une accusation de génocide.

Hooligan pianota de nouveau sur son clavier. Un autre cliché, surexposé celui-ci, se matérialisa, représentant trois jeunes filles en jupe sombre et chemisier blanc. Elles posaient auprès d'un homme et d'une femme dont les visages se trouvaient hors-champ. Knight reconnut la coupe au bol — la photo précédente ne constituait qu'un détail de celle qu'il avait à présent sous les yeux. Un soleil éclatant empêchait de distinguer les traits des deux autres adolescentes, dont les cheveux se révélaient plus longs; elles étaient aussi plus grandes. Respectivement quatorze et quinze ans, en déduisit le détective.

Hooligan s'éclaircit la voix.

— Voici Andjela et ses deux sœurs. Senka, l'aînée, et Nada. Ces trois gamines ont été accusées d'avoir pris part à des actions génocidaires dans la région de Srebrenica, entre fin 1994 et début 1995, c'est-à-dire un peu avant la fin de la guerre provoquée par l'éclatement de la Yougoslavie. On pense qu'elles appartenaient aux escadrons de la mort mis sur pied par Ratko Mladić et responsables du décès de huit mille Bosniaques de sexe masculin.

— Mon Dieu! lâcha Karen Pope. Qu'est-ce qui peut pousser trois adolescentes à rejoindre les rangs d'un escadron de la mort?

— Viol collectif et meurtres, assena Hooligan. Si j'en crois toujours le procureur spécial, peu après que ce cliché a été pris, en avril 1994, Andjela et ses sœurs ont été violées pendant trois ou quatre jours par les membres d'une milice bosniaque qui ont également torturé puis tué leurs parents devant leurs yeux.

— En effet, remarqua Morgan, il y a de quoi devenir cinglé.

Le directeur du laboratoire approuva, la mine sombre.

— On pense qu'elles ont ensuite exécuté plus d'une centaine de Musulmans pour se venger. Certains ont été abattus. Mais la plupart du temps elles leur fracassaient le crâne à coups de pioche avant de broyer leurs parties génitales *post mortem* – c'est précisément le sort que les miliciens avaient réservé à leurs parents. Il y a pire, enchaîna Hooligan. Tous les témoignages concordent : les trois sœurs éprouvaient manifestement un plaisir sadique à massacrer leurs victimes. Au point que les mères de Srebrenica, dans leur affolement, ont fini par leur trouver un surnom.

— Lequel ? s'enquit Knight.

— Les Furies.

— Bon Dieu ! dit Jack. C'est elles.

Le silence tomba sur le laboratoire, que l'Américain finit par rompre.

— Voulez-vous nous excuser un moment, Karen ? J'ai besoin de parler à mes subordonnés d'une question qui ne regarde en rien cette enquête.

Pope hésita, puis acquiesça.

— Mais bien sûr.

Dès qu'elle eut quitté la pièce, Morgan reprit la parole :

— J'ai une mauvaise nouvelle à vous annoncer.

— On nous a virés de l'équipe chargée de la sécurité des Jeux ? fit Knight.

— Absolument pas. Non, je reviens d'une réunion avec les inspecteurs du bureau d'enquêtes et d'analyses pour la sécurité de l'aviation civile. Ceux qui se sont occupés du crash de notre appareil.

— Et... ? le pressa Hooligan.

Jack avala sa salive.

— Et ils ont découvert qu'une bombe avait été placée dans l'avion. Il ne s'agit pas d'une défaillance technique. Dan, Kirsty, Wendy et Suzy ont été assassinés.

69

— Franchement, Peter, bougonna Elaine Pottersfield, ce n'est pas le moment : ma hiérarchie me met une pression terrible. Je ne suis pas d'humeur.

— *Nos* hiérarchies *nous* mettent une pression terrible, corrigea le détective. Mais il faut que je vous parle. Et j'ai besoin de manger. Et *vous* avez besoin de manger. C'est pour cette raison que je vous ai proposé de nous retrouver ici. Nous ferons d'une pierre trois coups.

« Ici » désignait un établissement baptisé Hakkasan, non loin de Tottenham Court Road. Jadis, le restaurant chinois préféré de Kate. Et le restaurant chinois préféré de l'inspectrice en chef aujourd'hui.

— Il y a un monde fou, se plaignit cette dernière en s'asseyant à contrecœur. On ne s'occupera sans doute pas de nous avant au moins une heure…

— J'ai déjà commandé, la rassura son beau-frère. Le plat que Kate adorait.

Pottersfield baissa les yeux. Sous cet angle, la ressemblance avec sa défunte sœur était frappante.

— Très bien, finit-elle par céder. Pourquoi suis-je ici ?

Le détective lui résuma ce qu'il avait appris au sujet des sœurs Brazlic – les Furies – et les crimes de guerre dont on les accusait. Au moment où il achevait son récapitulatif, le dîner arriva.

L'inspectrice attendit que le serveur se soit retiré pour poser sa question :

— Quand a-t-on entendu parler d'elles pour la dernière fois?

— En juillet 1995, peu après l'expiration du cessez-le-feu supervisé par l'Otan. On pense qu'elles ont été appréhendées par des policiers bosniaques, la mère de deux de leurs victimes les ayant identifiées sur un marché de la région, où elles tentaient d'acheter de la nourriture. Cette femme affirme qu'à la nuit tombée on a conduit les filles au commissariat d'un petit village au sud-ouest de Srebrenica. Des enquêteurs de l'Onu étaient censés les y récupérer.

— Et puis quoi? Elles se sont enfuies?

Knight opina.

— Au beau milieu de la nuit, les villageois ont entendu des tirs d'armes automatiques en provenance du commissariat. Ils étaient terrorisés. Ils ne s'y sont risqués que le lendemain matin. Ils ont découvert les cadavres de sept Bosniaques, dont les deux officiers de police. Depuis, on traque les sœurs Brazlic. En vain.

— Comment ont-elles réussi à quitter le commissariat? Je suppose qu'on les avait au moins menottées?

— C'est là que le bât blesse, justement. Et puis, il y a autre chose. Les escadrons de la mort de Mladić utilisaient la plupart du temps des balles en cuivre datant de l'ère soviétique. La police bosniaque aussi. Elles provenaient des surplus de l'Armée rouge. Mais l'autopsie a révélé que les sept Bosniaques du commissariat avaient été abattus par un calibre 5,56 mm. Le genre d'arme qu'on distribuait aux membres de la mission de maintien de la paix de l'Otan, par exemple.

Elaine Pottersfield dégustait son plat. Elle réfléchissait en jouant des baguettes.

— L'un des hommes tués cette nuit-là possédait peut-être un fusil de l'Otan, finit-elle par proposer. Dans ce cas, les sœurs seraient parvenues à s'en emparer, avant de le retourner contre lui et ses camarades.

— C'est plausible. À moins qu'une tierce personne ne leur soit venue en aide. Un membre de la mission de l'Otan. Personnellement, je penche pour cette hypothèse.

— Vous avez des preuves?

— D'abord, les balles. Mais, de plus, James Daring et Selena Farrell se trouvaient là-bas au milieu des années 1990, dans le cadre de cette fameuse mission. Daring était censé protéger les antiquités des pillards éventuels. Farrell, je ne sais pas. Je l'ai vue, sur une photo accrochée dans son bureau, posant avec un fusil automatique devant un camion de l'Otan, mais j'ignore le rôle qu'elle tenait dans l'opération.

— Vous le saurez bientôt. J'ai réclamé son dossier aux autorités compétentes.

— Le procureur pour les crimes de guerre est déjà sur le coup.

Pottersfield acquiesça, mais elle poursuivait son raisonnement.

— Quelle est votre théorie, Peter? Vous pensez que cette tierce personne, qu'il s'agisse de Daring ou de Farrell, pourrait être Cronos?

— Peut-être bien. En tout cas, ça colle.

— À peu près, oui, admit l'inspectrice, qui n'en demeurait pas moins sceptique.

Ils mangèrent en silence pendant quelques minutes, puis Pottersfield revint à la charge:

— Une seule chose me chiffonne dans votre scénario.

— Quoi donc, Elaine?

Elle plissa les yeux en agitant ses baguettes sous le nez de son beau-frère.

— Admettons que, derrière Cronos, se cache en effet celui ou celle qui a permis aux trois sœurs de s'évader. Admettons encore que ledit Cronos ait réussi, depuis, à métamorphoser ces criminelles de guerre en anarchistes, en ennemies des Jeux. Jusqu'ici, enchaîna-t-elle, leurs agissements nous ont montré que ces gens sont certes redoutables, mais qu'ils sont, de surcroît, redoutablement efficaces. Ils ont déjoué l'un des meilleurs systèmes de sécurité au monde, ils ont commis des meurtres, et ils nous ont échappé à deux reprises.

Peter Knight avait compris où Pottersfield voulait en venir.

— Je suis d'accord, dit-il. Ils sont d'une méticulosité impressionnante, mais multiplient les erreurs en nous expédiant ces lettres où subsistent des traces d'ADN.

— Exactement : un cheveu, des cellules épithéliales, et maintenant une empreinte digitale.

— Et la perruque. Vous en avez tiré quelque chose ?

— Pas encore.

— On peut également se demander comment Farrell ou Daring, ou les deux, ont obtenu les moyens financiers nécessaires à la mise en place d'une telle opération. Ces actes terroristes ont dû coûter une fortune.

— C'est pourquoi, ce matin, nous avons examiné les comptes bancaires du conservateur et épluché ses relevés de carte bleue. Le fait est que son émission de télévision lui a rapporté des sommes mirobolantes. Nous avons par ailleurs retrouvé la trace de plusieurs importants retraits en espèces au cours de ces dernières semaines. Selena Farrell, pour sa part, vit sur un pied plus modeste. À part les dépenses inconsidérées qu'il lui arrive de faire dans des boutiques de mode hors de prix, à Paris comme à Londres, ainsi que son rendez-vous mensuel chez le coiffeur des stars, elle mène une existence relativement austère.

Knight se rappela, dans la chambre de l'universitaire, la commode chargée de produits de maquillage et la rangée de vêtements chic. Rien qui collât avec la femme terne et sans charme dont il avait fait la connaissance au King's College. Se mettait-elle en frais lors de ses rencontres avec James Daring ? Entretenaient-ils une liaison clandestine ?

Il consulta sa montre.

— Je règle la note et je file, annonça-t-il à l'inspectrice. La nouvelle nourrice est en train de faire des heures supplémentaires.

Alors qu'il déposait sa serviette sur la table, Pottersfield détourna un instant la tête.

— Comment vont-ils ? demanda-t-elle enfin. Les jumeaux.

— Ils vont bien, répondit son beau-frère en plantant son regard dans le sien. Et je sais qu'ils adoreraient connaître leur tata Elaine. Ne croyez-vous pas qu'ils méritent de fréquenter la sœur de leur mère?

Pottersfield parut aussitôt revêtir une invisible armure. Elle se raidit.

— Je ne me sens pas prête. Je ne pense pas être capable de supporter ça.

— Ils fêteront leurs trois ans samedi en huit.

— Vous imaginez-vous que je puisse un jour oublier cette date? s'agaça l'inspectrice en se levant de table.

— Bien sûr que non. Pas plus que moi. Mais j'espère parvenir un jour à pardonner au destin ce qu'il nous a fait subir. Et j'espère que vous y parviendrez aussi.

Déjà, Pottersfield tournait les talons pour quitter le restaurant. Son beau-frère la rappela.

— J'ai prévu d'organiser un goûter d'anniversaire. Je serais ravi que vous y assistiez.

— Comme je viens de vous le dire, Peter, je ne me sens pas prête.

70

Dans le taxi qui le ramenait chez lui, Peter Knight se demanda si sa belle-sœur cesserait un jour de lui reprocher ce qui était arrivé à Kate. En souffrait-il? Bien sûr que oui. Dire que ses enfants ne rencontreraient peut-être jamais l'unique parente encore en vie de leur défunte mère…

Au lieu de se laisser envahir par la mélancolie, il guida ses pensées vers l'enquête en cours.

Ainsi, Selena Farrell était une *fashion victim*?

Il avait tant de peine à y croire qu'il téléphona à Karen Pope. Dans la voix de la jeune femme pointait de la colère. Ils s'étaient disputés un peu plus tôt, dans le laboratoire de Hooligan : quand et comment présenter au public les informations relatives aux crimes de guerre? Pope souhaitait les divulguer immédiatement. Jack Morgan et Peter Knight rétorquèrent qu'il convenait plutôt d'attendre la double confirmation de La Haye et de Scotland Yard. Aucun des deux hommes ne désirait mêler officiellement l'agence Private à cette découverte.

— Votre belle-sœur a-t-elle confirmé l'identification via l'empreinte digitale? s'enquit sèchement la journaliste.

— Elle ne recevra sans doute pas les résultats avant demain.

— Génial, se lamenta la jeune femme. Et le procureur de La Haye ne me rappelle pas. Je n'ai rien à me mettre sous la dent pour mon article de demain.

— En attendant, suggéra le détective tandis que le taxi s'arrêtait devant son domicile, vous pourriez suivre une autre piste.

Il régla la course et sortit du véhicule. Une fois sur le trottoir, il raconta à sa correspondante ce qu'il avait observé au domicile de Selena Farrell.

— Des vêtements de haute couture? glapit Pope. Elle?

— J'ai réagi comme vous. En tout cas, cela signifie qu'elle ne se contentait pas des revenus de l'université. Elle menait une vie secrète. Si vous la découvrez, vous retrouverez forcément la trace de notre enseignante.

— C'est facile pour vous de…, commença la journaliste.

Bon sang, ce que cette fille pouvait l'exaspérer…

— Je n'ai rien de plus, cracha-t-il. Sur ce, je dois récupérer mes gosses. Rappelons-nous demain.

Il raccrocha, brusquement éreinté. L'affaire Cronos le vidait de son énergie. Il aurait tant aimé consacrer ses journées à traquer le meurtrier de ses collègues. Il voulait savoir qui, et pourquoi. Lorsque les Jeux seraient sauvés et les terroristes sous les verrous, il vengerait ses amis.

Il entra, traversa le hall et gravit l'escalier. Il entendit une porte s'ouvrir doucement, à quoi succédèrent de légers bruits de pas. Marta sortait de la chambre des enfants. En apercevant Knight, elle posa un doigt sur ses lèvres pour lui imposer le silence.

— Je peux aller leur souhaiter bonne nuit? chuchota-t-il.

— Ils dorment déjà.

Le détective consulta sa montre. À peine 20 heures.

— Comment réussissez-vous un pareil tour de force? Avec moi, ils ne sombrent jamais avant 22 heures.

— J'applique une vieille méthode estonienne, répondit-elle en souriant.

— Il faudra me l'enseigner. 8 heures demain matin?

— Comptez sur moi, acquiesça-t-elle.

Elle eut un instant d'hésitation avant de passer près de lui pour redescendre au rez-de-chaussée. Le détective la suivit – il comptait s'offrir une canette de bière avant de se coucher tôt.

Marta enfila sa veste et se dirigea vers la porte. Elle se retourna soudain.

— Avez-vous attrapé les méchants? lui demanda-t-elle.

— Non. Mais je pense que ça ne va pas tarder.

— Tant mieux.

71

Assise à son bureau, dans la salle de rédaction du *Sun*, Karen Pope observait d'un œil distrait, sur l'écran de télévision, les temps forts du match de football qui avait opposé dans la journée le Ghana à l'équipe d'Angleterre. Il était tard et la jeune femme ne décolérait pas : pourquoi diable fallait-il attendre pour révéler le lien qui unissait Cronos et ses Furies à certains crimes de guerre perpétrés dans les Balkans ?

Finch, son rédacteur en chef, lui avait décrété qu'elle n'avait pour le moment rien de solide qui lui permette de rédiger un article digne de ce nom. Sans doute devrait-elle patienter deux, voire trois jours – il lui fallait attendre que le procureur de La Haye daigne lui accorder par téléphone un entretien officiel.

Trois jours, gémit-elle intérieurement. *Ça nous mène à samedi. Ils ne publieront jamais ce genre de truc un samedi. Ils le feront dimanche. Dans quatre jours !*

Tous les reporters de Londres bûchaient à présent sur l'affaire Cronos, et tous tentaient de surclasser Karen Pope. Pour le moment, elle demeurait largement en tête de peloton, mais si une fuite relative aux accusations de génocide venait à se produire, elle craignait de se laisser distancer.

Que faire entre-temps ? Rester assise ici ? Prier pour que le procureur de La Haye l'appelle ? Attendre que Scotland Yard confronte l'empreinte digitale découverte sur la dernière lettre de Cronos au contenu de sa base de données ?

La journaliste enrageait. Elle aurait mieux fait de rentrer chez elle. De prendre un peu de repos. Mais les terroristes connaissaient son adresse. Elle redoutait de regagner son domicile. Au lieu de quoi elle récapitula de nouveau l'affaire.

Elle finit par s'en remettre de mauvaise grâce au conseil de Peter Knight : fouiner du côté de Selena Farrell. Cela dit, quatre jours s'étaient écoulés depuis la découverte d'un cheveu appartenant à l'enseignante dans la première missive expédiée par Cronos. Trois jours depuis la traque entreprise en vain par Scotland Yard et le MI5. L'universitaire s'était volatilisée.

S'ils n'y arrivent pas, pourquoi moi j'y arriverais ? Mais déjà la combativité de la jeune femme resurgissait. *Et pourquoi pas ?*

Elle se rappela la liste complète des pièces à conviction saisies au domicile et au bureau de Farrell – la liste que Knight lui avait remise la veille, au Centre aquatique. Certes, elle l'avait consultée, mais elle n'y cherchait alors que les articles dénonçant les dérives des Jeux de l'ère moderne, ainsi que l'enregistrement du petit air de flûte.

Elle ne s'était pas préoccupée des vêtements.

Pope se replongea dans l'inventaire. Elle repéra bientôt plusieurs robes de cocktail achetées chez Liberty, des jupes et des chemisiers Alice by Temperley. Il y en avait pour plusieurs centaines de livres.

Le détective supposait que l'enseignante menait une double vie ; il avait peut-être raison.

La journaliste se piquait au jeu. Elle chercha en hâte dans son carnet, en quête du numéro de téléphone de Nina Langor, l'assistante de l'universitaire. Elle lui avait parlé à plusieurs reprises depuis quatre jours, la jeune femme répétant qu'elle était la première surprise par la disparition soudaine de Selena Farrell, dont elle comprenait encore moins que l'ADN se trouve mêlé à l'affaire Cronos.

Cette fois, elle sembla tomber des nues lorsque Pope évoqua la luxueuse garde-robe de l'enseignante.

— Quoi? Non, c'est impossible. Au contraire : elle se moquait des boutiques de mode et des salons de coiffure.

— Avait-elle un petit ami? Quelqu'un pour qui elle aurait pu avoir envie de se montrer coquette?

Langor se braqua.

— La police m'a posé la même question. Je vais donc vous répéter ce que je leur ai déjà dit. Je pense qu'elle était lesbienne, mais je n'ai aucune certitude. Elle était très discrète.

L'assistante s'excusa : elle avait à faire. Elle raccrocha. Il était 23 heures. La journaliste éprouva tout à coup une immense fatigue. Elle s'obligea néanmoins à poursuivre l'examen de la liste des pièces à conviction.

Elle en atteignait presque le terme quand elle s'avisa qu'il y était fait mention d'une boîte d'allumettes rose marquée des lettres *CAN*.

Elle s'interrogea longuement sur leur signification. À court d'imagination, elle s'en remit vers minuit à une méthode découverte par hasard quelques années plus tôt dans le cadre d'une autre enquête.

Elle proposa à un moteur de recherche plusieurs séries de mots.

« Rose CAN Londres » ne la mena nulle part. Elle n'obtint pas plus de succès avec « Rose CAN Londres jeux Olympiques ».

Elle tenta une chaîne plus longue : « Londres rose CAN gay mode Liberty Alice ».

Le moteur de recherche déroula sa liste de résultats.

— Oh! s'exclama Karen Pope avec un grand sourire. Alors comme ça, vous étiez une « lesbienne invisible », chère Selena...

72

Jeudi 2 août 2012

À 20 heures, le lendemain soir, Karen Pope avançait sur un trottoir de Carlisle Street, à Soho.

Elle venait de passer une journée exaspérante et vaine. Elle avait appelé à dix reprises le bureau du procureur pour les crimes de guerre. À dix reprises, une secrétaire mielleuse, d'une politesse intolérable, lui avait assuré qu'il ne manquerait pas de lui téléphoner bientôt.

Pis : elle avait découvert dans le *Mirror* un article retraçant dans ses moindres détails la traque organisée par les forces de l'ordre pour mettre la main sur James Daring et Selena Farrell. Pis encore : le *Times* se penchait pour sa part sur les résultats de l'autopsie et des analyses toxicologiques subies par les trois victimes chinoises. On avait découvert, à la base de leur nuque, une minuscule trace de piqûre, pareille à celle d'une abeille. Mais les malheureux n'avaient pas succombé à un choc anaphylactique. Une neurotoxine était à l'origine de leur mort, synthétisée à partir du venin d'un serpent appelé mamba noir.

Parvenue aux portes du Candy Bar, la journaliste dut présenter le contenu de son sac à une Maorie solidement charpentée avant de pénétrer dans la discothèque. L'endroit était étonnamment bondé pour un jeudi soir – les regards appréciateurs de toutes ces femmes séduisantes posés sur elle la mirent d'emblée mal à l'aise.

Néanmoins, elle fonça droit sur elles, se présenta, puis leur montra une photo de Selena Farrell. Personne ne la reconnut.

Pope se rendit ensuite au bar. À l'employée qui se planta devant elle de l'autre côté du comptoir, elle demanda des conseils au sujet des cocktails.

— Prenez donc un Buttery Nipple. Ou alors un schnaps au caramel avec un doigt de Baileys.

— Trop sucré, commenta la journaliste avec une grimace.

— Un Pimm's, alors, intervint la jolie petite blonde installée sur le tabouret le plus proche.

Elle pouvait avoir un peu moins de quarante ans, et tenait à la main un grand verre orné d'une branche de menthe.

— C'est très rafraîchissant, poursuivit-elle. Parfait pour les chaudes soirées d'été.

— Alors, va pour un Pimm's, acquiesça Pope en adressant un sourire timide à sa voisine, vers laquelle elle se tourna – celle-ci l'examinait, la mine amusée.

— C'est la première fois que tu viens ici?

— Ça se voit tant que ça? rougit la journaliste.

— J'ai l'œil, expliqua la petite blonde, l'air coquin, en tendant à Pope une main soigneusement manucurée. Je m'appelle Nell.

— Karen Pope. Je travaille pour le *Sun*.

Nell haussa les sourcils.

— J'adore la page trois!

— Moi, ce n'est pas ma tasse de thé, s'excusa la journaliste en rougissant de nouveau.

— Quel dommage. Même pas un tout petit peu?

— Même pas. Personne n'est parfait.

Elle posa devant Nell le cliché, figurant une Selena Farrell sans maquillage et vêtue d'une longue jupe paysanne. Un foulard dissimulait sa chevelure.

— Non, décréta Nell avec un geste dédaigneux. Je suis certaine de ne l'avoir jamais vue ici. Ce n'est pas le genre de la maison. Toi, en revanche, tu te fonds parfaitement dans le décor.

Pope éclata de rire.

— Essayez de l'imaginer en robe de cocktail moulante, insista-t-elle. Coiffure impeccable signée Hair by Fairy. Et maintenant, observez ce minuscule grain de beauté, au bas de sa joue.

— Un poireau, tu veux dire? Plein de petits poils?

— Non, un grain de beauté. Comme celui d'Elizabeth Taylor.

Soudain troublée, Nell étudia le cliché de plus près.

— Ça alors, mais c'est Syren!

73

Vendredi 3 août 2012

Vers 7 h 30, Peter Knight identifia de légers bruits de pas. Il cligna des yeux. Isabel se tenait devant lui, serrant contre elle sa couverture Winnie l'Ourson.

— Papa, commença-t-elle, le visage grave. Quand est-ce que j'aurai trois ans?

— Le 11 août, grommela son père en lorgnant la photographie de Kate posant sur une lande écossaise. Dans une semaine à partir de demain.

— On est quel jour aujourd'hui?

— Vendredi.

La fillette parut se concentrer.

— Alors, encore un samedi, et puis un vendredi, et puis ce sera le prochain?

Le détective sourit. Les raisonnements d'Isabel le fascinaient depuis toujours.

— C'est ça. Viens m'embrasser, ma chérie.

Elle s'exécuta joyeusement mais, soudain, elle écarquilla les yeux.

— On aura des cadeaux?

— Bien sûr. Puisque c'est ton anniversaire.

L'enfant se mit à battre des mains en dansant. Puis elle se figea.

— Quels cadeaux?

241

— Quels cadeaux? répéta Luke, qui venait d'apparaître
à la porte.

Il bâilla en s'approchant du lit de son père.

— Je ne peux pas vous le dire, c'est une surprise.

— Oh! lâcha Isabel, un brin déçue.

— Lukey trois ans? s'enquit le petit garçon.

— La semaine prochaine, mon amour.

Au rez-de-chaussée, la porte d'entrée s'ouvrit. Marta. En
avance. La nounou idéale, décidément.

Knight enfila un pantalon de jogging, un T-shirt et descendit l'escalier, un enfant dans chaque bras. La jeune femme
leur sourit.

— Vous avez faim?

— Dans deux vendredis et un samedi, lui annonça Isabel,
ce sera mon anniversaire.

— Et celui de Lukey, intervint son frère. J'ai trois ans.

— Tu vas avoir trois ans, rectifia le détective.

— Nous devons organiser une fête, proposa Marta comme
Knight reposait les jumeaux à terre.

— Une fête! s'écria Isabel en applaudissant.

Luke se mit à pousser des cris d'allégresse en décrivant des
cercles à travers la pièce.

Jamais leur père n'avait donné de réception pour leur anniversaire, du moins pas à la date exacte. Un si funeste souvenir
s'y trouvait attaché qu'il préférait différer d'un jour ou deux les
réjouissances. Et encore se contentait-on, modestement, de
déguster une part de gâteau et quelques glaces. Sans le savoir,
la baby-sitter le plongeait dans l'embarras.

Luke s'immobilisa.

— Avec des ballons?

— Monsieur Knight? demanda Marta. Qu'en pensez-vous?

La sonnette de l'entrée retentit. Puis elle sonna encore. Une
troisième fois. Une quatrième. Le visiteur s'acharna ensuite sur le
heurtoir – on aurait cru un forçat en train de casser des cailloux.

— Pouvez-vous préparer leur petit-déjeuner? dit le détective à la nourrice en se ruant vers la porte, furieux.

— Bien sûr.

À travers le judas, il distingua sur le seuil une Karen Pope hors d'elle.

— Je n'ai pas le temps…, commença-t-il.

— Prenez-le! aboya-t-elle. J'ai découvert un truc énorme.

Le détective passa une main dans ses cheveux ébouriffés, avant d'ouvrir la porte. La jeune femme semblait n'avoir pas dormi de la nuit. Elle entra comme une bombe, tandis que Marta entraînait les enfants vers la cuisine.

— Lukey veut des pancakes et des saucisses, décréta le garçonnet.

— D'accord.

— Quel truc? s'enquit Knight en prenant le chemin du salon.

Il débarrassa le canapé des jouets qui l'encombraient, puis invita Pope à s'asseoir.

— Vous aviez raison, exposa celle-ci. Selena Farrell menait une double vie. Chaque fois que l'enseignante se rendait au Candy Bar pour y séduire des femmes, poursuivit-elle, elle se faisait appeler Syren St. James. Dès lors, elle devenait tout ce qu'elle n'était pas d'ordinaire – flamboyante, drôle, libertine… Une fêtarde invétérée.

— Selena Farrell? s'étonna le détective en secouant la tête.

— Appelez-la Syren St. James, lui conseilla la journaliste. Vous verrez, ça aide.

— Comment avez-vous appris tout ça?

Une délicieuse odeur de saucisses grillées provenait de la cuisine, où l'on entendait tinter de la vaisselle.

— Grâce à une dénommée Nell. Elle fréquente assidûment le Candy Bar et, depuis quelques années, Syren et elle passent la nuit ensemble de temps à autre. Elle l'a reconnue à son grain de beauté.

Knight se souvint de s'être dit, lors de leur rencontre, que, vêtue autrement et coiffée, l'enseignante aurait pu posséder un certain charme. Il aurait dû écouter son instinct.

— Quand a-t-elle vu… Syren pour la dernière fois?

— Vendredi dernier, en fin d'après-midi, avant la cérémonie d'ouverture des Jeux. Elle est venue au Candy Bar, plus envoûtante que jamais. Mais elle a repoussé les avances de Nell, en lui expliquant qu'elle avait déjà un rendez-vous. La petite blonde l'a vue un peu plus tard en compagnie d'une inconnue, une femme coiffée d'une toque, qui cachait son visage derrière une voilette noire. Je parie qu'il s'agissait d'une des sœurs Brazlic, vous ne croyez pas?

Dans la cuisine, un objet fragile explosa sur le sol.

74

Le village olympique fourmille d'activité. Des nageurs australiens se dirigent vers le Centre aquatique, où se dérouleront les éliminatoires du 1 500 mètres messieurs. Les cyclistes espagnols se rendent au vélodrome. Ils vont s'entraîner en vue des épreuves de poursuite. Je viens de croiser l'équipe moldave de handball, ainsi qu'un célèbre basketteur américain dont j'oublie toujours le nom.

La première semaine de compétition s'achève. Chacun de ces sportifs s'efforce de ne songer ni à moi ni à mes sœurs. Chacun refuse de se demander s'il est le prochain sur notre liste. Peine perdue. Je sais qu'ils pensent forcément à nous.

Comme prévu, les médias se sont déchaînés. Certes, on s'émeut devant les écrans de télévision chaque fois qu'un champion brave la maladie ou la mort d'un proche pour remporter une médaille d'or. Mais, dans le même temps, on glose à l'infini sur le rôle qu'avec mes Furies je joue durant ces Jeux. On nous traite de « cancers ». De « fléaux ». De « souillures ».

Balivernes. Les cancers et les souillures, ce sont les Jeux eux-mêmes qui les engendrent. Je me contente de les révéler au grand jour.

J'avance parmi les compétiteurs, anonyme, concentré, grimé. Je suis quelqu'un d'autre. Hors quelques menus accrocs, notre plan, jusqu'ici, se déroule à merveille. Petra et Teagan ont exercé leur vengeance sur les Chinois et réussi leur évasion haut la main. Marta est parvenue à gagner les bonnes grâces de Peter Knight. Elle règne sur son univers sans qu'il s'en aperçoive, et me tient au courant des dernières avancées de l'enquête. Dans la matinée, j'ai récupéré le second sachet de copeaux de magnésium, celui que j'ai dissimulé dans le vélodrome pendant sa construction, il y a près de deux ans. Je l'ai retrouvé là où je l'avais laissé. Très précisément.

La seule chose qui m'ennuie, c'est…

La sonnerie de mon téléphone jetable retentit. Je grimace. Les ordres que j'ai donnés à Petra et Teagan avant qu'elles s'embarquent pour leur dernière mission hier midi étaient formels : interdiction de m'appeler. Il ne peut donc s'agir que de Marta.

Je décroche.

— Ne mentionne aucun nom, lui dis-je avant qu'elle ait ouvert la bouche. Et tu jetteras ton mobile dès que tu auras raccroché. En as-tu appris davantage sur cette fameuse erreur ?

— Pas exactement.

Je discerne dans sa voix une détresse inhabituelle qui m'inquiète aussitôt.

— Que se passe-t-il ?

— Ils savent, chuchote-t-elle.

J'entends, non loin d'elle, brailler un petit monstre.

Les cris du gosse et le murmure de Marta me meurtrissent le cerveau plus sûrement qu'un jet de pierre. Plus sûrement que l'explosion d'une bombe. Une tempête se déchaîne à l'intérieur de mon crâne, je perds l'équilibre, je mets un genou à terre pour éviter de tomber. La lumière autour de moi prend des tons violacés, tandis qu'un halo verdâtre palpite au rythme de la douleur qui me déchire la cervelle.

— Tout va bien ?

Une voix masculine.

Je continue d'entendre l'affreux marmot dans le téléphone, qui pend à présent au bout de mon bras. À travers l'aura colorée, je distingue un gardien à quelques mètres de moi.

— Ça va.

Je parviens à maîtriser la fureur qui monte en moi – je trancherais volontiers la tête de ce type pour me soulager.

— Ce n'est qu'un léger étourdissement.

— Voulez-vous que j'appelle quelqu'un?

— Non.

Je me concentre pour tenir. Le halo verdâtre ne disparaît pas, pas plus que les brûlures qui me déchiquettent le crâne. En revanche, l'air ambiant scintille un peu moins.

Je m'éloigne du gardien pour reprendre la communication téléphonique.

— Fais taire ce satané gamin.

— Je te jure que si j'en avais les moyens, je le ferais. Attends, je sors de la maison.

Une porte se ferme. Je repère le son d'un klaxon.

— C'est mieux? s'enquiert Marta.

À peine.

— Que savent-ils? lui demandé-je, l'estomac noué.

D'une voix hésitante, elle m'apprend que les enquêteurs ont découvert l'existence des sœurs Brazlic. Les symptômes resurgissent immédiatement: l'insoutenable douleur qui me broie la cervelle, l'aura colorée, la fureur qui me transperce – je me fais l'effet d'un animal acculé, devenu monstre à son tour, prêt à trancher la gorge de quiconque s'aviserait d'approcher.

Je m'assois sur un banc tout proche.

— Comment ont-ils trouvé ça?

— Je l'ignore.

Elle me rapporte la visite de Karen Pope et m'avoue que, tandis qu'elle écoutait à la porte, elle a lâché un saladier sous le coup de la surprise, qui s'est brisé en mille morceaux sur le sol de la cuisine.

Je la tuerais de bon cœur.

— Knight te soupçonne-t-il?

— Moi? Non. Je me suis excusée platement et je lui ai dit que le saladier m'avait échappé parce qu'il était mouillé. Il m'a répondu de ne pas m'en faire, de vérifier simplement qu'il ne restait pas de morceaux de verre sur le sol. Pour ses deux horribles petits morveux.

— Où se trouvent actuellement Knight et Pope? Qu'ont-ils appris d'autre?

— Ils sont partis depuis dix minutes. Il m'a prévenue qu'il rentrerait tard. Je ne sais rien de plus que ce que je viens de te dire. Mais s'ils sont au courant pour les sœurs, ils ont aussi appris ce qu'elles ont fait en Bosnie. Et les procureurs pour les crimes de guerre savent maintenant que nous nous trouvons à Londres.

— Sans doute. Mais rien de plus. S'ils étaient mieux informés, ils vous traqueraient déjà sous vos noms d'emprunt. Ils seraient à votre porte.

Marta demeure silencieuse durant quelques secondes.

— Que dois-je faire? m'interroge-t-elle enfin.

Je suis de plus en plus convaincu que le fossé qui, au fil des ans, s'est creusé entre les Furies d'alors et les femmes qu'elles sont devenues aujourd'hui empêchera les forces de l'ordre d'effectuer le moindre rapprochement.

— Continue de t'occuper des enfants. Ils pourraient nous être bientôt utiles.

75

Dimanche 5 août 2012

À 19 heures, l'excitation était à son comble à l'intérieur du stade olympique. Peter Knight, qui avait pris place dans les gradins ouest, au-dessus de la ligne d'arrivée, sentait un frisson d'impatience parcourir la foule. Ces quatre-vingt mille personnes auraient tout à l'heure la chance inouïe d'assister à la consécration de l'homme le plus rapide du monde. Mais le détective de l'agence Private discernait aussi la peur, qui le disputait à l'enthousiasme. Chacun se demandait si Cronos frapperait de nouveau ce soir.

Il s'agissait d'un événement majeur. Jusqu'alors, les épreuves de sprint avaient tenu leurs promesses. La veille, Shaw et Mundaho avaient brillé l'un et l'autre durant les éliminatoires du 100 mètres. Tous deux avaient remporté leur course haut la main. Le Camerounais participait de surcroît aux éliminatoires du 400 mètres.

Mundaho avait accompli une performance exceptionnelle : 43 secondes 22 centièmes, soit 4 centièmes en deçà du record du monde établi par Henry Ivey lors des championnats du monde de Séville.

Ce soir, les deux sprinters vedettes avaient gagné leur demi-finale. Ils étaient au coude à coude. La confrontation ultime promettait d'être de toute beauté. Ensuite, Shaw

249

prendrait un repos bien mérité, pendant que son adversaire disputerait les demi-finales du 400 mètres.

Knight parcourut la foule avec ses jumelles. Mundaho parviendrait-il à détrôner Shaw? À rafler l'or sur 100, 200 et 400 mètres?

Mais de telles prouesses importaient-elles encore, après les tragédies dont les Jeux avaient été le théâtre? Samedi, le *Sun* avait publié l'article de Karen Pope révélant le lien entre les meurtres récents et les sœurs Brazlic, les trois Serbes soupçonnées de crimes de guerre. La journaliste avait en outre indiqué que James Daring et Selena Farrell s'étaient rendus dans les Balkans à l'époque où les Furies exécutaient d'innocentes victimes dans la région de Srebrenica.

Farrell, observatrice bénévole, avait été dépêchée par l'Onu auprès de l'Otan dans cette zone dévastée par la guerre. On ignorait la nature exacte de ses activités à cette époque, mais Pope avait appris qu'à l'été 1995 elle avait été gravement blessée dans un accident de voiture – on l'avait rapatriée en Grande-Bretagne pour la soigner. Au terme d'une brève convalescence, elle avait achevé son doctorat et repris l'existence qu'elle menait avant son départ.

L'article avait fait grand bruit. Mais, le samedi soir, on avait découvert le cadavre d'Emanuel Flores, arbitre brésilien de judo, à côté d'une benne à ordures, dans les Docklands. Soit à plusieurs kilomètres de l'Excel Arena, où il officiait durant les compétitions. L'homme avait beau être un spécialiste du combat au corps à corps, son meurtrier était parvenu à l'étrangler au moyen d'un câble.

Dans une nouvelle lettre adressée à Pope, mais dépourvue cette fois d'éléments crédibles étayant sa thèse, Cronos prétendait que le Brésilien avait accepté des pots-de-vin afin de favoriser certains concurrents.

La presse internationale avait exigé du gouvernement britannique qu'il prenne les mesures qui s'imposaient. Cronos et ses Furies, s'indignaient les médias, attaquaient où et quand bon leur semblait. Le matin même, l'Uruguay, la Corée du

Nord, la Tanzanie et la Nouvelle-Zélande avaient décidé de quitter les Jeux. Quant aux membres du Parlement, ainsi qu'à l'Autorité du Grand Londres, ils réclamaient de nouveau, à cor et à cri, la démission ou l'éviction de Mike Lancer. On désirait également voir s'intensifier les recherches visant à mettre la main sur Farrell et Daring.

Lancer, manifestement secoué, s'était défendu toute la journée devant les caméras. Vers midi, il avait indiqué que la société F7 s'en remettait désormais à Jack Morgan, directeur de Private, pour assurer la sécurité aux entrées du parc olympique. L'agence, en collaboration avec Scotland Yard et le MI5, avait instauré des mesures draconiennes : multiplication des contrôles d'identité, fouilles redoublées…

Mais rien n'avait pu apaiser les esprits. Dix nations, y compris la Russie, suggéraient de suspendre les épreuves jusqu'à ce que la sécurité du public et des athlètes soit pleinement assurée.

En réaction, d'innombrables sportifs avaient immédiatement signé une pétition sur Internet mise au point par Hunter Pierce, la plongeuse américaine. Bien entendu, le texte condamnait les meurtres, mais il conjurait le Comité national olympique et le Locog de renoncer à ajourner la compétition.

Le maire de Londres, le Premier ministre et Marcus Morris avaient choisi d'écouter les athlètes. C'était tout à leur honneur. L'Angleterre, avaient-ils proclamé, n'avait jamais cédé aux terroristes.

Hélas, en dépit des mille précautions prises, certains spectateurs avaient boudé l'événement majeur des JO : Knight distinguait ici et là des sièges vides.

— Ces salauds ont tout foutu en l'air, observa Lancer, qui venait de le rejoindre.

Les deux hommes portaient une oreillette réglée sur la fréquence du service de sécurité du stade.

— Peu importe ce qu'il advient maintenant, les Jeux de 2012 sont irrémédiablement souillés…

La foule bondit sur ses pieds. Des cris retentirent aux quatre coins de l'enceinte sportive : les coureurs de la finale du 100 mètres pénétraient dans le stade. Shaw, le champion en titre, entra le premier. Il esquissait de légers sprints, se détendait en agitant les mains.

Mundaho fermait la marche. Il arrivait à petites foulées. Puis il s'accroupit et bondit à plusieurs reprises. On aurait cru un kangourou. Il sautait si haut que la foule demeura bouche bée. *Comment ce type parvient-il à faire une chose pareille ?* songea Knight.

— Ce garçon est un extraterrestre ! s'extasia Lancer. Un véritable extraterrestre.

76

La flamme olympique brûlait au sommet de l'*Orbit*, imperturbable. Les drapeaux pendaient tout autour de l'enceinte sportive. Le vent était tombé. Des conditions idéales pour un sprint.

Dans son oreillette, Peter Knight percevait les échanges entre Jack, Lancer et les équipes de sécurité. En haut du stade, des tireurs d'élite du SAS se tenaient couchés à plat ventre derrière leur fusil. Un hélicoptère tournoyait. Les appareils survolaient le parc olympique depuis l'aube. Quant aux gardes armés postés le long des pistes, on avait doublé leurs effectifs.

Rien de fâcheux ne se produira aujourd'hui, songea le détective. *La moindre tentative serait un suicide.*

Les coureurs gagnèrent les starting-blocks, de petites merveilles de technologie entièrement automatisées. Sur la ligne d'arrivée, un invisible réseau de rayons laser permettait de départager les concurrents au millième de seconde près.

Les spectateurs s'étaient levés, plissant les yeux pour mieux distinguer les concurrents. Shaw s'était vu attribuer le couloir 3. Mundaho courrait au 5. Chacun se prépara au départ.

Dix secondes, se dit Knight. *Ces gars-là passent toute leur vie à se préparer pour dix malheureuses secondes.* La pression, les espoirs, la volonté, la souffrance... Les sacrifices à consentir pour grimper peut-être un jour sur la plus haute marche du podium lui paraissaient inimaginables.

Le pistolet du starter claqua dans l'air. La foule rugit. Shaw et Mundaho venaient de s'élancer, telles deux panthères bondissant derrière leur proie. Le Jamaïcain domina les vingt premiers mètres. Mais, dans les quarante mètres suivants, l'ancien enfant soldat se mit à courir comme si des balles lui sifflaient aux oreilles.

À vingt mètres de l'arrivée, les deux hommes étaient au coude à coude, mais le Camerounais ne réussit pas à dépasser son adversaire.

Shaw ne parvenait pas davantage à distancer le jeune Africain.

Ils franchirent ensemble la ligne d'arrivée en 9 secondes et 38 centièmes – ils amélioraient de deux centièmes le formidable record établi par Shaw à Pékin.

Nouveau record du monde et nouveau record olympique!

77

Le double exploit déclencha des tonnerres d'applaudissements.

Mais qui était le grand vainqueur?

Sur les écrans géants s'affichait le nom de Shaw, Mundaho occupant la deuxième position. Mais les temps réalisés par les deux athlètes se révélaient strictement identiques. Dans ses jumelles, Peter Knight observait les deux héros. Ils reprenaient leur souffle, les mains sur les hanches, les yeux fixés sur les écrans où l'on rejouait indéfiniment la course au ralenti. Les juges, eux, examinaient les données enregistrées par les lasers sur la ligne d'arrivée.

Le speaker annonça à la foule que si l'on avait déjà observé des cas d'égalité aux jeux Olympiques, en gymnastique par exemple, ou encore en natation lors des Jeux de Sydney en 2000, le cas ne s'était jamais produit lors d'une course de vitesse. Les arbitres, poursuivait le speaker, allaient étudier les photos et départager les adversaires au millième de seconde près.

Quelques minutes plus tard, le résultat final scintilla sur les écrans géants: les deux hommes étaient arrivés ex æquo, en 9 secondes et 382 millièmes.

— Il est hors de question d'organiser une nouvelle course, déclara l'un des juges. J'estime que nous venons d'assister là au plus formidable 100 mètres de tous les temps. Les deux champions partageront le même record du monde. Et tous deux remportent l'or olympique.

Les spectateurs applaudirent de nouveau. On sifflait, on poussait des cris de joie.

Le détective gardait l'œil braqué sur les vainqueurs. À l'annonce des résultats, Shaw demeura d'abord incrédule, puis il sembla manifester de l'irritation. Mais, bientôt, un large sourire éclaira son visage. Il rejoignit Mundaho, qui lui sourit en retour. Ils échangèrent quelques mots avant de se serrer la main, de lever les bras bien haut pour saluer leurs fans – ils brandirent ensuite les drapeaux de la Jamaïque et du Cameroun.

Ils effectuèrent un tour d'honneur, s'attardant longuement ici ou là. C'était comme si une pluie d'été venait de laver la souillure, se dit Peter Knight. Cronos et les Furies se trouvaient relégués au second plan.

Lorsque des journalistes interrogèrent les deux garçons sur la ligne d'arrivée, Shaw ne dit pas autre chose.

— Quand j'ai vu que nous étions à égalité, déclara le Jamaïcain, dont le visage apparaissait en gros plan sur les écrans géants, je n'en suis pas revenu. Pour être franc, ça m'a d'abord mis en colère. Je venais de battre mon record, mais je n'avais pas battu mon adversaire, comme ça avait été le cas à Pékin. Mais ensuite, en songeant à tout ce qui s'est passé depuis le début de ces Jeux, je me suis dit au contraire que ce résultat était une chose magnifique. Une chose positive pour le sprint, pour l'athlétisme. Et pour les Jeux.

Mundaho approuva.

— Je suis très honoré d'avoir couru aux côtés du grand Zeke Shaw. Et très honoré de voir mon nom associé au sien.

Le journaliste leur demanda ensuite qui, selon eux, remporterait la finale du 200 mètres le mercredi suivant.

— Moi! répondirent en chœur les deux champions.

Puis ils éclatèrent de rire en se donnant de grandes tapes dans le dos.

Knight, lui, poussa un soupir de soulagement en les regardant quitter le stade. Au moins, Cronos ne les avait pas pris pour cibles.

L'heure suivante fut consacrée aux demi-finales du 1500 mètres messieurs, puis à la finale du 3000 mètres steeple. Le détective se mit à penser à sa mère. Amanda lui avait promis de ne pas se renfermer dans sa coquille comme elle l'avait fait après la mort de son époux.

Hélas, des deux conversations que Knight avait eues récemment avec Gary Boss, il ressortait que c'était précisément ce qui était en train d'arriver. Amanda refusait de parler à son fils au téléphone. Elle refusait de parler à quiconque, même à ceux qui comptaient organiser après les JO une cérémonie en l'honneur de Denton Marshall. Elle passait ses journées à sa table de travail, dessinant sans relâche des centaines de modèles.

Le détective avait exprimé le désir de lui rendre visite la veille, mais son assistant le lui avait déconseillé. Sa mère, disait-il, avait besoin de traverser seule cette épreuve, au moins pour quelques jours encore.

Knight souffrait pour Amanda. Il savait trop bien ce qu'elle subissait en ce moment. Trois ans plus tôt, lui-même avait cru que son chagrin ne s'atténuerait jamais. En un sens, c'était le cas. Mais la présence de ses enfants lui avait redonné courage. Le détective pria pour que sa mère découvre à son tour un moyen de surmonter un peu sa peine.

Puis il songea aux jumeaux. Il s'apprêtait à appeler chez lui pour leur souhaiter une bonne nuit, lorsque le speaker annonça l'arrivée dans le stade des concurrents des demi-finales du 400 mètres.

La foule, à nouveau debout, acclama Mundaho dès qu'il émergea du tunnel reliant la piste à l'aire d'échauffement. Souple comme un chat, fidèle à ses manières décontractées, il arriva au petit trot.

Il s'approcha des starting-blocks ; il courrait au couloir 1, à la corde. Réussirait-il à battre ses concurrents sur une longueur quatre fois supérieure à celle qu'il venait de parcourir plus vite que tout le monde, excepté Zeke Shaw ?

Ce dernier avait visiblement envie de le savoir, car il vint se planter près de l'accès reliant le stade à la piste d'entraînement. Trois Gurkhas se tenaient à ses côtés.

— À vos marques...

Mundaho se mit en position.

— Prêts...

Tous les muscles du Camerounais se tendirent.

Le pistolet du starter claqua dans un stade pratiquement silencieux.

Mundaho se propulsa hors des starting-blocks.

Un millième de seconde plus tard, un éclair d'un blanc aveuglant jaillit de ces derniers, qui se désintégrèrent dans l'explosion. Les starting-blocks libérèrent des flammes, tandis que des débris de métal acérés se fichaient dans les jambes de l'Africain. Celui-ci se trouva projeté au sol, où il se recroquevilla en hurlant.

IV
Le marathon

78

Peter Knight éprouva un tel choc qu'il demeura figé plusieurs secondes. La gorge nouée, tout aussi épouvanté que les milliers de spectateurs. Mundaho se tordait de douleur sur la piste, il sanglotait en portant les mains à ses jambes sanguinolentes et dévorées de brûlures.

Ses adversaires se tenaient cois. Incrédules, ils contemplaient le résultat du carnage qui venait de se produire au couloir 1. Les flammes éblouissantes moururent peu à peu, révélant sous elles une surface carbonisée dont l'odeur chimique évoquait celle des fusées d'urgence ou des pneus calcinés.

Déjà, une partie des équipes médicales se précipitait vers l'athlète blessé – d'autres volaient au secours de plusieurs membres du personnel de course atteints par les éclats de métal incandescents.

— J'exige qu'on interroge tous ceux qui, de près ou de loin, se sont occupés de ces starting-blocks! mugit Mike Lancer dans son talkie-walkie – l'ancien décathlonien se maîtrisait avec peine. Allez me chercher les juges, les arbitres, tout le monde! Séquestrez-les au besoin!

Autour de Peter Knight, les supporters sortaient peu à peu de leur torpeur. On pleurait, on maudissait Cronos. De nombreux spectateurs prenaient la direction des sorties, pendant que les bénévoles et les agents de sécurité s'efforçaient de maintenir le calme.

— Puis-je descendre sur la piste? s'enquit le détective auprès de Lancer et de Morgan.

— Non, répondit Jack.

Lancer confirma le refus de l'Américain.

— Scotland Yard a déjà bouclé le périmètre pour laisser agir ses démineurs, expliqua-t-il.

Une fureur soudaine s'empara de Knight, révolté par le sort que l'esprit malade d'un forcené venait de réserver au sprinter camerounais. Il se moquait bien de savoir sur quoi porteraient cette fois les accusations de Cronos.

Peu importait ce dont Mundaho s'était ou non rendu coupable. Il ne méritait nullement ce qui était en train de lui arriver. Tout à sa quête de l'excellence olympique, il aurait été capable de laisser sur place l'ensemble de ses adversaires. Au lieu de quoi on l'emmenait à présent, meurtri, sur une civière.

Comme on entraînait le jeune athlète vers une ambulance, des applaudissements commencèrent à retentir dans la foule. On avait perfusé le Camerounais qui, manifestement, se trouvait déjà sous l'emprise de puissants analgésiques. Pourtant, examinant son visage dans ses jumelles, Knight continuait d'en observer les traits déformés par une souffrance atroce.

Des spectateurs se prononçaient ici et là en faveur de l'annulation des jeux Olympiques de Londres. Cronos avait peut-être bien remporté la victoire, songea le détective avec amertume. Une voix contradictoire s'éleva soudain : un homme désabusé exposait à ses compagnons d'un jour qu'il avait lu, dans un récent article du *Financial Times*, que si les sponsors et les médias feignaient officiellement de condamner les actes odieux perpétrés par les terroristes, ils se réjouissaient en privé de cette aubaine : dans le monde entier, on parlait des Jeux vingt-quatre heures sur vingt-quatre – lecteurs et téléspectateurs se montraient insatiables, ils souhaitaient qu'on leur dévoile le moindre détail de l'affaire. Ils demeuraient à l'affût.

— Jamais la retransmission des JO n'avait réalisé de telles audiences, poursuivit l'inconnu. Je vous parie ce que vous voulez qu'on ne les annulera pas.

C'est alors que Zeke Shaw parut à l'entrée du stade. Il courait en agitant lentement un drapeau camerounais. Une douzaine de participants du 400 mètres se joignirent à lui. Les sportifs suivaient l'ambulance, gesticulant en direction de l'assistance, qui se mit à scander avec eux : « Mundaho ! Mundaho ! »

On sanglotait, on applaudissait, on conspuait à l'unisson Cronos et ses Furies.

En dépit de la douleur, en dépit des auxiliaires médicaux s'affairant autour de lui, en dépit des médicaments, le jeune Africain eut le temps de voir et d'entendre, avant de prendre le chemin de l'hôpital, l'hommage rendu à son immense talent par ses supporters aussi bien que par ses adversaires. Exalté, il réussit à brandir un poing triomphant depuis son brancard.

Ce geste valeureux n'échappa à personne. On applaudit à tout rompre. Mundaho était certes à terre, mais l'adversité n'avait pas eu raison de lui. Il souffrait le martyre, mais il demeurait ce guerrier endurci par plusieurs années de combats. Peut-être ne courrait-il plus jamais de sa vie, mais la flamme olympique continuait de se consumer en lui.

79

Submergée par la nausée, Karen Pope ingurgita une poignée de comprimés antiacides en fixant, hébétée, l'écran de télévision installé dans la salle de rédaction du *Sun*. On engouffrait dans une ambulance la civière sur laquelle reposait le sprinter camerounais. Finch et la jeune femme attendaient la lettre de Cronos. Des inspecteurs de police patientaient avec eux. Postés dans le hall du journal, ils guettaient le coursier, dans l'espoir de remonter enfin jusqu'à l'expéditeur.

Karen Pope ne souhaitait pas lire cette lettre. Elle se fichait éperdument de ce que ce cinglé oserait affirmer pour ternir la réputation de Filatri Mundaho.

— Je démissionne, annonça-t-elle soudain à son rédacteur en chef.

— Hors de question! Qu'est-ce que tu me chantes? Tu tiens le sujet de ta vie. Fonce! Tu fais un boulot épatant.

Elle éclata en sanglots.

— Je n'ai plus envie de foncer. Je refuse de contribuer à tuer ou mutiler des gens. Ce n'est pas pour ça que je suis devenue journaliste.

— Tu ne tues personne, lui opposa Finch. Tu ne mutiles personne.

— Mais d'une manière ou d'une autre, je participe au carnage! s'exclama la jeune femme. Nous nous comportons comme ceux qui ont publié le manifeste d'Unabomber aux États-Unis, quand j'étais enfant! Nous soutenons les actions de ce cinglé. Je soutiens ses actions. Je refuse de continuer. Je ne peux pas.

— Tu ne le soutiens nullement, tenta de l'apaiser son rédacteur en chef. Et moi non plus. Nous rapportons les horreurs commises par Cronos, comme d'autres avant nous ont rapporté les horreurs commises par Jack l'Éventreur. Nous ne l'aidons en rien. Au contraire, nous braquons les projecteurs sur lui. C'est ton devoir, Pope. Ton devoir.

Elle le fixa, le regard perdu comme celui d'une fillette apeurée.

— Mais pourquoi m'a-t-il choisie, moi?

— Je l'ignore. Peut-être le découvrirons-nous un jour. Pour le moment, je l'ignore.

Karen Pope regagna son bureau, se laissa tomber sur son siège et baissa la tête. Son BlackBerry émit un léger bruit : un courriel venait de lui parvenir.

La journaliste expira profondément et s'empara du téléphone. Au message, expédié par Cronos, était joint un fichier. Elle aurait volontiers réduit l'appareil en miettes, au lieu de quoi elle songea aux paroles de réconfort que Finch venait de lui prodiguer : il était de son devoir de dénoncer les déments pour ce qu'ils étaient.

— Vous pouvez dire aux flics qu'aucun coursier ne se présentera, dit-elle d'une voix tremblante à son rédacteur en chef.

— J'y vais. Tu as une heure pour boucler ton papier.

La jeune femme hésita. La colère ne tarda pas à prendre le dessus. Elle ouvrit la pièce jointe.

Cronos s'était clairement imaginé que Filatri Mundaho succomberait sur la piste.

Sa missive exposait que le « meurtre » se révélait la juste punition du péché d'orgueil dont le Camerounais s'était rendu coupable – l'une des plus terribles fautes à l'époque de la Grèce antique. Selon Cronos, le sprinter s'était montré arrogant, vaniteux. Il avait défié les dieux.

Le fichier joint contenait des copies de courriels, de textos et de messages Facebook échangés entre le jeune champion et son agent, Matthew Hitchens, résidant à Los Angeles. Les deux hommes, insistait l'assassin, se souciaient peu d'excellence. Ils n'étaient mus que par l'appât du gain : la triple consécration que Mundaho espérait aux Jeux de Londres ne visait qu'à lui permettre d'engranger, au fil de la carrière qui s'ouvrirait ensuite à lui, plusieurs centaines de millions de dollars de recettes publicitaires.

« Ce misérable a vendu à vil prix le cadeau que les dieux lui avaient offert, concluait Cronos. Ce n'était pas la gloire qui motivait son désir de devenir l'homme le plus rapide du monde. Il souhaitait s'enrichir, rien de plus. Il s'est pris pour un dieu. Il méritait qu'on le châtie. »

À ceci près que Mundaho n'est pas mort, songea Karen Pope avec une immense satisfaction.

— Avons-nous le numéro de son agent ? cria-t-elle en direction de Finch.

— Il se trouve dans notre fichier central, répondit ce dernier après quelques instants de réflexion.

Il le transmit à sa journaliste, qui expédia aussitôt un texto à Matthew Hitchens :

« Je sais que vous roulez pour Mundaho. Cronos vous accuse tous les deux. Appelez-moi. »

Sur ce, la jeune femme entreprit d'établir la trame de son prochain article en tentant de se persuader de la noblesse de sa tâche.

À sa grande surprise, son BlackBerry sonna moins de cinq minutes plus tard. L'agent de Mundaho était en route pour l'hôpital. Il s'exprimait d'une voix altérée par l'angoisse et l'émotion. Pope lui glissa quelques paroles de compassion avant d'en venir rapidement aux choses sérieuses.

— Cronos ne vous raconte pas tout, se défendit Hitchens quand elle lui eut résumé le contenu de la lettre. Il ne vous indique pas à quoi Filatri avait l'intention de consacrer cet argent.

— Expliquez-moi.

— Il comptait l'utiliser pour venir en aide aux enfants des pays en guerre. En particulier ceux qu'on a kidnappés pour en faire de petits soldats qui ne comprennent même pas la nature des conflits dans lesquels ils se trouvent engagés. Nous avons déjà mis sur pied la Fondation Mundaho pour les orphelins de guerre. Elle était censée devenir la machine à rêves de Filatri au terme des Jeux. Je peux vous montrer les documents officiels, si vous le désirez. Il les a d'ailleurs signés bien avant ses prouesses à Berlin, bien avant que quiconque évoque la possibilité de le voir remporter trois titres à Londres.

— Vous êtes en train de me dire que, non content de couper les ailes d'un ancien enfant soldat, Cronos a sans doute détruit les espoirs de plusieurs centaines de gamins à travers le monde?

— Vous venez de résumer au mieux cette tragédie, approuva l'agent, anéanti.

Karen Pope serra un poing rageur, comme le jeune Camerounais l'avait fait avant qu'on referme sur lui les portes de l'ambulance.

— Dans ce cas, monsieur Hitchens, je ne manquerai pas de le faire savoir à nos lecteurs.

80

Lundi 6 août 2012

Un ouragan de force 5 déferle à l'intérieur de mon crâne. Des dagues de lumière, plus éblouissantes que des copeaux de magnésium embrasés, passent devant mes yeux. Le décor autour de moi me paraît saturé de bleus et de rouges électriques.

Pauvre idiote. Elle nous a trahis. Et Mundaho a échappé à une juste vengeance. Je brûle de réduire à néant tous les monstres de cette ville.

Mais pour l'heure, je me concentre sur une seule cible.

Je n'ignore pas qu'en m'apprêtant à accomplir cet acte, je risque de mettre à mal le fragile équilibre patiemment établi par mes soins depuis plus de quinze ans. Si je fais un faux pas, il me hantera jusqu'à la fin de mes jours.

Quoi qu'il en soit, la tempête qui sévit sous mon crâne ne me permet guère de m'appesantir sur ces considérations. Il me semble visionner un vieux film – l'image saute sur l'écran de mon esprit : je me revois à l'infini planter un couteau dans la cuisse de ma mère. Le souvenir déclenche en moi un torrent d'émotions. Quelle joie j'avais alors ressentie : j'avais enfin châtié celle qui m'avait berné.

Je regagne mon domicile vers 4 heures du matin. Petra m'y attend. Elle a les yeux gonflés et rouges, je lis de la terreur dans son regard. Nous sommes seuls. Ses sœurs accomplissent à l'heure qu'il est d'autres missions.

— Je t'en supplie, Cronos, gémit-elle. L'empreinte digitale était une erreur.

La tornade balaie furieusement les recoins de mon âme.

— Une erreur?

Ma voix se fait d'une douceur redoutable.

— Te rends-tu seulement compte de ce que tu as fait? À cause de toi, les chiens sont après nous. Ils reniflent ta piste, Andjela. Ils détectent l'odeur de tes sœurs. Ils me flairent. On a déjà commencé à apprêter pour nous un cachot et un gibet.

Le visage de Petra se tord sous l'emprise d'une fureur au moins égale à la mienne.

— Je crois en toi, Cronos. Je t'ai voué mon existence entière. J'ai tué pour toi les deux entraîneurs chinois. Mais, je l'avoue, j'ai commis une erreur. Une seule erreur!

— Si encore tu n'en avais commis qu'une… En abandonnant ta perruque dans les toilettes des femmes de l'O2 Arena, tu leur as offert ton ADN sur un plateau. Tu as agi comme une écervelée. Tu ne t'es pas conformée à notre plan.

Petra fond en larmes et se met à trembler.

— Qu'attends-tu de moi, Cronos? Que puis-je faire pour me rattraper?

Je reste silencieux un long moment. Puis je soupire en m'avançant vers elle, les bras ouverts.

— Rien, ma sœur. Tu ne peux rien faire. Le combat continue.

D'abord hésitante, Petra se jette finalement contre moi. Elle m'étreint si fort que, pendant une fraction de seconde, je ne suis plus certain de ma décision.

Mais je revois soudain l'aiguille plantée à la saignée de mon bras, l'aiguille qu'un tube flexible relie à une poche en plastique gorgée de liquide. Je me rappelle ce que cette image signifie pour moi. Cette image m'a dévoré de l'intérieur, c'est elle qui m'a guidé. C'est elle qui a fait de moi l'homme que je suis aujourd'hui.

Je suis beaucoup plus grand que Petra, de sorte que, lorsque je l'étreins à mon tour, mes bras enserrent naturellement son cou. Je l'attire plus près de moi.

— Cronos, commence-t-elle avant de sentir augmenter la pression.

Elle suffoque.

— Non! lâche-t-elle dans un râle.

Elle se débat, elle tente de me frapper de ses pieds et de ses poings.

Mais je sais trop bien de quoi elle est capable pour me laisser prendre au dépourvu. Impitoyablement, mon étau se comprime sur sa gorge. Enfin, je recule d'un pas avec un mouvement de torsion.

Le corps de Petra est agité d'un tel sursaut que ses pieds se détachent un instant du sol. J'entends ses vertèbres craquer, puis se fendre en éclats comme un arbre brusquement frappé par la foudre.

81

Mercredi 8 août 2012

Peu après 10 heures ce matin-là, Marcus Morris vint se planter, passablement mal à l'aise, sur le trottoir devant le Parlement. Mais il ne tarda pas à se ressaisir, et c'est la mine résolue qu'il affronta les objectifs, les micros et la horde de journalistes rassemblés autour de lui.

— Même si nous lui conservons toute notre considération, car il sert la cause des jeux Olympiques de Londres depuis plus de dix ans, Michael Lancer vient d'être relevé de ses fonctions.

— C'est pas trop tôt! hurla une voix dans l'assistance.

Aussitôt, émanant de la meute au milieu de laquelle se trouvait Karen Pope, jaillirent des clameurs et des questions adressées au président du Comité d'organisation des jeux Olympiques de Londres.

Allait-on interrompre les Jeux? Si on poursuivait les épreuves, qui remplacerait Lancer à la tête des services de sécurité? Que pensait le président du nombre chaque jour croissant de nations qui rappelaient leurs athlètes? Auraient-elles mieux fait d'écouter ces derniers, qui s'opposaient énergiquement à l'ajournement comme à l'annulation des JO?

— Nous suivons l'avis des sportifs, insista Morris d'une voix forte. Les Jeux continuent. L'idéal et l'esprit olympiques demeurent vivaces. Nous ne céderons pas à la pression.

Quatre experts de Scotland Yard, du MI5, du SAS et de l'agence Private superviseront la sécurité des JO durant les quatre derniers jours de compétition. Je suis navré que plusieurs pays aient choisi d'abandonner la partie. Leur décision constitue selon moi une tragédie pour les Jeux, de même qu'une tragédie pour les athlètes. Quant au reste, je vous le répète : les Jeux continuent.

Morris emboîta ensuite le pas à un groupe de policiers qui fendirent l'attroupement devant lui pour le mener jusqu'à sa voiture. La plupart des reporters tentèrent en vain de prendre l'automobile en chasse.

Karen Pope y renonça d'emblée. Appuyée contre les grilles du Parlement, elle relisait les notes qu'elle avait prises depuis la vieille au soir.

Elle n'était pas peu fière d'avoir obtenu quelques informations d'Elaine Pottersfield en personne. Celle-ci lui avait appris que, si la traque visant à mettre la main sur James Daring et Selena Farrell s'était intensifiée, on examinait en outre les starting-blocks qui avaient explosé, blessant les jambes et le dos du malheureux Filatri Mundaho.

Le Camerounais se trouvait au London Bridge Hospital dans un état critique. Néanmoins, les médecins saluaient en lui l'« infatigable battant » que deux interventions chirurgicales destinées à soigner ses brûlures et le débarrasser des éclats de métal enfoncés dans sa chair n'avaient pas suffi à abattre.

Les starting-blocks, dont on devait la conception et la réalisation à une entreprise réputée nommée Stackhouse, avaient été utilisés à dix reprises, par dix athlètes différents, lors des épreuves de qualification disputées les jours précédents.

Des employés du Comité international olympique s'étaient chargés d'apporter les cales sur la piste, où des techniciens les installaient – ces derniers, qui assuraient n'avoir jamais rencontré le moindre problème avec ce type d'engin, comptaient parmi les blessés les plus graves en dehors de Mundaho.

Entre les épreuves, d'autres employés du CIO entreposaient les starting-blocks dans une pièce verrouillée, spécialement conçue à cet effet et située au sous-sol du stade. L'homme qui y avait mis les cales sous clé le samedi soir était également celui qui les avait apportées au couloir 1 avant la demi-finale du 400 mètres. Il s'appelait Javier Cruz, originaire du Panamá. Il avait perdu un œil dans l'accident.

Les démineurs de Scotland Yard expliquèrent qu'il s'agissait de répliques fidèles des modèles commercialisés par Stackhouse, à ceci près que les blocs de métal étaient creux, et qu'on y avait fourré des copeaux de magnésium, assortis d'un détonateur. Matériau hautement inflammable, le magnésium explose et se consume avec autant d'intensité que l'acétylène.

— Un homme ordinaire serait mort, avait poursuivi Pottersfield lors de son entrevue avec Pope. Mais l'extraordinaire rapidité de Mundaho lui a sauvé la vie. À défaut de lui sauver les jambes.

La journaliste referma son carnet de notes. Elle avait désormais de quoi concocter un article. Elle s'apprêtait à appeler Peter Knight pour savoir s'il avait d'autres informations à lui communiquer, lorsqu'elle avisa une longue silhouette quittant le Parlement par l'accès réservé aux visiteurs. L'homme se hâtait dans la direction opposée à celle suivie par la foule des reporters.

La jeune femme reconnut Michael Lancer. S'élançant derrière lui, elle le rattrapa comme il pénétrait dans les jardins de la tour Victoria.

— Monsieur Lancer? Karen Pope, du *Sun.*

L'ancien chef de la sécurité des Jeux poussa un lourd soupir, avant de gratifier la journaliste d'un regard si désespéré qu'elle faillit renoncer à l'interroger.

— Votre éviction vous paraît-elle justifiée?

Il hésita, manifestement en proie à un vif débat intérieur.

— Je pense que oui, lâcha-t-il enfin. Je tenais à ce que les Jeux de Londres deviennent les plus fameux de l'histoire et que notre système de sécurité se révèle sans faille. Depuis plusieurs années, nous tentons d'envisager tous les scénarios. Mais force m'est d'avouer que nous n'avions pas prévu l'appa-

273

rition d'un fanatique de cette espèce. En d'autres termes, j'ai échoué. Je serai tenu pour responsable des drames qui sont survenus. Ce fardeau est le mien. À présent, je vous prie de m'excuser, mais il me faut commencer à apprendre à vivre avec cela jusqu'à la fin de mes jours.

82

C'est la dernière fois que je viens dans ce trou à rats, songea Teagan en glissant un sac à dos dans la brèche – on avait sectionné avec des tenailles une portion de la clôture métallique barrant l'accès à ce site industriel contaminé des Docklands. On se trouvait à plusieurs kilomètres du parc olympique.

La Furie se faufila dans la fente pour récupérer son sac, qu'elle ramassa avant de lever les yeux vers un ciel d'encre. Au loin, une corne de brume mugit. L'aube ne tarderait plus. Teagan avait beaucoup à faire avant d'abandonner ce lieu maudit pour toujours.

La rosée accentuait l'odeur des mauvaises herbes qui poussaient autour du bâtiment vers lequel la jeune femme se hâtait. Ses pensées divaguèrent vers Petra, qui s'apprêtait à entamer une nouvelle existence en Crète. En découvrant dans la presse l'affaire de l'empreinte digitale, Teagan avait d'abord cru que Cronos se déchaînerait contre sa sœur. Mais il avait opté pour la voie pragmatique : il venait d'expédier la fautive sur l'île méditerranéenne, afin qu'elle y aménage la demeure où ses trois comparses s'installeraient avec elle au terme de leur mission.

Teagan entra dans l'édifice désert par une fenêtre dont elle avait brisé la vitre plusieurs mois auparavant. Elle se représenta la maison, juchée au sommet d'une falaise dominant la mer Égée. Des murs blanchis à la chaux contrastant avec un ciel de pur cobalt. Ils y vivraient tous les quatre à l'abri du besoin.

Elle alluma une mince lampe torche produisant un rayon rouge, la fixa à sa casquette. La faible lueur ainsi dispensée lui permit de traverser sans encombre la zone de production de cette ancienne usine de textile. Teagan atteignit un escalier menant à un sous-sol d'où s'élevaient des relents de moisissure.

Une odeur épouvantable l'assaillit jusqu'à lui faire monter les larmes aux yeux. Elle se mit à respirer par la bouche, avant de poser son sac à dos sur un banc privé d'un de ses quatre pieds. Elle en tira plusieurs poches à perfusion.

Elle les aligna dans un ordre précis. Puis, au moyen d'une aiguille hypodermique, elle vida une fiole dont elle répartit équitablement le contenu entre quatre des huit poches en plastique disposées devant elle. Sa tâche accomplie, elle récupéra la clé qui pendait à une chaîne autour de son cou et s'éloigna avec les poches à perfusion.

Lorsqu'elle se trouva devant la porte – où la puanteur était plus terrible encore –, elle les déposa sur le sol pour introduire la clé dans le cadenas. L'arceau métallique s'ouvrit avec un léger clic. Teagan fourra le cadenas dans sa poche et poussa la porte. Si elle s'avisait de respirer par le nez, elle vomirait à coup sûr.

Une plainte, qui se mua bientôt en grognement, résonna au cœur des ténèbres.

— C'est l'heure du dîner, annonça la jeune femme en refermant la porte derrière elle.

Un quart d'heure plus tard, elle quitta la réserve, satisfaite du travail qu'elle venait d'accomplir. Encore quatre jours et…

Du bruit lui parvint de l'étage supérieur. Des rires se répercutaient contre les quatre murs de la zone de production. Teagan se figea.

Depuis un an, elle s'était rendue une bonne douzaine de fois dans ces locaux désaffectés. Jamais elle n'y avait croisé âme qui vive. Le bâtiment était saturé de solvants, de métaux lourds et autres substances cancérigènes – ce dont les pancartes disposées ici et là le long de la clôture ne manquaient pas d'informer les éventuels curieux.

Elle fut d'abord tentée d'attaquer la première. Mais Cronos s'était montré parfaitement explicite à ce sujet : éviter les confrontations autant que faire se pouvait.

Teagan éteignit sa lampe torche, effectua un demi-tour pour verrouiller la réserve. Elle fouilla le fond de sa poche en quête du cadenas, qu'elle finit par extirper. Elle en passa l'arceau métallique dans les anneaux de la porte et de son montant. Une bouteille dégringola les marches pour venir se briser en mille morceaux au sous-sol. Des pas se rapprochèrent, et des voix d'hommes. Des voix d'hommes avinés.

La jeune femme referma le cadenas avec précipitation dans l'obscurité. Elle avait déjà grimpé la moitié de l'escalier quand elle s'immobilisa. L'arceau métallique avait-il bien émis le léger clic indiquant que le mécanisme était verrouillé ?

Le faisceau d'une lampe balaya les alentours. Teagan déboucha dans la zone de production, courant sur la pointe des pieds à la façon des sprinters. Elle connaissait les lieux par cœur depuis longtemps, aussi se faufila-t-elle sans rencontrer d'obstacle jusqu'à un hall menant à un escalier de pierre et une porte étanche.

Deux minutes plus tard, elle était dehors. L'aube jetait ses premières lueurs roses dans le ciel londonien. À l'intérieur de l'usine, les intrus continuaient leur raffut. Ils poussaient des cris de joie, cassaient d'autres bouteilles. Une bande de pochards, décida Teagan, résolus à semer la pagaille. S'ils se hasardaient au sous-sol, se dit-elle encore, la pestilence les dissuaderait à coup sûr de poursuivre leur exploration. Mais, tandis que la jeune femme se faufilait à travers la brèche de la clôture, un doute l'assaillit de nouveau, qui ne devait plus la quitter : avait-elle bel et bien fermé le cadenas ?

83

Au milieu de l'après-midi, en ce second vendredi des Jeux – à trois jours de la clôture –, Peter Knight pénétrait dans le laboratoire de l'agence Private pour y rejoindre, d'un pas précautionneux, Hooligan, auquel il tendit un colis emballé dans du papier brun.

— Est-ce que c'est une bombe? demanda le détective.

Le scientifique détourna les yeux de la page des sports du *Sun*, en partie consacrée à la finale olympique de football, qui opposerait bientôt l'Angleterre au Brésil. La Grande-Bretagne, disait-on, avait toutes ses chances. Il lorgna le paquet avec inquiétude.

— Qu'est-ce qui te fait penser que c'en est une?

Knight tapota l'adresse de l'expéditeur.

Hooligan plissa les yeux.

— Je suis incapable de lire ce truc-là.

— Parce que c'est du grec ancien. Ça veut dire « Cronos ».

— Et merde.

— Je ne te le fais pas dire, acquiesça le détective en déposant délicatement la boîte sur une table, à côté du scientifique. Je l'ai récupérée à la réception.

— Ça fait du bruit?

— Je n'entends pas de tic-tac, si c'est ce à quoi tu penses.

— Il peut s'agir d'un détonateur numérique. Ou actionné à distance.

— Faut-il évacuer le bâtiment? s'enquit Knight, au bord de la nausée. Appeler les démineurs?

Hooligan gratta sa barbe rousse.

— C'est à Jack de décider.

Deux minutes plus tard, planté au beau milieu de la pièce, ce dernier examinait le colis. L'Américain avait les traits tirés. Il ne s'était pratiquement pas accordé de pause depuis qu'on lui avait confié, lundi, la sécurité des Jeux. On n'avait pas déploré de nouveaux drames après l'attentat contre Filatri Mundaho – Knight estimait qu'on devait en grande partie cette paix relative aux efforts surhumains déployés par son supérieur.

— Est-il possible de passer ce paquet aux rayons X sans qu'il explose? demanda-t-il à Hooligan.

— On peut toujours essayer, répondit celui-ci en manipulant la boîte comme si elle s'apprêtait à le mordre.

Il l'emporta jusqu'à une table de travail située à l'autre bout du laboratoire. Il mit en marche un petit scanner semblable à ceux dont on usait aux entrées des installations olympiques.

Peter Knight refrénait une terrible envie de quitter les lieux en courant. Il avait deux enfants, qui fêteraient demain leur troisième anniversaire. Il avait aussi une mère. Pourquoi prendre de tels risques? Pour oublier un instant le péril, il se concentra sur l'écran de télévision – des athlètes du monde entier y recevaient leur médaille ou effectuaient des tours d'honneur dans le stade en agitant le drapeau de leur nation, auquel ils associaient systématiquement celui du Cameroun.

Le respect pour Mundaho et le dédain pour Cronos étaient unanimes parmi les sportifs. Les médias relayaient leurs gestes symboliques. L'esprit olympique semblait animé d'un nouveau souffle.

Hunter Pierce conservait la tête de ce mouvement spontané de résistance contre l'adversité. Interrogée presque chaque jour depuis l'explosion des starting-blocks du sprinter africain, elle avait réaffirmé sans relâche la volonté des participants de voir les Jeux se poursuivre en dépit des circonstances.

Les médecins avaient annoncé que l'état du jeune Camerounais s'améliorait un peu. Brûlé au troisième degré, souffrant de graves blessures aux jambes, il conservait un moral d'acier.

Knight, hélas, ne partageait pas ce bel optimisme. Il était persuadé que Cronos tenterait de frapper encore, sans se soucier de la résolution des athlètes.

Où? Quand? Les courses de relais du lendemain après-midi? La finale de football qui opposerait l'Angleterre au Brésil samedi soir, dans le stade de Wembley? Le marathon messieurs de dimanche? Ou la cérémonie de clôture qui se tiendrait ensuite?

— C'est parti, prononça Hooligan en poussant le colis expédié par Cronos sur un petit tapis roulant.

L'objet traversa le scanner, dont le scientifique orienta l'écran pour que Morgan et Knight en distinguent l'image aussi bien que lui.

Le contenu du paquet se matérialisa.

Le détective eut un mouvement de recul.

— Bon Dieu! s'exclama son supérieur. Ce sont des vraies?

84

Les mains appartenaient à une femme. D'une pâleur effroyable, on les avait coupées au niveau du poignet.

— Je prends les empreintes? demanda Hooligan.

— Non, Scotland Yard va s'en charger, répondit Jack Morgan.

— Je parie que ces mains appartiennent à une criminelle de guerre, avança Peter Knight.

— Andjela Brazlic? proposa l'Américain.

— C'est fort possible, approuva Hooligan.

— Pourquoi nous les a-t-il expédiées? demanda Morgan au détective.

— Je l'ignore.

Tandis qu'il regagnait son domicile, la question continuait de tarauder Peter Knight. Cronos tentait probablement de leur transmettre un message. Mais lequel? Avait-il agi ainsi à cause de l'empreinte digitale abandonnée par la jeune femme sur l'avant-dernière lettre? Avait-il voulu prouver sa barbarie au monde?

Le détective appela sa belle-sœur pour lui annoncer qu'on s'apprêtait à remettre les mains coupées entre celles de Scotland Yard.

— Si elles appartiennent à Andjela Brazlic, commenta Pottersfield lorsqu'il eut partagé ses suppositions, cela signifie que des dissensions sont apparues au sein de leur petit groupe.

— Ou Cronos se contente de nous signaler qu'il ne servirait à rien de traquer cette femme en particulier. Elle a commis une erreur. Elle l'a payée de sa vie. Rideau.

— Peut-être...

— Nous allons nous promener dans la forêt de Kate, demain. Et la fête d'anniversaire débute à 17 h 30.

Il y eut un bref silence à l'autre bout du fil.

— Je suis navrée, Peter.

Déjà, l'inspectrice en chef avait raccroché.

Se remettrait-elle jamais de la mort de sa sœur ? se demanda le détective. Parvenu sur le seuil de sa maison, il songea que trois ans plus tôt, à la minute près, le travail d'accouchement commençait.

Le visage de Kate se matérialisa dans son esprit, juste après qu'elle avait perdu les eaux. Elle n'avait pas peur. Au contraire, elle rayonnait. Elle savourait à l'avance le miracle sur le point de survenir. Knight pénétra dans la demeure, aussi accablé qu'il l'avait été trente-six mois auparavant.

Il flottait dans l'air une bonne odeur de chocolat, et deux paquets emballés dans du papier doré trônaient sur la console de l'entrée. Le détective grimaça : il ne s'était pas encore préoccupé des cadeaux. L'enquête dévorait tout son temps. À moins qu'il ne se laissât dévorer pour éviter de s'appesantir sur cette date fatidique...

Il découvrit que les présents avaient été déposés là par sa mère, qui avait épinglé sur chacun d'eux une petite carte signée de son nom.

Knight sourit. Son regard s'embua. Ainsi, Amanda était momentanément sortie de son isolement pour combler ses petits-enfants. C'était peut-être bon signe.

— Je m'en vais, lui annonça Marta en quittant la cuisine. Les enfants sont endormis. Je me suis occupée de la vaisselle. J'ai confectionné des caramels. Luke a tenté le « popot pour les grands », mais ça n'a pas marché. J'ai acheté des décorations pour la fête, et j'ai commandé un gâteau. Je peux rester demain toute la journée, si ça vous arrange. En revanche, j'aimerais prendre mon dimanche.

Dimanche. Le jour du marathon. Et de la cérémonie de clôture. Le détective serait sur le pied de guerre. Peut-être pourrait-il demander à sa mère, voire à Gary Boss, de se charger exceptionnellement des jumeaux.

— C'est d'accord pour dimanche. Et demain, ne venez pas avant midi, ça ira. Le matin, je les emmènerai à Epping Forest, puis à l'église de High Beach.

— Pourquoi?

— Parce que c'est là que ma femme et moi nous sommes mariés. Nous avons dispersé ses cendres dans les bois. Elle était originaire de Waltham Abbey. Elle adorait cette forêt.

— Oh, je vous demande pardon, fit Marta, soudain mal à l'aise. À demain midi, alors.

— Parfait.

Knight referma la porte derrière elle, éteignit les lumières, passa voir les enfants dans leur chambre, puis rejoignit la sienne.

Assis au bord de son lit, il contempla longuement la photo de Kate. Il se rappela dans ses moindres détails l'agonie de sa défunte épouse.

Il éclata en sanglots.

85

Samedi 11 août 2012

— J'ai trois ans ! hurla Isabel à l'oreille de son père.

Ce dernier s'éveilla en sursaut, tiré d'un affreux cauchemar dans lequel Cronos retenait Kate en otage – non pas le Cronos dont l'ombre planait sur les jeux Olympiques depuis près de deux semaines, mais celui de la mythologie grecque.

Trempé de sueur, les traits déformés par l'effroi, Peter Knight considéra sa fille d'un œil hagard. Apeurée, l'enfant recula d'un pas en serrant plus fort sa couverture contre sa joue.

Le détective finit par se ressaisir. *Elle va bien. Luke va bien. Ce n'était qu'un mauvais, un très mauvais rêve.*

Il poussa un soupir de soulagement.

— Comme tu es grande ! lança-t-il à Isabel avec un large sourire.

— Trois ans, répéta joyeusement la fillette.

— Lukey a trois ans aussi ! annonça son frère, qui venait d'apparaître à l'entrée de la chambre.

Les jumeaux sautèrent en chœur sur le lit pour se jeter dans les bras de Knight. Celui-ci huma leur douce odeur qui l'apaisa. Quel heureux homme il était de les avoir auprès de lui. D'une manière ou d'une autre, Kate survivait en eux.

— Des cadeaux ? demanda Luke.

— Ils ne sont pas encore là, répondit son père un peu trop vite. Il faut attendre la fête.

— Non, papa, protesta Isabel. Le monsieur bizarre a apporté des cadeaux hier. Ils sont dans l'entrée.

— C'est M. Boss qui est venu?

Le garçonnet eut un petit sourire contrarié.

— Boss aime pas Lukey.

— Tant pis pour lui, le réconforta le détective. Allez chercher ces paquets, et remontez les ouvrir ici.

Les jumeaux ne se firent pas prier. Ils bondirent dans le plus grand désordre pour dévaler l'escalier. Vingt secondes plus tard, ils étaient de retour, souriant jusqu'aux oreilles.

— C'est parti! lança leur père.

Les enfants déchirèrent le papier doré en gloussant. Isabel découvrit un superbe médaillon pendu à une chaîne en argent. Lorsque son père l'aida à l'ouvrir, ils y trouvèrent un portrait de Kate.

— C'est maman? s'enquit Isabel.

Knight se sentit profondément ému par le geste délicat de sa mère.

— Oui. Comme ça, tu pourras l'emporter partout avec toi.

— C'est quoi, papa? interrogea Luke en lorgnant son cadeau d'un œil soupçonneux.

— C'est une montre très spéciale. Une montre pour les très grands garçons. Tu vois, on a représenté Harry Potter, le sorcier, sur le cadran. Et ta grand-mère a fait graver ton nom au dos du boîtier.

— Une montre pour les très grands garçons?

— Nous allons la mettre de côté en attendant que tu grandisses un peu, le taquina son père.

Offusqué, l'enfant agita la main.

— Non! Lukey grand garçon! Lukey a trois ans!

— J'avais complètement oublié, s'amusa le détective en passant la montre autour du poignet de son fils – elle lui allait à la perfection.

Tandis que le garçonnet paradait à travers la chambre en admirant son cadeau, Knight attacha le médaillon au cou d'Isabel. Il s'extasia lorsqu'elle alla se regarder dans le miroir. Le portrait craché de Kate au même âge.

Il changea Luke, donna le bain aux deux enfants, leur prépara le petit-déjeuner. Puis il enfila une robe à Isabel. Il habilla son frère d'un short bleu et d'une chemisette blanche. Après leur avoir répété de ne pas salir leurs vêtements, il courut se préparer – quelques minutes lui suffirent pour se doucher, se raser et s'habiller. À 9 heures, le père et ses enfants quittaient leur domicile pour rejoindre le garage, situé à deux ou trois pâtés de maisons, où ils grimpèrent à bord d'une Range Rover que le détective utilisait rarement.

Roulant en direction du nord, ce dernier écouta les informations à la radio. On annonçait plusieurs finales d'athlétisme pour le soir. En attendant, les journalistes dénonçaient avec virulence l'incapacité de Scotland Yard, ainsi que du MI5, à progresser dans l'enquête. En revanche, personne n'évoquait les mains de la criminelle de guerre. Elaine Pottersfield avait exigé, pour le moment du moins, le silence absolu sur cette affaire.

De nombreux athlètes quittaient Londres au terme de leur compétition. D'autres, au contraire, au rang desquels se trouvait évidemment Hunter Pierce, se faisaient un devoir de loger au village olympique jusqu'au dernier jour des Jeux, sans plus se soucier de la menace représentée par Cronos et ses Furies.

Peter Knight approchait d'Epping Forest.

— Il y a beaucoup d'arbres, observa Isabel.

— Ta maman adorait les arbres.

Filtrée par les feuillages, la lumière du soleil mouchetait le sol de la clairière où se dressait l'église de High Beach, non loin de l'orée des bois.

Le détective et les jumeaux pénétrèrent dans le lieu de culte. Ils allumèrent des cierges en mémoire de Kate. Knight en ajouta quatre pour rendre hommage à ses collègues disparus dans l'explosion de leur avion. Puis il emmena ses enfants le long d'un sentier menant à la forêt.

Une brise légère agitait doucement les feuilles. Six ou sept minutes plus tard, la végétation s'éclaircit. Les trois promeneurs franchirent un mur de pierre à demi effondré, de l'autre côté duquel se dressait un bosquet de vieux chênes. Les hautes herbes y ployaient sous la caresse du vent estival.

Serrant les jumeaux contre lui, Knight contempla le décor en réprimant les sanglots qu'il sentait monter du fond de son cœur.

— Quand elle était une petite fille, votre maman fréquentait l'église où je vous ai emmenés. Ensuite, elle venait ici. Elle disait que les arbres étaient si vieux qu'ils faisaient de cet endroit un lieu sacré. Ici, elle pouvait parler à Dieu. C'est pour ça que j'ai dispersé...

Il s'étrangla sous le coup de l'émotion.

— Vous ne pouviez pas mieux choisir, Peter, observa derrière lui une voix féminine. Kate adorait ce bosquet.

Le détective se retourna en essuyant ses larmes du revers de sa manche.

Isabel se serra plus fort contre lui, agrippant la jambe de son pantalon.

— Qui c'est, la dame? s'enquit-elle.

Knight sourit.

— Je vous présente votre tante Elaine. La grande sœur de votre maman.

86

— Je savais que je ne pourrais pas assister à la fête, exposa Elaine Pottersfield sur le chemin du retour – les enfants dormaient sur la banquette arrière. J'ai pensé que ça me ferait du bien de les rencontrer dans la forêt.

— Et ça a été le cas?

L'inspectrice fit oui de la tête, tandis que son regard s'embuait.

— Je crois, oui. J'ai même eu l'impression d'y ressentir la présence de Kate.

Elle hésita avant de poursuivre:

— Je suis navrée, Peter. Je vous ai traité injustement. Je sais que c'était elle qui tenait à accoucher chez vous. Je…

— N'en parlons plus, la coupa Knight en garant la voiture dans le garage. Les enfants ont de la chance de vous avoir, maintenant. Moi aussi, j'ai de la chance de vous avoir près de moi.

Elle poussa un lourd soupir, auquel succéda un petit sourire triste.

— Vous avez besoin d'aide, Peter?

Dans le rétroviseur, le détective considéra les jumeaux assoupis.

— Ils sont devenus trop lourds pour que je les porte tous les deux sur une pareille distance. Je ne serais pas fâché si vous vous chargiez de l'un ou l'autre.

Pottersfield prit Isabel dans ses bras, tandis que son beau-frère emmenait un Luke profondément endormi. En se rapprochant de la maison, ils perçurent le son de la télévision.

— C'est la nouvelle nounou, expliqua Knight en cherchant ses clés. Elle arrive toujours en avance.

— Sapristi! s'extasia l'inspectrice. Plus aucune baby-sitter à Londres ne se montre aussi zélée.

— Je suis aux anges, approuva son beau-frère. Un vrai miracle. Avec ça, les enfants lui mangent dans la main. Elle leur a appris à ranger leur chambre et elle les endort d'un claquement de doigts.

À peine eut-il ouvert la porte que Marta apparut. Elle fronça les sourcils en constatant que Luke dormait à poings fermés dans les bras de son père.

— Il s'est sans doute trop énervé, dit-elle en se chargeant du garçonnet.

Elle examina Pottersfield avec curiosité.

— Marta, je vous présente Elaine, intervint Knight. Ma belle-sœur.

— Bonjour, lança celle-ci en dévisageant la jeune femme. Peter ne tarit pas d'éloges à votre sujet.

— M. Knight est trop gentil, répondit Marta en baissant la tête avec un petit rire gêné. Je vous ai déjà vue à la télévision, non?

— C'est possible. Je travaille pour Scotland Yard.

La nourrice s'apprêtait à commenter l'information lorsque Isabel, s'éveillant dans les bras de l'inspectrice, se mit à pleurer.

— Je veux mon papa!

Le détective la serra contre lui.

— Papa doit repartir travailler un peu, mais il sera là pour la fête, c'est promis, ma chérie.

— Et si on s'occupait du gâteau et des ballons? proposa Marta.

Le visage de la fillette s'éclaira, tandis que son frère sortait enfin de sa torpeur. Le portable de Pottersfield se mit à sonner.

Elle écouta longuement son correspondant, avant de hocher la tête.

— Où l'emmènent-ils?

Elle écouta de nouveau, pendant que la baby-sitter entraînait les jumeaux vers la cuisine en leur demandant s'ils désiraient boire du jus de pomme.

L'inspectrice raccrocha.

— Un policier en uniforme a découvert Selena Farrell en train d'errer du côté de l'ancienne usine à gaz de Beckton. Elle tenait des propos incohérents, elle était sale comme un peigne, couverte de ses propres excréments. Ils la conduisent au London Bridge Hospital.

— Je serai de retour à 17 heures pour vous aider à accrocher les décorations, promit le détective à Marta, qui s'éloignait en tenant fermement les enfants par la main.

— Ne vous tracassez pas, monsieur Knight. Je m'occupe de tout.

87

— Tu en es sûre?

Je m'efforce de ne pas hurler dans le combiné.

— Absolument! crache Marta. Ils l'ont retrouvée à deux pas de l'usine. Qui est allé là-bas en dernier?

D'abord Petra, et maintenant toi, Teagan, me dis-je avec fureur en jetant un coup d'œil vers la sœur de Marta, assise au volant à côté de moi. Je bouillonne intérieurement.

— Peu importe, me contenté-je de répondre à ma correspondante.

— À ta place, je ferais le ménage dans l'usine, insiste Marta. Ils sont après nous.

Elle a raison. Au-delà du grondement meurtrier qui résonne à mes oreilles, je ne suis pas loin d'entendre aboyer les chiens.

Quelle bourde. Quelle bourde colossale! Nous n'avions prévu de relâcher Farrell que demain matin. La diversion idéale. De quoi égarer la police pendant que j'aurais mis la dernière main à ma vengeance. J'aurais dû la tuer dès que j'en ai eu l'occasion. Mais non, mieux valait jouer la carte de l'intelligence. Mieux valait multiplier les fausses pistes. Hélas, cette fois, le dispositif s'est retourné contre moi.

J'effleure du bout des doigts la cicatrice qui court à l'arrière de mon crâne. Ma haine s'embrase.

Mon unique espoir réside à présent dans ma sévérité.

— Emmène les enfants avec toi, ordonné-je à Marta. Sur-le-champ. Tu sais ce que tu as à faire.

— Oui, je sais. Les petits chéris dorment déjà d'un profond sommeil.

88

À peine avait-il posé le pied dans l'enceinte du London Bridge Hospital que Peter Knight se sentit assailli par les images, les sons, les odeurs. Il n'avait pas fréquenté d'établissement médical depuis la mort de Kate. Le temps d'atteindre l'unité de soins intensifs en compagnie d'Elaine Pottersfield, il était au bord de l'évanouissement.

— Voici à quoi elle ressemblait quand nous l'avons découverte, leur indiqua le policier en faction devant la porte de Selena Farrell en leur tendant une photographie.

Dans sa panoplie souillée de Syren St. James, l'enseignante y apparaissait d'une saleté repoussante. Elle avait le regard vide des lobotomisés. Un cathéter pendait à la saignée de son bras.

— Elle a dit quelque chose? s'enquit l'inspectrice.

— Elle déblatère au sujet d'un cadavre aux mains coupées.

— Aux mains coupées? répéta Knight en lorgnant vers sa belle-sœur.

— Elle nous a tenu un discours à peu près vide de sens. Mais vous aurez peut-être plus de chance, maintenant que les médecins lui ont donné un antinarcotique.

— Elle avait pris des narcotiques? demanda Pottersfield. Les analyses l'ont confirmé?

— Oui. Des doses massives. Associés à des sédatifs.

Les enquêteurs pénétrèrent dans l'unité de soins intensifs. L'universitaire dormait au fond de son lit, cernée d'appareils électroniques. Elle avait le teint gris.

— Mademoiselle Farrell? souffla l'inspectrice en s'approchant d'elle.

Les traits de cette dernière se déformèrent sous l'effet de la colère.

— Fichez le camp. Ma tête. Mal. Très mal.

Sa diction était incertaine, les mots mouraient au fond de sa gorge.

— Mademoiselle Farrell. Je suis l'inspectrice en chef Elaine Pottersfield, de Scotland Yard. J'ai besoin de vous parler. Ouvrez les yeux, s'il vous plaît.

L'enseignante battit des paupières.

— Éteignez lumières, exigea-t-elle avec un mouvement de recul. Migraine.

Une infirmière tira les rideaux. Selena Farrell rouvrit les yeux. Elle balaya la pièce du regard, repéra Peter Knight, revint à Elaine Pottersfield, manifestement égarée.

— Que m'est-il arrivé?

— Nous espérons que vous allez nous l'apprendre, intervint le détective.

— Mais je n'en ai pas la moindre idée.

— Pouvez-vous au moins nous expliquer, reprit l'inspectrice, pourquoi nous avons découvert l'un de vos cheveux dans une lettre adressée par Cronos à Karen Pope?

L'information pénétra lentement dans l'esprit embrumé de l'enseignante.

— Pope? La journaliste? Un cheveu?... Non, je ne me souviens pas...

— De quoi vous souvenez-vous? lui demanda Knight.

Farrell cligna de nouveau des yeux, avant de gémir.

— Une pièce sombre. Je suis étendue sur un lit, seule. Ligotée. Impossible de me lever. Ma tête est prête à exploser, mais on ne me donne rien pour soulager ma migraine.

— Qui ça, « on »? insista le détective.

— Des femmes. Plusieurs femmes.

Pottersfield commençait à perdre patience.

— Selena, assena-t-elle. Comprenez-vous que votre ADN vous relie à sept meurtres commis durant ces deux dernières semaines?

Le choc sembla tirer l'enseignante de sa torpeur.

— Quoi? Sept? Je n'ai tué personne. Je n'ai jamais… Quel… Quel jour sommes-nous?

— Samedi 11 août 2012, énonça Knight.

— Non… J'avais l'impression de n'avoir passé qu'une nuit là-bas.

— Où ça? Dans la pièce sombre avec ces femmes? s'enquit l'inspectrice.

— Vous ne me croyez pas?

— Non.

— Pourquoi avez-vous simulé un malaise avant de vous enfuir de votre bureau lorsque Karen Pope vous a fait écouter l'air de flûte? la pressa Knight.

— Je n'ai rien simulé. Je me suis sentie mal parce que… j'avais déjà entendu cette mélodie.

89

Je raccroche après avoir assené mes ordres à Marta. Je me tourne vers Teagan, submergé par un irrépressible désir de lui arracher la tête. Mais c'est elle qui tient le volant, il n'est pas question de risquer un accident à ce stade de notre projet.

— Fais demi-tour, lui dis-je en tâchant de garder mon calme. Nous devons aller à l'usine.

— L'usine ? s'étonne-t-elle, manifestement inquiète. En plein jour ?

— Farrell s'est échappée. Les flics l'ont récupérée dans les parages. Knight et Pottersfield, l'inspectrice de Scotland Yard, sont en train de l'interroger à l'hôpital.

Teagan blêmit.

— Comment est-ce possible ? lui dis-je doucement. Nous n'avions prévu de lui rendre la liberté que demain matin. C'était toi qui étais chargée de la surveiller, ma sœur.

— J'aurais dû t'en parler, essaie-t-elle de se défendre, affolée. Mais tu es soumis à une telle pression depuis deux semaines que j'ai préféré t'épargner. De jeunes types complètement saouls sont entrés dans l'usine pendant que je m'y trouvais hier matin. J'espérais que l'odeur les dissuaderait de descendre au sous-sol. Mais ils ont dû briser le cadenas, puis la faire sortir. Je ne sais pas…

— Nous n'avons plus qu'à effacer nos traces. Conduis-nous là-bas. Immédiatement.

Nous n'échangeons plus un mot. Comme je ne me suis rendu qu'une fois sur les lieux, Teagan ouvre la marche pour me guider. Nous avons apporté chacun plusieurs sacs-poubelles.

La puanteur qui se dégage de la réserve est presque insoutenable. Pourtant, ma jeune Furie entre sans hésiter. J'examine à la dérobée la porte et ses gonds – ils sont intacts.

Je repère le cadenas un peu plus loin, sur le sol. L'arceau métallique est ouvert, mais il n'est pas brisé.

Je m'accroupis et le ramasse. Je passe l'arceau métallique autour de mon majeur et referme mon poing sur la serrure. Teagan, elle, a déjà enfilé des gants pour fourrer les aiguilles et les poches à perfusion dans ses sacs.

— Allons-y, dis-je en m'approchant d'elle, avant de me baisser pour récupérer dans ma main gauche une seringue usagée.

Lorsque je me relève, je me sens plus furieux qu'un amant éconduit. J'approche la seringue de mon sac-poubelle : je fais diversion. Puis j'assène à Teagan un violent uppercut.

Elle n'a rien vu venir, et le cadenas que je serre a décuplé ma puissance.

Un coup unique a suffi à lui broyer le larynx.

Elle recule en titubant, elle suffoque, le visage violacé, les yeux exorbités. Elle me dévisage, incrédule. Je frappe une deuxième fois : je lui brise le nez et la projette contre le mur. Je suis un être supérieur, voilà ce qu'elle comprend enfin. Mon poing s'abat sur sa tempe. Elle s'effondre dans les ordures.

90

— Bien sûr que vous avez déjà entendu cette mélodie, répliqua Elaine Pottersfield. Le fichier mp3 se trouvait dans votre ordinateur. Ainsi que le programme qui vous a permis de prendre le contrôle des panneaux d'affichage du stade olympique, le soir de la cérémonie d'ouverture.

— Quoi? hurla Selena Farrell en tentant de se redresser – le mouvement lui arracha une grimace de douleur. Non, non! Quelqu'un s'est mis à enregistrer cette musique voilà environ un an sur mon répondeur téléphonique. Puis j'ai en effet reçu le fichier mp3, à de nombreuses reprises, en pièce jointe d'e-mails envoyés par un expéditeur anonyme. J'étais victime de harcèlement. Au bout d'un moment, chaque nouvelle écoute me donnait la migraine.

— C'est grotesque! cracha l'inspectrice. Mais vous avez de l'imagination. Qu'en est-il du logiciel de piratage?

— J'ignore de quoi vous parlez. Quelqu'un a dû l'installer sur mon ordinateur. Peut-être celui ou celle qui m'expédiait cet air de flûte.

Peter Knight demeurait sceptique.

— Avez-vous porté plainte?

L'enseignante hocha vigoureusement la tête.

— Deux fois. Au commissariat de Wapping. Mais les inspecteurs m'ont expliqué qu'il n'y avait rien de répréhensible dans le comportement de cette personne. J'ai eu beau leur dire que j'avais des soupçons quant à l'identité du harceleur, ils n'ont rien voulu entendre. Ils m'ont simplement conseillé de changer de numéro de téléphone et d'adresse électronique. Je l'ai fait. Tout s'est arrêté. Mes migraines ont également cessé, jusqu'à ce que Karen Pope m'oblige à écouter de nouveau ce sale petit air dans mon bureau.

Le détective s'interrogeait. Était-il possible que l'universitaire eût simplement servi de diversion à Cronos? Pourquoi ne s'était-il pas contenté de l'exécuter?

— Qui vous traquait ainsi, selon vous? s'enquit Pottersfield, qui semblait avoir suivi le même raisonnement que son beau-frère.

— Je n'ai connu qu'un homme sachant jouer de la flûte de Pan.

Les deux enquêteurs ne soufflaient mot.

— Jim Daring. L'un des conservateurs du British Museum. Vous le connaissez? Il présente une émission télévisée.

Knight se rappela le ton élogieux avec lequel ce dernier avait évoqué Selena Farrell quand il lui avait rendu visite en compagnie de Karen Pope. Il avait insisté à plusieurs reprises pour qu'ils s'entretiennent avec elle au King's College. S'agissait-il d'un coup monté?

— Comment saviez-vous qu'il jouait de la flûte de Pan? reprit l'inspectrice, dubitative. Et pour quelle raison vous aurait-il harcelée en se servant de cette mélodie?

— Il possédait une flûte de Pan lorsqu'il se trouvait en poste dans les Balkans, durant les années 1990. Il en jouait régulièrement pour moi.

— Et…? insista le détective.

L'enseignante hésita.

— Daring est tombé amoureux de moi. Quand je lui ai expliqué que je ne partageais pas ses sentiments, il s'est mis en colère. Ça a viré chez lui à l'obsession. Il s'est mis à me harceler. J'ai dénoncé son comportement aux autorités compétentes. Mais, peu après, j'ai été victime d'un accident de la route. On m'a évacuée par avion de Sarajevo. Je ne l'ai pas revu depuis.

— Pas une seule fois? s'étonna Knight. Ça fait pourtant… combien…?

— Seize ou dix-sept ans.

— Néanmoins, intervint Pottersfield, c'est lui que vous avez tout de suite soupçonné.

Farrell se raidit.

— Qui d'autre, sinon?

— Le fait est qu'il a disparu lui aussi, l'informa l'enquêtrice.

— Quoi? s'étrangla Farrell, déboussolée.

— Vous nous avez déclaré qu'on vous séquestrait dans une pièce sombre surveillée par des femmes, reprit le détective. Comment en êtes-vous sortie?

L'enseignante réfléchit longuement.

— Grâce à de jeunes hommes, mais je ne suis… Non… Je me rappelle parfaitement plusieurs voix masculines. Ensuite, je me suis de nouveau évanouie. Quand je suis revenue à moi, on m'avait désentravé les jambes et les bras. Je me suis levée, j'ai repéré une porte et…

Son regard se perdit un instant dans le vague.

— Je pense que je me trouvais dans une usine désaffectée. Les murs étaient en brique…

— Vous avez parlé à l'un de nos agents d'un cadavre dont on avait coupé les mains…, enchaîna Pottersfield.

De l'effroi se peignit sur les traits de Selena Farrell. Ses yeux erraient de l'inspectrice au détective.

— Un cadavre de femme, lâcha-t-elle enfin. Elle était couverte de mouches. Il y en avait des centaines.

— Où se situait le corps?

— Je l'ignore. Quelque part dans cette usine. Je souffrais de vertiges. Je suis tombée plusieurs fois. Je n'avais vraiment pas les idées claires.

Au bout d'une longue pause, Pottersfield fit jaillir son portable de sa poche. Elle se leva, s'éloigna du lit et composa un numéro.

— Tâchez de me dénicher des locaux désaffectés non loin de l'usine à gaz de Beckton, ordonna-t-elle dans le combiné.

Avec des murs de brique. Vous y découvrirez peut-être un cadavre auquel on aura sectionné les deux mains.

— Comment vous êtes-vous retrouvée là-bas? fit soudain Knight, songeant au compte-rendu que Karen Pope lui avait livré au sujet de l'enseignante.

— Je ne m'en souviens pas.

— Quelle est la dernière chose que vous vous rappelez? insista Pottersfield, qui venait de raccrocher.

— Je n'en sais rien.

— Syren St. James aurait-elle meilleure mémoire?

— Qui? interrogea Farrell, visiblement secouée.

L'inspectrice enfonça le clou:

— Votre alter ego. Celle qui fréquente le milieu lesbien branché de notre capitale.

— J'ignore de quoi...

— Tous les Londoniens connaissent maintenant Syren St. James, la coupa le détective. Son nom a fait la une des journaux.

— Quoi? hoqueta l'enseignante, anéantie. Comment...?

— Karen Pope. Ses investigations lui ont permis de mettre au jour votre double vie. Elle lui a consacré un article.

— De quel droit? murmura Farrell.

— Parce que l'ADN vous reliait aux meurtres, répondit Pottersfield, qui revint à la charge. C'est d'ailleurs toujours le cas. L'ADN établit une relation évidente entre vous et Cronos.

— Je ne suis pas Cronos! glapit l'enseignante, au bord de la crise de nerfs. Ni l'une de ses Furies! Je menais une existence secrète, certes, mais cela ne concerne que moi. Je n'ai rien à voir avec ces meurtres!

L'infirmière de garde se précipita dans la chambre en exigeant des deux enquêteurs qu'ils sortent sur-le-champ.

— Encore une minute, s'entêta l'inspectrice en chef. La dernière fois qu'on vous a vue, c'était au Candy Bar. Le vendredi 27 juillet.

Farrell semblait douter de l'information.

301

— Votre amie Nell nous a parlé, poursuivit Knight. Elle a raconté à Pope que vous aviez rejoint une femme coiffée d'une toque, qui dissimulait son visage derrière une voilette.

— C'est exact. Je l'ai accompagnée jusqu'à sa voiture. Elle m'a proposé un verre de vin. Et… Elle m'a droguée.

— Qui est cette femme? exigea de savoir Pottersfield.

— Je ne connais pas son vrai nom. J'imagine qu'elle utilisait un pseudonyme, comme moi. Elle m'a dit qu'elle s'appelait Marta. Et qu'elle était originaire d'Estonie.

91

Ce même samedi, en fin d'après-midi, de violents orages déchirèrent le ciel de Londres.

Aux éclairs succéda une pluie diluvienne, qui s'abattait sur le pare-brise du véhicule banalisé d'Elaine Pottersfield. L'inspectrice fonçait vers Chelsea, sirène hurlante. Elle jetait des coups d'œil furibonds à Peter Knight, qui regardait droit devant lui, la mine effarée comme s'il avait vu un fantôme. Il ne cessait de composer le numéro de portable de Marta.

— Réponds, réponds, réponds... Réponds, salope.

— Comment avez-vous pu l'engager sans vérifier les informations qu'elle vous a données? hurla soudain sa belle-sœur.

— Mais je les ai vérifiées, Elaine! Et vous aussi! Elle représentait précisément ce dont j'avais besoin.

Ils s'immobilisèrent dans un crissement de pneus devant le domicile du détective. Plusieurs voitures de police s'y trouvaient déjà garées. Leurs gyrophares jetaient des éclats à travers tout le quartier. Malgré la pluie, les badauds se massaient aux abords de la maison. Des agents en uniforme commençaient à établir un périmètre de sécurité.

Knight se précipita, avec l'impression de tâtonner sur le bord d'un insondable abîme.

Bella. Mon petit Lukey... C'est leur anniversaire, aujourd'hui...

L'inspecteur Billy Casper, de Scotland Yard, l'accueillit sur le seuil, la mine sombre.

— Je suis navré, Peter. Nous sommes arrivés trop tard.

— Non… Non!…

Où qu'il portât le regard, le souvenir de ses enfants lui jaillissait au visage – les jouets, le talc, les sachets emplis de ballons attendant qu'on les gonfle, les serpentins, les bougies… Hébété, il gagna la cuisine. Il restait du lait dans le bol de céréales de Luke. La petite couverture d'Isabel gisait sur le sol, à côté de sa chaise.

Elle doit se sentir perdue sans elle, songea Knight en la ramassant. Il n'était pas loin de défaillir.

— Fouillez son appartement, pressa-t-il Pottersfield, qui venait de le rejoindre. L'adresse est inscrite sur son CV. Quant à ses empreintes, vous les trouverez dans toutes les pièces de la maison. Pouvez-vous tracer son mobile?

— Si elle continue de s'en servir. Pendant ce temps-là, appelez votre amie Karen Pope. De mon côté, je vais alerter tous les journalistes que je connais. Dans quelques heures, la photo des jumeaux sera partout. Quelqu'un a forcément vu quelque chose, Peter.

Le détective, qui commençait d'acquiescer, se ravisa soudain.

— Et s'ils ne demandaient que ça?

— Je ne comprends pas.

— L'enlèvement ne constitue peut-être qu'une diversion. Réfléchissez. Si nous annonçons au pays que mes enfants ont été kidnappés par l'une des complices de Cronos, l'attention des forces de l'ordre comme des médias se portera exclusivement sur Isabel et Luke. Plus personne ne se préoccupera des Jeux. Cronos pourra frapper à sa guise.

— Mais nous devons agir, Peter.

— Attendons quelques heures. Voyons comment ils réagissent. S'ils n'ont pas téléphoné… à 20 heures, disons… alors nous placarderons partout le portrait des jumeaux.

Sans laisser à sa belle-sœur le temps de réagir, Knight composa le numéro de Hooligan.

— Tu as vu ça? lança celui-ci, euphorique. On en est à un partout!

— Viens chez moi, le coupa le détective. Immédiatement.

— Immédiatement? glapit le scientifique, un peu éméché. Tu es tombé sur la tête? C'est la médaille d'or qui est en train de se jouer, et j'ai des places épatantes!

— Cronos a kidnappé mes enfants.

— Oh non! Bordel de merde... J'arrive, Peter. J'arrive.

Knight raccrocha. Pottersfield tendit la main vers son portable.

— Je vous l'emprunte quelques minutes, le temps d'installer un mouchard.

Le détective gravit l'escalier. Dans sa chambre, il récupéra la photo de Kate, qu'il emporta dans celle des enfants. Un coup de tonnerre ébranla les murs de la maison. Il s'assit sur la banquette, contempla les deux petits lits vides, fixa le papier peint que sa défunte épouse avait choisi. Était-il voué au malheur?

Il remarqua la bouteille d'antihistaminique sur la table à langer. Reposant le portrait de Kate à côté de lui, il se leva. La bouteille était presque vide. Une violente colère s'empara de lui: elle avait drogué ses enfants à son nez et à sa barbe!

Pottersfield le rejoignit pour lui rendre son téléphone.

— Mes hommes ont découvert deux cadavres dans une usine désaffectée contenant des déchets toxiques. Deux femmes d'une trentaine d'années. L'une a été battue à mort il y a quelques heures. L'autre est décédée plus tôt dans la semaine. On lui a coupé les deux mains. Nous supposons qu'il s'agit d'Andjela Brazlic et de Nada, sa sœur aînée.

— Deux Furies éliminées. Il ne reste que Cronos et Marta. Pensez-vous qu'il pourrait s'agir de Daring? Après ce que Farrell nous a appris... Les Balkans, le harcèlement... La flûte...

— Je n'en sais strictement rien.

Le détective se sentit soudain envahi par le doute. Il étouffait.

— Je suis incapable de rester assis là à attendre, Elaine. Il faut que je bouge. Ça ne vous dérange pas?

— Bien sûr que non. Mais laissez votre portable allumé.

— Dites à Hooligan de m'appeler dès qu'il arrivera. Il faudrait également prévenir Jack Morgan. Il est au stade, pour les courses de relais.

— Nous les retrouverons, Peter.

— Je sais, répondit ce dernier, dont les certitudes vacillaient pourtant.

Il enfila un ciré et quitta son domicile par la porte de derrière – il ne souhaitait pas affronter les journalistes s'ils avaient déjà eu vent de l'affaire. Il descendit l'allée. Allait-il marcher au hasard ou prendre la voiture pour retourner prier dans l'église de High Beach? Il était indécis. Soudain, la lumière se fit dans son esprit tourmenté – il venait de choisir sa destination.

Lorsqu'il atteignit Milner Street, ses cheveux et son pantalon étaient trempés. Il sonna. Actionna le heurtoir sans attendre de réponse. Il fixait l'objectif de la caméra de surveillance.

Boss ouvrit la porte.

— Elle ne reçoit personne…, commença l'assistant d'un ton sec.

— Dégage, répliqua Knight d'une voix si menaçante que le jeune homme s'écarta sans protester.

Quelques secondes plus tard, il pénétrait dans l'atelier de sa mère. Penchée sur sa table de travail, elle découpait des morceaux de tissu. Plus d'une douzaine de modèles se trouvaient suspendus à des cintres.

Elle releva la tête, excédée.

— Il me semblait pourtant m'être montrée assez claire, Peter: j'exige de rester seule.

— Maman, je…

— Laisse-moi tranquille, le coupa Amanda. Que fais-tu ici, pour l'amour du ciel? Tes enfants fêtent leur anniversaire. C'est avec eux que tu devrais te trouver.

C'en était trop. Pris de vertige, Knight s'effondra et perdit connaissance.

92

Karen Pope se précipitait sous la bruine en direction de Chelsea. Elle avait appris, par un confrère proche des forces de l'ordre, que quelque chose de grave s'était produit dans la maison de Peter Knight. Depuis, elle tentait en vain de le joindre par téléphone.

Chaque fois qu'elle composait le numéro de son portable, elle entendait un étrange petit bip, après quoi un disque s'enclenchait, indiquant qu'un problème de réseau empêchait la communication d'aboutir.

— Salut! lui lança Hooligan aux abords de la demeure. Peter vous a appelée, vous aussi?

Il avait les yeux rouges et son haleine empestait la cigarette, l'ail et la bière.

— J'arrive du stade de Wembley, lui indiqua-t-il. Et j'ai loupé le but de la victoire!

La jeune femme l'interrompit pour lui demander ce qui se tramait. Lorsqu'il eut évoqué l'enlèvement d'Isabel et Luke, elle sentit les larmes lui monter aux yeux.

— Mais pourquoi? Pourquoi ses enfants?

Elle posa la même question à Pottersfield.

— Peter pense qu'il s'agit d'une diversion.

— Cette Marta fréquente les lieux depuis quinze jours, c'est bien ça? s'enquit Hooligan d'une voix pâteuse.

— À peu près, oui, confirma Karen Pope.

— Dans ce cas, je suppose que Cronos l'a envoyée ici pour nous espionner. Il n'avait pas les moyens de recruter une taupe à Scotland Yard. Alors il a introduit Marta dans les rouages de l'agence Private.

— Je vous suis, acquiesça l'inspectrice.

— Où se trouvent l'ordinateur de Peter et ses téléphones?

— Il a son mobile sur lui. Le fixe est dans la cuisine. Quant à l'ordinateur, j'en ai vu un dans sa chambre, à l'étage.

Vingt minutes plus tard, le scientifique rejoignait les deux femmes, qui conversaient avec Billy Casper.

— Bingo! annonça-t-il en brandissant deux sacs à indices hermétiquement fermés. J'ai récupéré un mouchard dans le téléphone et un logiciel enregistreur de frappe dans l'ordi. Je suppose que son portable est également tracé.

— Appelez-le, lui ordonna Pottersfield.

— J'ai essayé. J'ai aussi tenté de lui envoyer un texto. Pas de réponse. Sauf un disque signalant des problèmes de réseau.

93

La nuit tombait autour de l'atelier d'Amanda. Le téléphone portable de Peter Knight reposait sur la table basse. Assis sur le sofa, le détective le fixait, l'esprit et l'estomac plus vides que jamais.

Pourquoi n'avaient-ils pas appelé?

— Je sais que la situation est insoutenable, lui dit doucement sa mère, assise à ses côtés, mais tu ne dois pas perdre espoir.

— Assurément, renchérit Boss avec emphase. Vos petits diables sont des guerriers. Il faut vous montrer à la hauteur de leur vaillance.

Hélas, Knight avait sombré dans un abattement presque identique à celui qui l'avait accablé trois ans plus tôt, tandis que, tenant les deux nouveau-nés dans ses bras, il avait regardé s'éloigner l'ambulance emportant le corps sans vie de Kate.

— C'est leur anniversaire, murmura-t-il. Ils désiraient simplement ce que désirent tous les enfants de leur âge: un gâteau, des glaces...

Amanda lui caressa les cheveux. C'était, de sa part, un geste si rare que son fils se tourna vers elle en souriant faiblement.

— Je sais que tu traverses une terrible épreuve, maman, mais je tenais à te remercier pour ta gentillesse à leur égard. Les seuls cadeaux qu'ils ont eu l'occasion d'ouvrir étaient les tiens.

— C'est vrai? s'étonna-t-elle. J'ignorais qu'ils se trouvaient déjà chez toi.

— Je me suis dépêché, expliqua l'assistant. J'ai pensé que cela leur ferait plaisir.

— Merci, Boss, intervint le détective. Ils étaient heureux comme des rois. Oh, et le portrait de Kate à l'intérieur du médaillon… Quelle délicate attention de ta part, maman…

Le regard d'Amanda, d'ordinaire flegmatique, s'embua.

— Boss et moi étions inquiets. Nous avions peur qu'ils soient déçus parce qu'il ne s'agissait pas de jouets.

— Au contraire, ils en sont fous, insista son fils. Luke exhibait sa montre comme s'il venait de remporter une médaille d'or. Et le pendentif d'Isabel lui va à ravir. Je crois qu'elle ne le quittera plus.

Amanda cligna des yeux, puis se tourna vers son assistant avant de parler :

— Tu penses qu'ils les portent en ce moment, Peter? La montre et la chaîne?

— Je suppose que oui. En tout cas, je ne les ai pas vues dans la maison.

Sa mère dévisagea de nouveau Boss, qui lui décocha un large sourire.

— Vous les avez activées? lui demanda Amanda.

— Avant même que la garantie ne soit enregistrée!

— Mais de quoi parlez-vous? intervint Knight, ahuri.

— Tu n'as pas lu l'emballage de leurs cadeaux? s'exclama sa mère. Le pendentif et la montre ont été fabriqués par Trace Angels, une société dans laquelle j'ai investi il y a quelque temps. Tous leurs articles comportent un mini-transmetteur GPS, qui permet aux parents de suivre leurs enfants à la trace!

94

Peter Knight se rua hors du domicile de sa mère, sans quitter des yeux les deux petits cœurs électroniques se déplaçant lentement sur l'écran de son iPhone.

S'il en croyait la carte, Luke et Isabel se trouvaient à moins de deux kilomètres. Le détective n'avait pas hésité une seconde. Une fois dans la rue, il pria pour voir passer un taxi. En attendant, il allait tenter de comprendre pourquoi son portable ne fonctionnait pas à l'intérieur de la maison.

Il composa le numéro de Karen Pope pour la énième fois. Pour la énième fois, un message enregistré l'informa d'un problème de réseau. Il s'apprêtait à rentrer dans la demeure lorsqu'il avisa un taxi.

Il le héla aussitôt.

— La station de métro de Lancaster Gate, lança-t-il au chauffeur en s'engouffrant dans la voiture.

— Pas de souci, mec.

Le conducteur eut un instant d'hésitation.

— Hé! s'écria-t-il. Mais c'est toi, mec!

Il s'agissait du vieux Jamaïcain qui s'était élancé avec Knight à la poursuite du véhicule sous les roues duquel Mike Lancer et lui avaient failli passer.

— Cronos a enlevé mes gosses.

— Le givré qu'a bousillé Mundaho? glapit le rasta.

— Foncez!

Ils bondirent en direction de Brompton Road, tandis que l'enquêteur s'efforçait de joindre Elaine Pottersfield. En vain. Mais bientôt, le portable vibra – un texto venait d'arriver.

Hooligan en était l'expéditeur :

Suis chez toi. Mouchard dans ton ordi et ton phone. Sans doute un dans ton mobile. Rappelle.

Ils me suivent donc à la trace ? s'affola le détective.

— Arrêtez-vous ! hurla-t-il au Jamaïcain.

— Mais… Et tes mômes, mec ?

— Arrêtez-vous, répéta Knight, qui tâchait de se maîtriser.

Il observa les cœurs en miniature sur son écran. Ils s'étaient figés. Une adresse sur Porchester Terrace.

— Vous avez un portable ? demanda-t-il au chauffeur.

— Celui de ma poulette est tombé en rade aujourd'hui, répondit celui-ci en se garant le long du trottoir. Je lui ai prêté le mien en attendant qu'elle le fasse réparer.

— Et merde !

Scrutant une dernière fois son iPhone, le détective mémorisa l'adresse où l'on avait emmené les jumeaux.

Après quoi il remit son appareil au Jamaïcain, ainsi que deux billets de cinquante livres.

— Écoutez-moi attentivement. Je vais vous laisser ce téléphone, que vous allez emporter avec vous jusqu'à Heathrow.

— Hein ?

— Ne discutez pas, le coupa Knight qui, dans le même temps, griffonnait quelques mots sur une carte de visite. Roulez jusqu'à l'aéroport, puis faites demi-tour pour vous rendre à cette adresse. C'est à Chelsea. Vous y trouverez des policiers. Demandez à parler à l'inspectrice Pottersfield, ou à Hooligan Crawford, de l'agence Private. Remettez-leur mon iPhone. Une récompense vous attendra.

— Et tes gamins, mec ?

Mais le détective avait déjà sauté hors du véhicule. Il traversa Brompton Road en direction de Montpelier Street. Il allait vers le nord, où s'étendait Hyde Park. Il ne tenait pas à ce que des hordes de policiers investissent les lieux.

Un tel déploiement de forces risquait de coûter la vie aux jumeaux – il ne s'en relèverait pas. Il comptait repérer d'abord les lieux en solitaire. Alors, et alors seulement, il dénicherait une cabine publique, d'où il alerterait Elaine, Jack, Hooligan, Karen Pope et Londres tout entier.

Lorsqu'il atteignit la rive occidentale de la Serpentine, il haletait. Dix minutes plus tard, il quittait le parc, les poumons en feu, pour rejoindre la station de Lancaster Gate via Bayswater Road.

Croisant ici et là de joyeux drilles qui célébraient encore la victoire de la Grande-Bretagne sur le Brésil lors de la finale olympique de football, il finit par rejoindre Porchester Terrace. L'adresse correspondait à un logement non loin de Fulton Mews.

Knight demeura sur le trottoir opposé, s'approchant avec précaution de sa cible. Les appartements de l'immeuble blanc possédaient tous des balcons, et des barreaux protégeaient les fenêtres du rez-de-chaussée.

Les bâtiments qui le flanquaient se révélaient strictement identiques. Toutes les vitres étaient noires, à l'exception d'une porte-fenêtre dispensant une faible lueur au troisième étage, à l'angle nord-ouest de l'édifice. Marta retenait-elle les jumeaux dans ce logement?

La pluie se remit à tomber, avec assez d'intensité pour que le détective s'autorise à remettre sa capuche sans risquer d'éveiller l'attention. Il en profita pour traverser la rue.

Isabel et Luke se trouvaient-ils bel et bien dans cet immeuble qu'il venait de longer? Cronos était-il avec eux? Knight venait-il de découvrir la cachette du dément?

Sans cesser son questionnement intérieur, il remarqua que le balcon éclairé jouxtait pratiquement celui du bâtiment voisin. Sans doute était-il possible, au prix de quelques acrobaties, de passer de l'un à l'autre.

L'enquêteur commençait à envisager d'escalader la façade, quand le deuxième balcon s'illumina. Aussitôt, il modifia ses projets : il allait sonner à la porte de cet appartement pour

demander à celui ou celle qui l'occupait s'il pouvait téléphoner – à Pottersfield, en l'occurrence –, puis utiliser le balcon
à des fins de surveillance. Son badge Private convaincrait
n'importe qui de coopérer.

Il profita de ce qu'une femme quittait justement l'immeuble pour se précipiter dans le hall. Il gravit l'escalier
quatre à quatre. Le palier du troisième étage desservait quatre
logements. Il se planta devant le 3B. Un téléviseur fonctionnait. Il sonna en brandissant son badge devant le judas.

Des pas se rapprochèrent. Un verrou claqua. La porte
s'ouvrit, dans laquelle s'encadra un Mike Lancer abasourdi.

— Knight? Qu'est-ce que vous faites là?

95

Vêtu d'un jogging, l'ancien décathlonien exhibait une barbe de plusieurs jours. Il avait les yeux bouffis et rouges. De toute évidence, il avait peu dormi depuis son éviction du Locog.

— C'est vous qui habitez ici? s'étonna le détective.

— Depuis plus de dix ans. Mais que se passe-t-il?

— Puis-je entrer?

Knight n'y comprenait plus rien.

— Bien sûr, répondit Lancer en s'écartant pour le laisser passer. C'est le bazar, mais… Pourquoi êtes-vous ici?

Le détective pénétra dans un bel appartement. La table basse était jonchée de bouteilles de bière vides et de boîtes en carton livrées par un traiteur chinois. Contre un mur de brique se trouvait un vaste ensemble de rangement, au milieu duquel trônait le poste de télévision allumé – la BBC consacrait ses programmes au résumé de l'ultime journée de compétition olympique. Sur un bureau voisin trônait un ordinateur portable, dont un câble bleu s'échappait pour venir s'insérer dans une prise murale.

Ce câble agit sur l'esprit de Peter Knight comme un révélateur.

— Que savez-vous de vos voisins? interrogea-t-il. Ceux qui habitent de l'autre côté de cette cloison.

— Dans l'immeuble mitoyen?

— C'est ça.

— Rien, répondit l'ancien sportif en secouant la tête. Le logement est vide depuis près d'un an, je crois. En tout cas, je n'ai jamais vu personne sur le balcon pendant tout ce temps.

— Il est occupé en ce moment, l'informa le détective.

Il désigna de l'index le câble bleu.

— Il s'agit d'une connexion Internet?

Lancer confirma sans comprendre.

— Vous n'avez pas le Wi-Fi?

— Bien sûr que si. Mais ça, c'est beaucoup plus sûr. Pourquoi vous intéressez-vous à mes voisins?

— Parce que je pense que Cronos ou l'une de ses Furies a loué cet appartement pour accéder à votre connexion.

— Quoi? lâcha Lancer, éberlué.

— C'est de cette façon qu'ils ont réussi à s'introduire dans le système de sécurité des Jeux. Ils ont piraté votre ligne, récupéré vos mots de passe… Le tour était joué.

L'ancien décathlonien cligna des yeux en fixant l'écran de son ordinateur.

— Comment avez-vous appris ça? Comment savez-vous qu'ils logent ici?

— Parce que mes enfants se trouvent avec eux.

— Vos enfants?

Le détective résuma la situation, depuis l'apparition miraculeuse de Marta Brezenova au kidnapping, en passant par les mini-émetteurs GPS dissimulés dans la montre et le pendentif des jumeaux.

— Il faut immédiatement prévenir Scotland Yard et le MI5, conclut Lancer. Et appeler une unité spéciale à la rescousse.

— Occupez-vous-en. De mon côté, je vais tenter de jeter un coup d'œil chez eux de votre balcon. Insistez sur un point : tout doit se dérouler dans le plus grand calme. Pas de sirènes. Pas de tapage. Un malencontreux réflexe défensif de la part de Cronos, et mes enfants sont morts.

Son interlocuteur acquiesça gravement. Il extirpa son mobile de sa poche.

Le balcon voisin se trouvait à moins de deux mètres. Tirés devant la porte-fenêtre, des rideaux blancs vaporeux empêchaient Knight de distinguer l'intérieur du logement.

Un petit vent se leva néanmoins, qui écarta les deux battants de quelques centimètres – révélant une austère moquette blanche, ainsi qu'une table où plusieurs ordinateurs répandaient dans la pièce l'éclat de leur écran.

Le détective s'apprêtait à rejoindre Lancer lorsqu'il entendit pleurer son fils.

— Non, Marta! Lukey veut rentrer à la maison pour sa fête d'anniversaire!

— La ferme, sale petit morveux!

Après quoi retentit le son d'une gifle magistrale.

— Et utilise les toilettes, crétin!

96

Le sang de Peter Knight ne fit qu'un tour. Sans plus se soucier des conséquences, il enjamba la balustrade pour se porter au secours de l'enfant.

Mais ses semelles glissèrent sur le métal trempé. Il comprit qu'il n'atteindrait pas l'appartement voisin. Il allait se rompre les os sur le trottoir, une vingtaine de mètres plus bas.

Du bout des doigts, il agrippa *in extremis* le rebord du balcon. Suspendu dans le vide, il se demandait combien de temps il tiendrait ainsi, lorsque Marta frappa de nouveau le garçonnet en lui hurlant de se taire. Les sanglots de Luke se muèrent en hoquets hystériques. Il n'en fallut pas davantage pour donner à son père l'énergie de se balancer quelques instants de droite et de gauche, à la façon d'un pendule, jusqu'à ce que, à la troisième tentative, il parvînt à poser l'extrémité du pied sur un coin du balcon.

Quelques secondes après, il franchissait la rambarde et se rétablissait en silence, les muscles tremblants. Les pleurs de l'enfant paraissaient étouffés à présent – Marta venait probablement de le bâillonner.

Ignorant la douleur, le détective saisit son Beretta et se glissa dans l'appartement par la porte-fenêtre entrebâillée. Il ôta ses chaussures et traversa la pièce à pas de loup pour gagner l'entrée, d'où lui parvenaient maintenant les plaintes de Luke. Il était déterminé. Marta avait contribué à l'exécution de sir Denton Marshall, plongeant Amanda dans l'affliction.

Elle avait tenté de détruire les JO, puis elle avait enlevé ses enfants. Il n'hésiterait pas à l'abattre pour sauver la chair de sa chair.

Isabel pleurait aussi. Il lui sembla qu'un adulte gémissait également, dans une chambre située sur sa gauche. La porte était ouverte, et les lumières allumées. Knight se rapprocha en rasant le mur. L'entrée du logement desservait deux autres pièces, toutes deux plongées dans le noir. Le détective libéra le cran de sûreté de son arme.

Isabel était étendue sur un matelas. Ligotée, bâillonnée, elle observait Marta d'un œil chargé d'effroi. Celle-ci tournait le dos à la porte. Elle était en train de changer Luke. Impossible pour elle de deviner la présence de Knight.

James Daring, en revanche, le dévisageait.

Une fraction de seconde avait suffi à l'enquêteur pour comprendre la situation.

— Écarte-toi de mon fils, sale garce! assena-t-il en avançant d'un pas, le Beretta pointé sur la jeune Serbe. Sinon, je te loge une balle en pleine tête.

La nourrice pivota sur elle-même, étonnée, mais songeant déjà au fusil d'assaut posé contre le mur, dans un coin de la chambre.

— N'y pense même pas, la mit en garde le détective. À plat ventre, les mains derrière la tête. Ou je te bute. Dépêche-toi.

Les traits de la Furie se dépouillèrent de toute expression, mais elle obtempéra. Lentement. Elle guettait son ennemi comme une lionne prise au piège.

— J'ai dit à terre! s'impatienta Knight en saisissant son pistolet à deux mains, avant de se tourner vers le conservateur : Cronos?

Le regard de Daring chavira, tandis que le détective recevait sur la tête un coup d'une violence inouïe.

97

Dimanche 12 août 2012

Il y eut d'abord le chuintement d'une porte coulissante, puis un bruit de pas sur le carrelage. Karen Pope émergea du mauvais sommeil dans lequel elle avait plongé.

Elle s'était écroulée un peu plus tôt sur un canapé du laboratoire de l'agence Private, ivre de fatigue et d'inquiétude. Depuis que Peter Knight avait quitté son domicile, plus personne n'avait entendu parler de lui.

Pottersfield, Hooligan, Morgan et les autres avaient patienté chez lui toute la nuit. Peu après le lever du jour, l'inspectrice en chef s'était rendue à la morgue pour examiner les deux cadavres de femme découverts dans l'usine désaffectée. Pope et Hooligan avaient regagné les locaux de Private – le scientifique avait aussitôt tenté de mettre un nom sur les empreintes relevées dans la maison du détective.

Le résultat ne s'était pas fait attendre : la baby-sitter se prénommait Senka, la plus âgée des sœurs Brazlic. De son côté, Pottersfield confirma que les corps étaient ceux de ses deux cadettes.

Vers 8 heures du matin, Pope n'y tenait plus : elle avait demandé la permission de prendre un peu de repos sur le sofa. Combien de temps avait-elle dormi ?

— Hooligan, entendit-elle appeler Jack Morgan. Réveille-toi. Il y a un rasta en piteux état qui te réclame à la réception. Il prétend que Peter lui a confié quelque chose pour toi. Il refuse de me le remettre.

La journaliste ouvrit enfin un œil. La pendule murale indiquait 10 h 20.

Deux heures et vingt minutes? Elle s'assit, groggy, avant de se dresser tant bien que mal sur ses pieds pour rejoindre, d'un pas hésitant, Hooligan et Morgan à la réception. Un Jamaïcain s'y trouvait en effet, assis sur la pointe des fesses, non loin de l'ascenseur. Un pansement couvrait en partie sa joue tuméfiée. Il avait un bras dans le plâtre.

— Je m'appelle Hooligan, se présenta le scientifique.

Le rasta se mit péniblement debout et lui serra la main.

— Ketu Oladuwa. Chauffeur de taxi.

— Vous avez eu un accident?

— Et un balèze, mec. J'allais à Heathrow. Je me suis fait déglinguer par une camionnette. J'ai passé la nuit à l'hosto.

— Vous avez des nouvelles de Peter Knight? s'enquit Karen Pope.

— Attends, la miss, la calma le Jamaïcain en plongeant sa main valide au fond de sa poche pour en extirper un iPhone en miettes. Il m'a donné ce machin-là hier soir en me demandant de rouler avec jusqu'à l'aéroport avant de le rapporter chez lui, où j'étais censé tomber sur vous. J'y suis allé en sortant de l'hosto ce matin, mais les keufs m'ont dit que vous aviez filé. Alors je suis venu ici.

— Il vous a demandé de nous remettre un portable cassé? s'étonna Jack Morgan.

— Ben non, s'indigna le chauffeur. Il était impec avant l'accident. Il a dit qu'il y avait un truc dans ce bidule-là qui vous aiderait à retrouver ses mômes.

— Et merde, grommela Hooligan.

Il s'empara des vestiges de l'iPhone, qu'il se hâta d'emporter dans son laboratoire, Pope et Morgan sur les talons.

— Hé! s'écria le Jamaïcain. Il m'a promis une récompense, mec!

98

Peter Knight émergea lentement, tiré de l'inconscience par une odeur de viande grillée. Il ignorait qui il était, il ignorait où il se trouvait.

Il reposait sur une surface dure. L'ouïe lui revint peu à peu. Ce furent d'abord des sons indistincts, pareils à un ressac, qui se muèrent en bruits parasites, dont il finit par identifier la nature : des voix, s'échappant d'un téléviseur. Dans le même temps, il retrouva la mémoire. Il tenta de bouger. En vain. Ses poignets étaient entravés.

Le vilain petit air de flûte s'éleva non loin de lui. Le détective s'obligea à ouvrir les yeux. Il ne se trouvait plus dans la chambre où il avait perdu connaissance. Du parquet avait remplacé la moquette, et les murs blancs avaient cédé la place à de sombres cloisons. Elles oscillaient, comme aux prises avec une mer déchaînée.

La nausée le contraignit à baisser les paupières. L'air de flûte ne cessait pas. Quand il s'efforça de tourner la tête, une violente douleur lui martela l'arrière du crâne. Il rouvrit les yeux pour découvrir Isabel et Luke, évanouis sur le sol, non loin de lui, toujours ligotés et bâillonnés.

Un lit occupait le centre de la pièce, sur lequel gisait James Daring.

Knight avait beau n'être pas tout à fait sorti de ses brumes, il saisit immédiatement que le conservateur était en très mauvaise posture. Bras et jambes attachés aux montants du lit, on l'avait affublé d'une blouse d'hôpital. Un morceau de ruban adhésif lui couvrait la bouche. Une aiguille enfoncée dans son poignet le reliait, au moyen d'un tube flexible, à une poche à perfusion fixée à un goutte-à-goutte.

Le sale petit air de flûte s'interrompit. Une silhouette à contre-jour s'approcha du détective.

Mike Lancer tenait dans une main sa carabine, dans l'autre un verre de jus d'orange. Il le posa sur une table avant de s'accroupir à côté de l'enquêteur. Il le considéra avec une pointe d'amusement.

— Je vois qu'on est en pleine forme, lui dit-il en brandissant son arme. Ces vieux trucs antiémeute sont épatants. Ça fonctionne à l'air comprimé, mais ça vous assommerait un bœuf.

— Cronos? l'interrogea Knight, encore étourdi et vaguement écœuré par l'haleine alcoolisée de son interlocuteur.

— Je me doutais dès le départ que vous risquiez de me démasquer. Du moins, j'y songe depuis la mort prématurée de Dan Carter. C'est pourquoi j'ai pris les précautions nécessaires.

— Vous aviez voué votre existence aux Jeux. Pourquoi avez-vous tout détruit?

Lancer appuya son fusil contre son genou pour se gratter l'arrière de la tête. Ses traits se tordirent un instant sous l'effet de la colère. Il se releva, saisit son verre et se désaltéra.

— Les Jeux de l'ère moderne ne sont que corruption, assena-t-il. Des juges qui acceptent des pots-de-vin. Des créatures génétiquement modifiées. Des monstres gorgés de produits dopants. Il fallait purifier le système et j'étais le seul à…

— Arrêtez vos sornettes.

L'ancien décathlonien lança son verre à la figure du détective. Il le manqua de peu. L'objet se brisa contre le mur.

— Pour qui vous prenez-vous?

— Vous n'avez pas entrepris cette croisade dans l'unique but de rendre leur pureté aux Jeux. Vous avez sacrifié vos victimes sous les yeux du monde entier. Il faut éprouver une immense fureur pour agir ainsi.

— Je suis Cronos! rugit Lancer, qui jeta en direction des jumeaux un regard chargé de haine. Le dévoreur d'enfants!

La menace glaça le sang de leur père. Jusqu'où ce dément était-il capable d'aller?

— Il vous est arrivé quelque chose, insista le détective. Quelque chose qui a fait naître en vous cette rage dont vous vous êtes nourri pour mener à bien votre mission.

— Les jeux Olympiques sont censés constituer une célébration religieuse, où des hommes et des femmes d'honneur s'affrontent sous les yeux des divinités. Les épreuves de l'ère moderne en représentent l'exact opposé. Les dieux ont été offensés par l'arrogance humaine, par l'orgueil de notre race.

La vision de Knight se brouilla de nouveau, tandis que des nausées l'assaillaient encore. Son cerveau, en revanche, fonctionnait de mieux en mieux. Il secoua la tête.

— Ce ne sont pas les dieux qu'on a offensés. C'est vous. Qui étaient-ils, ces arrogants que vous évoquez?

— Ceux qui sont morts durant ces deux dernières semaines. Ainsi que Dan Carter, et vos trois charmants confrères.

Le détective planta son regard dans celui de Lancer, tâchant en vain de jauger la profondeur de sa perversité.

— C'est vous qui avez fait sauter l'avion?

— Carter était à deux doigts de me démasquer. Les trois autres font partie de ce qu'on appelle les dommages collatéraux.

— Dommages collatéraux! éructa l'enquêteur, qui éprouvait des envies de meurtre – il aurait volontiers démembré l'ancien décathlonien, n'était cette migraine qui le laissait pantelant.

— Qui vous a offensé? finit-il par demander.

Lancer se taisait, l'œil perdu vers son passé, les traits durcis.

— Qui? insista Knight.

— Les médecins.

99

J'entreprends de lui brosser à grands traits une histoire que les sœurs Brazlic étaient jusque-là les seules à connaître dans son intégralité. La haine originelle qui m'a poussé à poignarder ma mère, puis à éliminer les monstres qui m'avaient lapidé peu après mon installation chez le pasteur Bob à Brixton, l'une des banlieues les plus difficiles de Londres.

Je raconte à Knight qu'au printemps de ma quinzième année le pasteur m'a inscrit à un meeting d'athlétisme : il me jugeait plus rapide et plus puissant que la plupart des garçons de mon âge, sans pour autant mesurer l'ampleur de mes capacités réelles. Je ne les évaluais pas davantage.

— J'ai remporté six épreuves : le 100 et le 200 mètres, le javelot, le triple saut, le saut en longueur et le disque. J'ai renouvelé l'exploit lors d'une compétition régionale, puis à l'occasion d'une rencontre nationale junior organisée à Sheffield. Un certain Lionel Higgins est venu me trouver. Il entraînait des décathloniens. Il m'a assuré que je possédais suffisamment de talent pour devenir champion du monde de la discipline, puis ravir l'or olympique. Il allait, m'a-t-il dit, s'arranger pour que je puisse m'entraîner aussi souvent que j'en aurais besoin. Il m'a farci la tête de rêves de gloire. Il a fait miroiter devant moi cet idéal olympique depuis longtemps évanoui. J'ai mordu à l'hameçon au-delà de ses espérances.

Je poursuis mon récit à l'intention de Knight, lui exposant que, quinze années durant, j'ai modelé mon existence en vue

325

des jeux Olympiques de Barcelone, qui devaient se tenir en 1992 : j'ai intégré le régiment des Coldstream Guards, dont les instances supérieures, contre une décennie passée dans leurs rangs, m'autorisaient à m'entraîner à ma guise. J'ai poursuivi ma quête, en dépit des migraines qui, au moins une fois par mois, m'obligeaient à garder le lit plusieurs jours.

— Nous savions qu'il ferait humide et chaud dans la ville espagnole, dis-je au détective. C'est pourquoi Higgins m'a expédié en Inde, songeant qu'un séjour à Bombay me rendrait le climat de Barcelone inoffensif. Il avait raison. J'étais le mieux préparé de l'ensemble des décathloniens. Et je me sentais prêt à souffrir plus que quiconque pour parvenir à mes nobles fins.

Enveloppé dans les ténèbres de ma mémoire, je secoue violemment la tête, pareil à un terrier en train de briser l'échine d'un rat.

— Mais mes efforts se sont révélés inutiles.

J'explique à Knight que je suis classé en tête au terme du premier jour de compétition – 110 mètres haies, saut en hauteur, disque, perche et 400 mètres. Mais la température était si élevée et l'atmosphère si oppressante que j'ai fini par craquer : victime de crampes épouvantables, je me suis évanoui après avoir décroché la deuxième place au 400 mètres.

— On m'a immédiatement emmené sous une tente médicalisée. Higgins et moi savions qu'il suffisait de rétablir mon équilibre électrolytique au moyen d'un cocktail parfaitement légal, mis au point par mon entraîneur et adapté à mon métabolisme. Mais ces charlatans n'ont rien voulu savoir. Et je me sentais si faible. Ils m'ont perfusé contre mon gré.

Livide, je contemple le détective en me remémorant cette terrible expérience.

— Le lendemain, enchaîné-je, je n'étais plus que l'ombre de moi-même. Le saut en longueur et le javelot représentaient mes épreuves reines. J'ai échoué dans les deux. J'étais le champion du monde en titre, et j'ai bouclé la compétition au-delà de la dixième place.

La fureur me consume à présent tout entier. Je dévisage Peter Knight.

— Mes rêves ont volé en éclats. C'en était fini de la gloire olympique. Impossible, désormais, de prouver ma supériorité à la planète. J'étais tombé sous les coups de la corruption généralisée en vigueur dans les Jeux de l'ère moderne.

Le détective me considère avec une méfiance mêlée de crainte, pareille à celle que j'ai lue dans les yeux de Marta et de ses sœurs lorsque je leur ai proposé de les aider à sortir jadis du commissariat bosniaque où on les avait enfermées.

— Vous étiez pourtant double champion du monde, m'objecte-t-il.

— Les immortels enlèvent l'or olympique. Le reste ne compte pas. Les êtres supérieurs grimpent sur la plus haute marche du podium. Mais les monstres m'ont privé de mes chances. Il s'agissait d'un acte délibéré.

— C'est alors que vous avez mis sur pied votre projet de vengeance, commente Knight, incrédule. Il y a déjà vingt ans?

— J'avoue que mon ressentiment n'a fait que croître au fil du temps. J'ai commencé par les médecins espagnols qui m'avaient drogué. Ils sont tous morts de mort naturelle en septembre 1993. Quant aux arbitres de la compétition, ils ont succombé à divers accidents de la circulation, entre 1994 et les premiers mois de 1995.

— Et les Furies?

Je m'assois sur un tabouret, à quelques pas de mon captif.

— Tout le monde, ou presque, ignore que pendant l'été 1995, après avoir achevé sa mission au service de la reine, mon régiment a été expédié à Sarajevo dans le cadre de l'opération de maintien de la paix organisée par l'Otan. J'y suis demeuré moins de cinq semaines : une bombe a fait exploser le véhicule dans lequel je roulais avec plusieurs camarades. Je me suis retrouvé avec le crâne fracassé pour la deuxième fois de ma vie.

La diction de Peter Knight devient peu à peu plus claire, son regard moins vitreux.

— L'accident est-il survenu avant ou après que vous avez permis aux sœurs Brazlic de jouer les filles de l'air?

— Avant. J'ai procuré à mes Furies de faux passeports, afin de les ramener à Londres, où elles se sont installées dans l'appartement voisin du mien. Nous avons même aménagé une porte secrète reliant les deux logements. Ainsi semblions-nous mener tous quatre des existences séparées.

— Mais consacrées toutes les quatre à l'anéantissement des JO, constate le détective sur un ton caustique.

— En effet. Je vous l'ai déjà dit, ce sont les dieux qui ont armé mon bras. Ce sont eux qui ont pourvu à tout. Tel est le destin. Comment, sinon, expliquer que, très vite, on m'ait proposé d'intégrer le Locog? Et comment expliquer que ce soit précisément notre capitale qui ait raflé la mise? Le sort m'a permis de m'introduire d'emblée au cœur du système. J'ai eu les coudées franches. Et maintenant, tandis que tout le monde vous recherche, ainsi que vos enfants, il ne me reste plus qu'à parachever ma tâche.

— Vous êtes cinglé, grimace Peter Knight.

— Non. Je suis un être supérieur dont vous êtes incapable de saisir la subtilité.

Sur ce, je me lève et m'éloigne. Le détective me hèle.

— Et les Furies? Allez-vous les liquider toutes les trois avant le bouquet final? Comptez-vous tuer Marta pour disparaître ensuite?

Je lâche un petit rire moqueur.

— Absolument pas. À l'heure qu'il est, Marta est en train de déposer le pendentif et la montre de vos jumeaux dans des trains à destination de l'Écosse et de la France. Après quoi, elle reviendra ici. Elle libérera M. Daring. Ensuite, elle abattra Luke et Isabel. Et puis vous.

100

La douleur martelait les tempes de Peter Knight, comme si on venait de le frapper à nouveau. Il se tourna vers ses enfants endormis. Plus de pendentif ni de montre, en effet. Personne ne serait en mesure de retrouver leur trace. Et ce maudit chauffeur de taxi? Pourquoi diable n'avait-il pas remis l'iPhone à Hooligan ou Pottersfield? Pourquoi ces derniers ne s'étaient-ils pas lancés à sa recherche? Suivaient-ils la fausse piste des trains pour la France et l'Écosse?

Le détective reporta son attention sur Lancer, qui rassemblait un sac et une liasse de documents.

— Mes gosses n'ont rien fait, plaida leur père. Ils n'ont que trois ans. Ce sont des innocents.

— Ce sont de petits monstres, objecta l'ancien décathlonien d'une voix égale, en se dirigeant vers la porte. Adieu, Knight. J'ai été ravi de vous affronter, mais que voulez-vous: le meilleur a gagné.

— Vous n'avez rien gagné du tout! Mundaho en est la preuve vivante. Vous n'avez rien gagné du tout. L'esprit olympique survivra malgré vous.

Lancer pivota pour se ruer vers son prisonnier, mais le son d'un coup de feu, à l'intérieur du poste de télévision, le fit sursauter. Il se figea.

— Le marathon vient de commencer, observa-t-il avec un petit sourire narquois. L'ultime combat est engagé. Vous savez quoi, Knight? Parce que je suis un être supérieur, je vais vous laisser vivre jusqu'au terme de la compétition. Avant de vous tuer, Marta vous autorisera à suivre mes derniers exploits : vous me verrez ainsi éteindre une bonne fois pour toutes ce maudit esprit olympique dont vous ne cessez de vanter les mérites.

101

Une demi-heure plus tard, à midi, le regard de Karen Pope naviguait sans relâche entre l'écran de télévision, où elle suivait le marathon messieurs, et Hooligan qui, penché sur les morceaux épars de l'iPhone, espérait en tirer de quoi localiser Peter Knight.

— Alors? s'enquit la journaliste, au comble de l'angoisse.

— La carte SIM est en piteux état, observa le scientifique sans relever la tête. Mais je crois que je vais réussir à lui faire cracher deux ou trois infos.

Jack Morgan s'était rendu entre-temps sur la ligne d'arrivée du marathon, afin d'y superviser les mesures de sécurité entourant l'épreuve. Elaine Pottersfield, pour sa part, venait de rejoindre le laboratoire, épuisée par les événements survenus au cours des dernières vingt-quatre heures.

— Où Peter est-il monté dans le taxi du Jamaïcain? demanda-t-elle, bouillant d'impatience.

— Du côté de Knightsbridge, répondit Pope. Enfin, je crois. Si Oladuwa avait un portable, nous pourrions l'appeler pour qu'il confirme, mais il a prêté son téléphone à sa femme.

— Milner Street? suggéra l'inspectrice en chef.

— Tout juste, grommela Hooligan.

— Il se trouvait donc chez sa mère, en déduisit Pottersfield. Elle doit être au courant de quelque chose.

Elle tira son mobile de sa poche pour en consulter le répertoire.

— Ça y est, lança le scientifique en se tournant vers un écran surchargé de symboles informatiques.

Il se pencha sur un clavier dont il actionna les touches, tandis que l'inspectrice demandait à s'entretenir avec Amanda Knight. Elle quitta la pièce.

Au bout de deux minutes, une image floue se matérialisa sur l'écran : il s'agissait d'une page Internet.

— Qu'est-ce que c'est que ça ? s'étonna la journaliste.

— On dirait une carte. Mais je n'arrive pas à lire l'URL.

— Trace Angels ! hurla Pottersfield en regagnant le laboratoire au pas de course. C'est le site de Trace Angels !

102

La foule massée le long de Birdcage Walk, face à St. James's Park, se révèle plus importante que je ne l'imaginais. Mais après tout, le marathon messieurs représente le dernier grand événement des Jeux.

En dépit de la chaleur étouffante qui règne sur Londres, les leaders de la course s'apprêtent à entamer le deuxième des quatre tours dont le parcours est constitué. Des clameurs s'élèvent sur leur passage. Ils se déplacent actuellement vers l'ouest, en direction du mémorial de la reine Victoria et du palais de Buckingham.

Équipé d'un sac à bandoulière, je me fraie un chemin parmi les premiers rangs en brandissant mon badge, que personne n'a songé à me réclamer après mon éviction. Il est essentiel qu'on me voie à cette heure et en ce lieu. Je cherche un agent de police. N'importe lequel. Mais voici que mon regard se pose sur un visage familier. Je me glisse sous le ruban de plastique et me dirige vers lui en exhibant mon laissez-passer.

— Inspecteur Casper? Je suis Mike Lancer.

Le limier de Scotland Yard hoche la tête en signe de reconnaissance.

— Vos patrons ne vous ont pas épargné, remarque-t-il, plein de compassion.

— Merci. Dites, je sais bien que je n'appartiens plus aux services de sécurité, mais m'autorisez-vous à traverser la rue entre deux groupes de coureurs? J'aimerais suivre la compétition côté nord.

Casper réfléchit un instant avant de hausser les épaules.

— Bah, pourquoi pas? Allez-y.

Trente secondes plus tard, je pénètre à l'intérieur du parc. Je marche vers l'est en consultant ma montre. Dans quatre-vingt-dix minutes, Marta relâchera Daring en queue de peloton. De quoi détourner l'attention des forces de l'ordre. Dès lors, rien ne m'arrêtera.

Personne ne me battra aujourd'hui. Je ne connaîtrai plus jamais la défaite.

103

Une bande d'adhésif sur la bouche, étourdi et migraineux, Peter Knight avait passé la dernière demi-heure à tenter alternativement de se débarrasser de ses liens et contempler ses jumeaux inconscients. Pendant ce temps, le son du téléviseur hurlait : le marathon se poursuivait.

11 h 55. Au dix-septième kilomètre, au bout de presque une heure de course, quatre concurrents – venus de Grande-Bretagne, d'Éthiopie, du Kenya et du Mexique – s'étaient détachés du peloton principal. Ils engloutissaient le bitume en se relayant pour conserver leur cadence. Leur vitesse se révélait impressionnante compte tenu de la chaleur. Ils se dirigeaient vers le Parlement, via le London Eye.

Knight se demanda quel genre d'atrocité Lancer avait prévu de faire subir à ces héros des temps modernes. Il se refusa en revanche à envisager le traitement que Marta lui réserverait ensuite, ainsi qu'à ses enfants.

Il baissa les paupières pour prier Dieu et s'adresser en songe à sa défunte épouse. Peu lui importait de mourir, expliquait-il en silence, mais Luke et Isabel, eux, méritaient de vivre...

Marta pénétra dans la chambre, armée du fusil antiémeute que le détective avait vu la veille. Elle transportait également un sac en plastique contenant trois grandes bouteilles de Coca-Cola. Elle avait coupé en hâte puis décoloré ses longs cheveux bruns ; la nounou d'antan s'était muée en créature blond platine vêtue d'une jupe en cuir, d'un bustier moulant et de bottes. Outrageusement maquillée, elle n'avait plus rien de commun avec la jeune femme austère et timide qui s'était présentée à Knight quinze jours plus tôt, dans le square.

Concentrée sur sa tâche, elle n'eut de regard pour personne dans la pièce. Elle disposa les bouteilles de soda sur une commode puis, sans abandonner sa carabine, s'approcha de Daring. Cette fois, elle appuya l'arme contre le lit pour faire surgir une aiguille hypodermique qu'elle planta dans la poche à perfusion, dont le contenu se diffusait lentement dans l'organisme du conservateur.

— On se réveille! lança-t-elle en reprenant son fusil.

Elle croqua dans une pomme en jetant un coup d'œil distrait à l'écran du téléviseur.

Luke, qui venait de se réveiller, dévisagea son père. Puis il fronça les sourcils, tandis que ses joues rougissaient violemment. Il se mit à gémir. Il ne souffrait pas: il tentait désespérément de se faire comprendre de Knight. Ce dernier n'identifiait que trop bien ces signes.

Marta lança au garçonnet un regard si noir que le détective se mit à geindre pour détourner vers lui son attention.

— La ferme! lui assena la tueuse. Tu n'as pas intérêt à chialer aussi fort que ton sale môme.

Pourtant, Knight se plaignit davantage en donnant des coups de pied contre le plancher. Il comptait sur son tapage pour inciter Marta à s'adresser à lui. Il avait maintes fois négocié avec des preneurs d'otages: la parole constituait dans de telles situations un élément capital.

Isabel, s'éveillant à son tour, se joignit au concert de larmes.

La jeune Serbe avança résolument vers le détective en ricanant.

— L'appartement du dessous nous appartient, crétin. Tu peux toujours te démener: personne ne t'entendra.

Elle ponctua son discours d'un coup de pied dans le ventre de Knight, qui le contraignit, haletant, à rouler sur le dos. Un geignement sourd lui échappa et il sentit dans son dos les éclats du verre brisé par Mike Lancer. Luke pleurait de plus belle. Marta se tourna vers lui. *Elle va le frapper*, songea le détective. Au lieu de quoi elle s'accroupit et le débarrassa de l'adhésif qui lui barrait les lèvres.

— Dis-leur de la boucler ou je vous bute tous les trois.

— Luke a envie d'aller aux toilettes, expliqua son père. Ôtez-lui son bâillon et posez-lui la question.

Elle s'exécuta sans se départir de sa mine féroce.

— Quoi? aboya-t-elle à l'adresse de l'enfant.

Celui-ci se recroquevilla pour essayer d'échapper à la menace.

— Lukey veut popot, dit-il. Le popot pour les grands.

— Fais-toi dessus, je m'en fous.

— Le popot pour les grands, Marta, insista le garçon. Lukey est grand. Plus de couches pour Lukey.

— Soyez compréhensive, intervint Knight. Il n'a que trois ans.

La jeune femme le gratifia d'une moue dégoûtée. Néanmoins, elle alla chercher un couteau, dont elle usa pour libérer de leurs liens les chevilles de l'enfant. Le fusil dans une main, l'autre aidant le garçonnet à se mettre debout, elle le menaça sans ménagement :

— Si c'est encore une fausse alerte, c'est toi que j'élimine en premier.

Ils quittèrent la pièce. Le détective en profita pour balayer les lieux du regard, puis il roula de nouveau sur lui-même – d'autres éclats de verre lui meurtrirent légèrement le dos et les bras.

La douleur fit germer une idée dans son esprit : il se cambra pour tâtonner derrière lui du bout des doigts. *Aide-moi, Kate, aide-moi.*

Son index droit perçut le bord d'un débris plus gros, de cinq bons centimètres de long. Il tenta de s'en saisir. À peine l'avait-il en main qu'il le lâcha. Jurant en silence, il reprit son exploration à l'aveuglette. Mais déjà Luke poussait un cri d'allégresse :

— Tu as vu, Marta ! Grand garçon !

Une seconde plus tard, on tirait la chasse d'eau. Knight fureta encore, frénétiquement. Rien. Des pas se rapprochaient. Il se cambra. Luke parut à la porte, les poignets de nouveau ligotés. Mais il décocha à son père un sourire triomphant.

— Lukey est un grand garçon, papa ! Lukey trois ans. Plus de couches !

104

— Bravo, mon bonhomme, répondit le détective.

Il sourit aussi, avant de considérer Marta, qui ne lâchait plus sa carabine. Soudain, il sentit dans le bas de son dos le contact d'un morceau de verre aux importantes proportions.

Il referma prestement les doigts autour du tesson.

— Va te rasseoir à côté de ta sœur et ne bouge plus, ordonna la jeune Serbe à Luke.

Après quoi elle observa James Daring, dont le corps oscillait faiblement sur le lit.

— Réveillez-vous. Nous partons bientôt.

Comme Peter Knight tentait de trancher ses liens au moyen du triangle de verre, le conservateur des antiquités grecques du British Museum émit une faible plainte. Luke se dirigea vers son père, manifestement ravi.

— Lukey grand garçon.

— Génial, fit son père sans lâcher Marta du regard. Maintenant, assieds-toi, mon poussin.

L'enfant ne bougea pas.

— On rentre à la maison, papa?

Désireuse de regagner elle aussi Chelsea, Isabel fondit en larmes sous son bâillon.

— On va faire la fête?

— Bientôt, mon cœur, lui assura le détective, qui sentait les entraves de ses poignets céder sous les assauts du fragment de verre.

Mais Marta, toujours armée, avança vers Luke en brandissant un rouleau d'adhésif.

— Non, Marta! hurla le garçonnet, qui se mit à courir.

La manœuvre produisit sur la meurtrière un effet dévastateur.

— Assis! aboya-t-elle en pointant sa carabine sur lui. Ou je te descends.

Luke était encore trop jeune pour mesurer l'ampleur du péril, et, au lieu d'obtempérer, il bondit sur le matelas auprès de sa sœur, l'œil aux aguets.

— Attends un peu!

Comme elle passait devant Knight, celui-ci lui fit un croc-en-jambe. Elle chuta lourdement – son arme, qu'elle avait lâchée, glissa loin d'elle dans un cliquetis de métal.

Le détective essaya de la blesser au visage avec le triangle de verre, dont il ne se séparait plus, mais la jeune Serbe para l'agression si prestement que seul son avant-bras fut touché. Elle en profita pour assener un coup de genou dans la poitrine de son adversaire.

Le souffle court, ce dernier laissa malencontreusement tomber son tesson.

Ivre de rage, la Furie bondit sur ses pieds et courut récupérer son fusil, dont elle enfonça l'extrémité dans l'une des bouteilles de soda, qu'elle maintint grâce à quelques tours de ruban adhésif.

— Je me fous des ordres de Cronos! cracha-t-elle. J'en ai marre de toi et de tes sales petits bâtards.

Elle pointa l'arme, munie de son silencieux de fortune, en direction de Luke. Ses yeux s'étaient mués en deux puits insondables, dont Peter Knight songea qu'ils avaient jadis englouti dans leurs ténèbres plusieurs dizaines de jeunes Bosniaques.

— Je vais me débarrasser du garçon en premier, annonça-t-elle au détective. Tu vas voir comment je m'y prends.

— Lancer vous tuera pour lui avoir désobéi! s'écria le père éperdu. Comme il a déjà tué vos deux sœurs.

Elle s'immobilisa.

— Mes sœurs sont vivantes. Elles ont quitté Londres sans la moindre difficulté.

— C'est ce que Cronos vous a fait croire. Mais il a brisé la nuque d'Andjela avant de lui trancher les mains puis de me les expédier par la poste. Il a également exécuté Nada.

— Vous mentez !

— Leurs cadavres ont été découverts dans l'usine désaffectée où vous reteniez Selena Farrell.

— Dans ce cas, pourquoi les journaux n'en ont-ils pas parlé ?

— Parce que la police n'a pas prévenu la presse.

— Je ne vous crois pas. Et quand bien même, ajouta-t-elle en haussant les épaules. Elles me fatiguent. J'ai déjà songé plusieurs fois à les liquider.

Sur ce, elle libéra le cran de sûreté de son arme.

105

On entendit soudain hurler des sirènes. Comme elles se rapprochaient, le cœur de Peter Knight bondit dans sa poitrine.

— Les flics sont là pour vous, jeta-t-il à la figure de Marta. Peu importe ce que vous allez faire de nous, vous croupirez au fond d'une cellule jusqu'à la fin de vos jours.

— Oh non, grinça-t-elle avec dédain. Ils vont commencer par sonner à la porte de l'appartement voisin. Entre-temps, je vous aurai éliminés tous les trois avant d'emprunter un tunnel secret pour quitter l'immeuble en toute discrétion.

Elle tenta de presser le fond de la bouteille de Coca-Cola contre la tempe du détective, mais celui-ci la repoussa de la main. *Gagne du temps. Arrange-toi pour sauver au moins les jumeaux.*

Un coup de pied derrière la nuque l'étourdit soudain.

Affalé de nouveau, il leva des yeux hébétés vers sa tortionnaire. Mais bientôt, il lui saisissait les chevilles pour la renverser. Elle accentua la pression de sa botte contre son cou jusqu'à ce qu'il lâche prise.

— Adieu, monsieur Knight.

106

Les ultimes pensées de Peter Knight furent pour Kate. Mais, l'instant d'après, Marta écarquillait les yeux en hurlant. Elle tituba. Le coup partit, étrangement atténué par la bouteille de soda, dont le contenu se déversa sur le détective – la balle avait pénétré dans le mur, à quelques centimètres de son crâne. La jeune Serbe hurla encore en pivotant sur elle-même.

Luke, qui venait de lui mordre sauvagement le mollet, ne lâchait pas prise. Tandis qu'elle voulait le contraindre à desserrer son étau, son père lui administra un violent coup de pied en plein tibia. La carabine lui échappa, mais elle gifla si fort le garçonnet qu'il se trouva projeté contre le mur. Il retomba, inconscient.

Knight rampa en direction de l'arme pendant que la tueuse fixait l'enfant, dévorée par la fureur.

Avisant enfin le détective, elle jura et se précipita pour lui reprendre le fusil des mains. À l'instant où il pressait enfin la gâchette, elle détourna le canon d'un revers de main. La déflagration fut assourdissante.

Hélas, l'aînée des sœurs Brazlic était indemne. Elle frappa son ennemi dans les côtes et s'empara de l'arme. Un sourire triomphant se dessina sur ses lèvres. Elle visa Luke, qui n'avait pas repris connaissance.

— Tu vas le voir crever, annonça-t-elle, ivre de rage.

La détonation parut lointaine à Peter Knight. Elle ne lui en brisa pas moins le cœur.

Mais alors qu'il s'attendait à voir tressauter une dernière fois le petit corps, la gorge de Marta explosa dans un geyser de sang. La criminelle de guerre s'affaissa. Déjà, elle gisait, morte et les bras en croix, entre l'enquêteur et son fils.

À l'entrée de la pièce, tenant toujours à bout de bras son arme de service, Elaine Pottersfield se relevait lentement.

V
La ligne d'arrivée

107

Vingt-cinq minutes après la mort de Senka Brazlic, l'inspectrice de Scotland Yard se trouvait au volant de sa voiture en compagnie de son beau-frère. La sirène hurlait. Le gyrophare jetait des éclairs. Les deux enquêteurs fonçaient dans les rues de Chelsea en direction du Mall, où les marathoniens les mieux classés effectuaient le quatrième et dernier tour de leur circuit londonien.

D'ordinaire, la course s'achève sur la piste du stade olympique de la ville organisatrice. Mais les autorités sportives britanniques – sur la suggestion de Mike Lancer, on devait l'apprendre plus tard – avaient estimé qu'un passage dans les quartiers miteux de l'East End nuirait à l'image de leur capitale.

On avait donc opté pour quatre rotations, dont chacune permettrait aux téléspectateurs de découvrir plusieurs hauts lieux de la ville – de Tower Hill au Parlement, en passant par le London Eye et l'Aiguille de Cléopâtre. L'épreuve commençait et se terminait sur le Mall, non loin du palais de Buckingham.

— Remettez sa photo à tout le monde! brailla Pottersfield dans sa radio. Trouvez-le! Ce parcours, c'était son idée!

Knight était admiratif : sa belle-sœur avait appelé les responsables du site Trace Angels, qui lui avaient indiqué que ses neveux se trouvaient dans des trains en partance pour la France et l'Écosse. Mais elle s'était aussi enquise du lieu

347

où l'émetteur les situait auparavant. Ainsi avait-elle découvert l'adresse sur Porchester Terrace.

Ayant vérifié auprès des contrôleurs de la compagnie ferroviaire qu'aucun enfant correspondant au signalement de Luke et Isabel n'avait pris place à bord des wagons identifiés par les traceurs contenus dans la montre et le pendentif, l'inspectrice s'était rendue, accompagnée d'une escouade de Scotland Yard, dans l'appartement des Furies. Les policiers avaient alors entendu un coup de feu provenant du logement voisin, dévoilé le passage secret entre les deux domiciles, puis étaient entrés chez Mike Lancer.

— Nous allons l'avoir, le rassura-t-elle d'une voix tremblante.

Le détective maugréa en contemplant par la vitre du véhicule la lumière trop vive. Son corps demeurait endolori.

— Vous vous sentez bien, Elaine? Ce n'est jamais facile d'abattre quelqu'un...

— Moi? Mais c'est à vous qu'il faudrait poser la question! Vous auriez mieux fait de grimper dans l'ambulance avec vos enfants pour les accompagner à l'hôpital. Vous devez prendre soin de vous.

— Amanda et Boss sont partis les chercher. Je verrai un médecin quand nous aurons coincé Lancer.

— Vous êtes certain qu'il vise le marathon?

Knight interrogea en silence ses souvenirs récents.

— Avant son départ, je lui ai répété qu'en dépit de ses actes l'esprit olympique survivrait, que Mundaho en constituait la preuve. Ma remarque l'a rendu fou de colère. J'ai bien cru qu'il allait me tuer. Mais c'est alors qu'un starter a donné le départ de la course – la télé était allumée. Il m'a promis de me laisser vivre jusqu'au terme du marathon pour me permettre de le voir éteindre une bonne fois pour toutes ce maudit esprit olympique dont je ne cessais de vanter les mérites.

Debout sur le frein, Pottersfield s'arrêta non loin du périmètre de sécurité établi par ses collègues, en face de

St. James's Park. Elle bondit hors de la voiture en brandissant sa plaque en direction d'un agent.

— Il appartient à l'agence Private et il est avec moi. Où est l'inspecteur Casper?

Accablé par la chaleur sous son uniforme de drap, le policier désigna du doigt un rond-point, devant le palais de Buckingham.

— Voulez-vous que je l'appelle? demanda-t-il.

L'enquêtrice fit non de la tête, franchit la barrière et se fraya un chemin à travers la foule réunie sur Birdcage Walk. Knight, toujours étourdi, tâchait de la suivre. Des coureurs, largement distancés par les leaders du jour, se dirigeaient vers le mémorial de la reine Victoria.

Billy Casper se hâtait à la rencontre de sa supérieure hiérarchique.

— Bon Dieu! lâcha-t-il. Dire qu'il m'a parlé il y a moins d'une heure. Il est entré dans le parc.

— Vous a-t-on remis sa photo?

— Oui, je l'ai fait distribuer à tous mes hommes voilà dix secondes. Mais le parcours mesure plus de douze kilomètres de long. Le nombre de spectateurs doit atteindre le demi-million, peut-être davantage. Comment allons-nous lui mettre le grappin dessus?

— Aux abords de la ligne d'arrivée, proposa Knight, qui en avait l'intuition. Ce serait spectaculaire. Ça lui ressemblerait. Avez-vous vu Jack Morgan?

— Il a eu la même idée que vous. Dès qu'il a appris que Cronos n'était autre que Mike Lancer, il s'est rué vers la ligne d'arrivée. Il est futé, pour un Ricain.

Mais, vingt-six minutes plus tard, l'ancien décathlonien demeurait introuvable. On traquait en pure perte les failles éventuelles dans le système de surveillance.

Juchés au sommet des gradins érigés le long du Mall, Knight et Morgan scrutaient les arbres à travers leurs jumelles, au cas où Lancer aurait eu l'intention d'y jouer les *snipers* entre les branches. Casper et Pottersfield les imitaient de l'autre côté de la rue. Mais des drapeaux olympiques et anglais, hissés sur des mâts, entravaient la vue.

— J'ai examiné ses références moi-même, observa l'Américain d'une voix sombre, en baissant ses jumelles. Celles de Lancer, je veux dire. Lorsqu'il a brièvement travaillé pour nous à Hong Kong, il y a quelques années. Tout était nickel, et ceux qui le connaissaient ne m'en ont dit que du bien. Et je ne me rappelle pas qu'il ait fait mention où que ce soit de son séjour dans les Balkans. Je m'en souviendrais.

— Il y est resté moins de cinq semaines.

— Assez longtemps pour recruter les trois tarées sanguinaires.

— C'est sans doute pour cette raison qu'il n'a pas indiqué ce voyage dans son CV.

Jack s'apprêtait à répondre lorsque la foule rugit et bondit sur ses pieds : deux motards de la police venaient d'apparaître devant les quatre coureurs de tête.

Le détective pointa aussitôt ses jumelles sur le visage des agents. Aucun des deux hommes n'était Mike Lancer.

Derrière les deux-roues venaient le Kenyan, l'Éthiopien, le Mexicain aux pieds nus et le petit gars de Brighton – chacun tenant à la main une bannière olympique assortie de petits drapeaux camerounais.

Le Kenyan et l'Anglais étaient au coude à coude. À deux cents mètres de l'arrivée, leurs deux compagnons les rejoignirent. Une foule en délire encourageait le quatuor. Vingt mètres encore. Le Britannique prit la tête, sous les hourras des spectateurs. Mais il ralentit soudain, et c'est dans un parfait ensemble que les quatre garçons franchirent la ligne d'arrivée.

Pendant une poignée de secondes, les commentateurs restèrent interdits : à quoi était dû l'étrange comportement de l'athlète anglais ? Mais, bien vite, tout le monde comprit, et les applaudissements redoublèrent. L'esprit olympique s'était à nouveau manifesté. *Envers et contre tout*, se réjouit Peter Knight en songeant aux menaces proférées par Cronos.

— Rien à signaler, souffla son supérieur. Peut-être les mesures de sécurité renforcées ont-elles finalement dissuadé Lancer de tenter sa chance.

— Peut-être. Ou alors, ce n'est pas ici qu'il avait l'intention de frapper.

108

L'écœurant final du marathon messieurs défile en boucle sur les écrans. Je patiente en pleine chaleur au poste de contrôle donnant accès à l'entrée nord du stade olympique.

Je me suis rasé la tête. Et j'ai teint ma peau avec du henné. Mon turban, d'un blanc immaculé, me sied à ravir. De même que ma barbe noire, et le bracelet de métal passé à mon poignet droit. Je porte des lentilles de contact et des lunettes. Je suis vêtu d'un *kurta* traditionnel. J'ai ajouté une touche de patchouli. Titulaire d'un passeport en règle, je m'appelle Jat Singh Rajpal, négociant en tissus venu du Pendjab pour assister à la cérémonie de clôture des jeux Olympiques.

Je me trouve à une cinquantaine de centimètres des agents de sécurité lorsque mon visage se matérialise sur les écrans de télévision.

D'abord, je m'affole, puis me ressaisis en songeant que les journalistes sont probablement en train de récapituler les événements survenus au cours des quinze derniers jours, y compris mon éviction du Comité d'organisation. Mais c'est alors que je découvre le bandeau déroulant sous l'image : on me recherche dans le cadre de l'enquête sur les meurtres perpétrés par Cronos.

Comment est-ce possible ? Plusieurs voix résonnent à l'intérieur de ma tête, qui déclenchent instantanément l'une de ces terribles migraines qui m'aveuglent de temps à autre.

— Vous avez effectué un très long voyage, monsieur Rajpal, remarque le policier chargé du contrôle des visiteurs.

— Pour un tel spectacle, cela en valait la peine.

En dépit du tonnerre qui gronde dans ma cervelle, mon accent est parfait – il faut dire que je me suis beaucoup entraîné. Je m'oblige à ne pas effleurer, sous mon turban, la cicatrice qui court à l'arrière de mon crâne.

L'agent consulte l'écran de son ordinateur.

— Avez-vous assisté à d'autres manifestations durant les JO, monsieur Rajpal? me demande la femme – une employée de la société F7 – qui officie aux côtés du jeune policier.

— Deux. J'ai suivi les épreuves d'athlétisme jeudi soir, et un match de hockey sur gazon en début de semaine. Lundi après-midi. La rencontre entre l'Inde et l'Australie. Nous avons perdu.

— Voulez-vous déposer votre sac, ainsi que les objets métalliques en votre possession dans ce bac, afin que nous les passions au scanner?

— Bien sûr.

Je leur abandonne mon sac, ma menue monnaie, mon bracelet et mon téléphone portable.

— Pas de *kirpan*? s'enquiert le jeune agent.

Petit malin.

— Non, dis-je en souriant. J'ai laissé ma dague tradition-nelle à la maison.

— Tant mieux. D'autres sikhs se sont présentés avec la leur, nous avons dû tout confisquer. Vous pouvez y aller, monsieur.

Ma migraine reflue. J'ai récupéré mon sac, qui ne contient qu'un appareil photo et un tube de crème solaire. Je traverse un pont piéton. Puis je contourne le vélodrome, le stade de basket et le village des athlètes. Je dépasse la zone d'accueil des sponsors – dire que j'ai personnellement encouragé l'ac-tion de ces corrupteurs de l'idéal olympique, lorsque j'étais encore en poste.

Tant pis. Mon ultime action compensera mes excès d'indul-gence. À cette pensée, ma respiration s'accélère. Mon pouls aussi. Parvenu au pied de l'escalier en spirale qui s'élève entre les jambes de l'*Orbit*, je souris aux gardes en faction – mon cœur bat la chamade.

— Le restaurant? leur demandé-je. Il est encore ouvert?

— Jusqu'à 15 h 30, monsieur. Il vous reste deux heures.

— Et ensuite?

— Les autres boutiques d'alimentation ne ferment pas.

J'entame ma longue ascension, sans prendre garde aux monstres innombrables qui descendent les marches. Vingt minutes plus tard, j'atteins le restaurant panoramique, qui tourne lentement sur son axe. Je me présente au maître d'hôtel.

— Rajpal. Une personne, s'il vous plaît.

— Puis-je vous proposer de partager votre table avec un autre convive?

— Absolument.

— Dans ce cas, je pourrai vous installer d'ici dix à quinze minutes.

— Puis-je utiliser les toilettes en attendant?

— Bien entendu.

D'autres clients se pressent derrière moi. Le maître d'hôtel m'a déjà oublié, à coup sûr. Lorsqu'il appellera mon nom, il déduira de mon absence que je me suis lassé d'attendre.

Je pénètre dans les toilettes pour hommes. Par bonheur, le box que je convoite est disponible. Au bout de cinq minutes, les lieux sont entièrement vides. Je me hâte de grimper sur la cuvette pour me jucher à cheval au sommet d'une des cloisons. De là, je pousse l'une des dalles du faux plafond. Il ne me reste plus qu'à me glisser dans l'étroit passage emprunté de temps à autre par les employés chargés de la maintenance du système électrique et des circuits de refroidissement.

Une fois à plat ventre, je replace délicatement la dalle du faux plafond. À présent, je vais m'apaiser, me préparer, et faire confiance au destin.

109

À 16 heures, Peter Knight et Jack Morgan se trouvaient à l'intérieur du parc olympique. Le soleil brillait toujours, la chaleur montait du sol. Selon Scotland Yard et le MI5, qui agissaient désormais sous les ordres directs du Premier ministre, Mike Lancer n'avait pas tenté de pénétrer dans l'enceinte sportive au moyen de son passe.

Vers 16 h 30, le crâne toujours douloureux, le détective suivait son supérieur à travers le stade vide, où des chiens renifleurs de bombes s'activaient en compagnie de leurs maîtres. Knight pensait à ses enfants. Les traitait-on correctement à l'hôpital? Amanda se trouvait-elle à leurs côtés?

Il s'apprêtait à appeler sa mère lorsque Morgan intervint:

— Il a peut-être flippé au moment du marathon. Il a compris que nous avions repris le contrôle de la situation et il a fichu le camp.

— Non. Il va tenter quelque chose ici. Un truc énorme.

— S'il y parvient, c'est la réincarnation d'Houdini! Le niveau de surveillance est identique à celui des zones de guerre. On a doublé les effectifs du SAS présents sur les lieux, et tous les agents de Scotland Yard arpentent les halls et les escaliers.

— Je sais, Jack. Mais vu ce dont il s'est montré capable jusqu'ici, je me demande ce qui pourrait l'arrêter. Et puis n'oublie pas que c'est justement lui qui a supervisé l'ensemble des mesures de sécurité. Depuis sept ans, ce timbré a accès au moindre centimètre carré des installations olympiques. Au moindre centimètre carré.

110

À 15 h 30, de l'étroite cachette où je me tiens – soit une quarantaine de centimètres entre le plafond des toilettes pour hommes et le toit de l'*Orbit* –, j'entends le système hydraulique freiner la lente rotation de la plate-forme d'observation, puis l'arrêter. Je ferme les yeux, je respire le plus doucement possible. Je songe à ce qui m'attend. Mon destin. Enfin, je vais percevoir mon dû.

À 15 h 50, je presse le contenu du tube de crème sur un coin de mon turban. Je l'applique soigneusement sur mon visage et mes mains : ma peau devient presque noire. Au-dessous de moi, des hommes de ménage entrent pour nettoyer les lieux. Chaque fois qu'elles heurtent les plinthes, leurs serpillières rendent de petits sons mous. Ils s'en vont. Durant trente minutes, le silence est total, hors les bruits légers de mes mouvements tandis que je continue d'enduire de crème ma figure, mon cou, mes doigts et mes poignets.

Puis des chiens renifleurs de bombes pénètrent dans les toilettes avec leurs maîtres. Je crains soudain que les monstres aient eu l'idée de faire sentir à leurs bêtes l'un de mes vêtements. Mais une minute plus tard, les animaux ont décampé – égarés sans doute par le patchouli dont je me suis discrètement parfumé.

Ils reviennent vers 17 heures, puis vers 18 heures. Cette fois, c'est à moi de jouer. Fourgonnant de la main sous un morceau de matière isolante, j'extrais un chargeur plein, que j'ai dissimulé ici sept mois plus tôt. L'ayant glissé au fond de ma poche, je quitte mon antre pour regagner le box des toilettes, où je me déshabille intégralement – je n'ai conservé sur moi que ma montre.

Je déchire un pan de mon turban, dont j'enroule les deux extrémités autour de mes mains. Plaqué contre le mur, à côté de la porte, je patiente à nouveau.

À 18h45, des bruits de pas se rapprochent et des voix masculines s'élèvent dans le couloir. Un grand homme noir, en survêtement, fait son entrée, équipé d'un sac marin.

Il est fort. Il s'astreint à un entraînement physique quotidien. Mais personne ne peut rien contre un être supérieur.

Une fraction de seconde me suffit à lever la bande de tissu au-dessus de sa tête pour la serrer ensuite sous son menton. Dans le même temps, je lui enfonce un genou dans le dos. Ma poigne est implacable. Il passe bientôt de vie à trépas. Je tire le cadavre du monstre jusqu'au box situé au fond de la pièce. Je consulte ma montre : le spectacle débute dans trente minutes.

En moins d'un quart d'heure, j'ai récupéré dans son sac, l'uniforme de garde de la reine, puis l'ai revêtu. Je coiffe le célèbre bonnet en poil d'ours. Son poids m'est familier. Une poignée de secondes encore, et je fixe la jugulaire. Enfin, je m'empare de son fusil automatique, dont je n'ignore pas qu'il n'est pas chargé. Peu m'importe, puisque je dispose de mes propres munitions.

Je regagne le box central. À 19h15, la porte des toilettes s'ouvre. Une voix retentit :

— On y va !

— J'arrive dans deux secondes, dis-je en feignant une quinte de toux. Pars devant.

— On se rejoint là-haut.

Tu ne vas pas être déçu…

Je sors du box, l'œil sur ma montre. Dix-neuf secondes s'écoulent. J'inspire profondément et je me risque dans le couloir, le sac marin sur l'épaule.

Le regard fixe, les traits impassibles, je traverse le restaurant pour gagner les portes vitrées situées sur la droite de la grande salle. Deux membres du SAS s'empressent de les déverrouiller pour moi. La chaleur me saute au visage. Je dépose le sac marin auprès d'un sac identique, avant de rejoindre la plate-forme d'observation. J'emprunte une porte étroite gardée par un autre agent du SAS.

Le timing est impeccable.

— Il était moins une, me siffle le militaire.

— Pile poil d'ours, plaisanté-je à son intention.

Je gravis un petit escalier métallique menant à une porte coupe-feu qui donne sur le toit de la plate-forme d'observation. Me voici à l'air libre.

Le soir descend, des nuages courent au-dessus de ma tête. Au loin, des trompettes retentissent. Je m'élève en direction de mon destin.

111

Plantés de part et d'autre de la scène érigée dans le stade olympique, les trompettistes entonnèrent une mélodie plaintive que Peter Knight n'identifiait pas.

Le détective avait pris place au sommet de la tribune nord. Équipé de ses jumelles, dont il ne se séparait plus, il scrutait la foule. L'épuisement le gagnait, il éprouvait un terrible mal de tête et la chaleur l'irritait, à laquelle s'ajoutait à présent le glapissement des cuivres inaugurant la cérémonie de clôture. À peine ces derniers se furent-ils tus que sur les écrans géants se matérialisa la vasque olympique située au faîte de l'*Orbit*, flanquée, comme c'était le cas depuis le début des Jeux, de deux gardes de la reine, tous deux droits comme des *i*.

Ils portèrent leur fusil à l'épaule, avant de pivoter de quarante-cinq degrés pour s'éloigner au pas de l'oie, tandis que deux autres membres du régiment, apparus chacun sur le pas d'une porte coupe-feu, prenaient leur relève : une fois sur la plate-forme, ils vinrent se planter à leur tour à côté de la flamme.

Durant une heure et demie encore, Knight observa les spectateurs. Le ciel d'été s'assombrissait peu à peu et des vents se levaient en tourbillons. L'enquêteur songea qu'en dépit de la menace représentée par Mike Lancer, un grand nombre d'athlètes, d'entraîneurs, de juges, d'arbitres et d'amateurs anonymes avaient choisi d'assister à la célébration finale, alors qu'ils auraient été plus en sécurité chez eux.

On avait initialement prévu une cérémonie joyeuse, à l'image de l'allégresse qui régnait dans le stade deux semaines plus tôt, avant la mort tragique de Paul Teeter, le lanceur de poids américain. Mais, au vu des récents événements, les organisateurs avaient rectifié le tir : la clôture des Jeux se déroulerait avec davantage de gravité. Ainsi avait-on recruté *in extremis* l'Orchestre symphonique de Londres – l'ensemble accompagnait Eric Clapton, qui proposa une version déchirante de « Tears In Heaven », l'une de ses chansons.

Comme Knight se dirigeait vers la section sud du stade, Marcus Morris prit la parole. Pour lui aussi, l'heure était au recueillement. Son discours se partageait entre un hommage ému aux morts et l'exaltation des exploits accomplis par les sportifs durant ces quinze jours, malgré les actes odieux de Cronos et de ses Furies.

Le détective consulta le programme de la soirée. *Encore quelques allocutions, une prestation ou deux, la remise du drapeau olympique aux représentants du Brésil, une brève intervention du maire de Rio, puis...*

— Rien à signaler, Peter ? s'enquit Jack Morgan dans son oreillette (les services de sécurité avaient modifié les fréquences radio, au cas où Lancer aurait tenté d'intercepter leurs échanges).

— Négatif. Mais je ne suis pas tranquille.

Il l'était d'autant moins depuis qu'on avait annoncé la participation exceptionnelle de quelques « invités surprises ».

Hunter Pierce grimpa sur la scène en compagnie de Zeke Shaw et des quatre marathoniens ex æquo. Tous poussaient le fauteuil roulant dans lequel était assis Filatri Mundaho, les jambes enveloppées dans une couverture – des auxiliaires médicaux se tenaient en retrait.

Brûlé au troisième degré, l'Africain souffrait mille morts depuis une semaine, mais rien dans son maintien ni sur ses traits ne permettait de deviner ce qu'il endurait en ce moment même.

L'ancien enfant soldat levait bien haut le menton. Il agitait une main en direction du public, qui avait bondi sur ses pieds en l'applaudissant à tout rompre. Le détective sentit les larmes lui monter aux yeux. Jamais Lancer ne viendrait à bout d'un tel courage, de cette inébranlable volonté, de cette humanité profonde.

On remit à Mundaho sa médaille d'or, puis l'orchestre interpréta l'hymne national camerounais. L'émotion était à son comble.

La plongeuse américaine intervint ensuite pour louer les Jeux de Londres sur le point de se clore. Elle assura au public que cette nouvelle édition, au même titre que les autres, avait su conforter le rêve olympique de Pierre de Coubertin. Knight se laissa d'abord envoûter par le discours de la championne.

Mais il s'obligea bien vite à s'en détourner pour se glisser dans la peau de Mike Lancer. Ou de Cronos. Il tâcha de se rappeler les bribes d'information que ce dernier lui avait livrées. Il reconstitua ses dernières paroles : *Avant de vous tuer, Marta vous autorisera à suivre mes derniers exploits : vous me verrez ainsi éteindre une bonne fois pour toutes ce maudit esprit olympique dont vous ne cessez de vanter les mérites.*

L'enquêteur examina chaque mot, le pesa, s'efforça d'en tirer des significations cachées. Soudain, la lumière jaillit.

Il s'empara de son talkie-walkie :

— On n'éteint pas un esprit, Jack !

— Qu'est-ce que tu racontes ?

Déjà, Peter Knight se ruait vers la sortie.

— Lancer m'a déclaré qu'il comptait « éteindre une bonne fois pour toutes ce maudit esprit olympique ».

— Et… ?

— Et on n'éteint pas un esprit, Jack. On éteint une flamme.

112

Regardez-moi, dissimulé au nez et à la barbe de cent mille personnes, caché sous les yeux des caméras du monde entier.

Je suis un élu. Je possède un destin. Les dieux m'ont choisi. Je suis, et de loin, supérieur à ce pantin de Mundaho, à Zeke Shaw, à Pierce, l'affreuse arriviste. Je domine de très haut l'ensemble des athlètes, qui pourtant me condamnent...

Le vent se lève. C'est vers lui que se porte à présent mon attention. Vers la tempête en marche, vers le nord-ouest de la ville, bien au-delà du stade et de Londres. Des nuages noirs bouillonnent à l'horizon. Le décor est planté. Le décor est parfait.

Je suis un élu.

Le public se déchaîne.

Que se passe-t-il? Elton John et Paul McCartney viennent d'apparaître sur la scène. Deux pianos blancs les y attendent. Ils s'assoient, face à face. Mais qui donc les accompagne? Marianne Faithfull! Oh non, pitié... Les voici qui entonnent « Let It Be » en l'honneur de Mundaho.

Leurs stridences me blessent l'âme. Je brûle de passer la main sur la cicatrice qui court à l'arrière de mon crâne, je rêve de mettre un terme prématuré à cette mascarade larmoyante. Mais, les yeux rivés sur l'orage qui s'annonce, je m'oblige à m'apaiser. Je dois suivre mon plan à la lettre.

Je me concentre sur mon imminent coup d'éclat. Dans une poignée de minutes, je jouirai de les voir tous courir vers les sorties, éperdus, fous de terreur, victimes du sacrifice ultime que je m'apprête à accomplir au nom des véritables Olympiens.

113

Tandis que la foule reprenait en chœur le « Let It Be » des Beatles, Peter Knight retrouva au pied de l'*Orbit*, qu'il venait de rejoindre en hâte, Jack Morgan, qui était déjà en train d'interroger les Gurkhas en faction devant l'escalier en spirale menant à la plate-forme d'observation.

— Lancer est-il monté là-haut ? s'enquit le détective hors d'haleine, la tête meurtrie par l'atroce migraine qui ne le quittait plus.

— Les seuls à être passés par ici après 15 h 30 sont les tireurs d'élite du SAS, plusieurs membres de la brigade cynophile, ainsi que les deux gardes de la reine qui veillent sur…

— A-t-on moyen de les prévenir ? l'interrompit Knight.

— Je l'ignore. Je ne crois pas.

— Je pense que Lancer a prévu de faire sauter la vasque, voire la tour tout entière. Où se trouvent le réservoir de propane et les tuyaux qui mènent à la flamme ?

— Par ici, répondit nerveusement un petit quinquagénaire trapu qui courait vers eux.

L'homme, arborant une fine moustache et des cheveux gominés, s'appelait Stuart Meeks. C'était le responsable des installations olympiques. Un iPad à la main, il transpirait abondamment en composant le code électronique qui commandait l'ouverture d'une porte enchâssée dans le béton. Elle menait à des locaux techniques en sous-sol, qui s'étendaient sous l'aile ouest de l'*Orbit*.

— Quelle est la taille du réservoir ? demanda le détective à Meeks.

— Il est énorme. Cinq cent mille litres.

Sur l'écran de son iPad s'était matérialisé un diagramme figurant le système de distribution de gaz.

— Voyez-vous, c'est lui qui dessert en propane l'ensemble de nos installations. Le gaz transite par des containers plus petits disposés près de chaque bâtiment. Ce système, de même que notre centrale électrique, a été conçu pour fonctionner en autosuffisance.

— Pour résumer : si ce réservoir saute, tout saute ?

— Non, je…

Le petit quinquagénaire se figea. Le sang avait reflué de son visage.

— Honnêtement, avoua-t-il, je n'en sais rien.

— Peter et moi étions avec Lancer sur la plate-forme d'observation, intervint Jack Morgan, il y a environ deux semaines, peu après son inspection de la vasque. S'est-il rendu au sous-sol durant cette inspection, Stuart ?

Ce dernier hocha positivement la tête.

— Il a insisté pour vérifier l'ensemble des équipements une dernière fois. Le réservoir et le réseau de canalisations jusqu'au coupleur reliant la tuyauterie au chaudron. Ça nous a pris plus d'une heure.

— Nous ne disposons pas d'une heure, grinça le détective.

En équilibre sur l'un des premiers barreaux de l'échelle, Jack se préparait à descendre pour examiner le réservoir géant.

— Rappelez la brigade cynophile, Stuart. Que les chiens fassent une nouvelle tournée des lieux. Et toi, Peter, vérifie les canalisations jusqu'au toit.

Knight demanda à Meeks s'il disposait d'outils à lui prêter. Ce dernier tira, d'un étui passé à sa ceinture, une pince multifonctions Leatherman.

— Je vais aussi vous envoyer le plan du système par téléphone, ajouta-t-il.

L'enquêteur n'avait pas fait vingt mètres que, déjà, son iPhone vibrait : il venait de recevoir le diagramme.

Une idée germa dans son esprit.

— Stuart, appela-t-il par radio. Comment gère-t-on l'arrivée du gaz au niveau de la vasque ? Existe-t-il une valve à actionner manuellement pour éteindre la flamme, ou s'agit-il d'un contrôle électronique ?

— Un contrôle électronique. Avant d'atteindre le chaudron, le tuyau court le long d'un espace étroit situé entre le plafond du restaurant et le toit de l'*Orbit*.

En dépit de son intense migraine, Peter Knight gravissait à bonne vitesse l'escalier en spirale de la tour. Le vent se renforçait. Il perçut au loin un roulement de tonnerre.

— Comment accède-t-on au toit ?

— Il y a un escalier de part et d'autre de la plate-forme d'observation, qu'on atteint par des portes coupe-feu. C'est l'itinéraire qu'empruntent les gardes de la reine pour se relayer là-haut. Il y a également une grille d'aération, à bonne distance de la valve dont nous venons de parler.

— Tout est OK au niveau du réservoir principal, intervint Jack dans l'oreillette. Savez-vous combien de litres de propane il contient actuellement ?

Le directeur des installations olympiques observa un long silence.

— On a fait le plein avant-hier matin, lâcha-t-il enfin d'une voix blanche.

Knight, qui poursuivait son ascension, savait à présent qu'au sous-sol, entre l'*Orbit* et le stade, sommeillait une bombe colossale capable d'abattre la tour, de détruire une partie du stade… Pis : si les réservoirs secondaires explosaient aussi, c'était l'ensemble du site olympique qui risquait de se voir réduit en cendres.

— Fais évacuer les lieux, Jack, déclara-t-il. Demande à la sécurité d'interrompre la cérémonie. Il faut vider le stade et le Parc tout entier.

— Mais que se passera-t-il s'il est en train de nous surveiller ? S'il contrôle le détonateur à distance ?

— Je l'ignore.

Le détective se sentait déchiré entre ses devoirs profes-sionnels et son irrépressible désir de fuir. Il était père de deux enfants et, plus tôt dans la journée, il avait risqué sa vie. Allait-il défier le sort une seconde fois?

À mesure qu'il montait l'escalier, il étudiait le diagramme sur l'écran de son portable. Il cherchait la valve commandant l'alimentation de la vasque, quelque part entre le toit et le plafond du restaurant. C'était là, il en avait l'intime conviction, que Lancer avait disposé son mécanisme meurtrier.

S'il réussissait à l'atteindre, s'il réussissait à le désamor-cer... S'il échouait...

114

Des éclairs déchiraient le ciel au loin, et les bourrasques gagnaient en violence. Peter Knight atteignait l'entrée de la plate-forme d'observation de l'*Orbit*. De la musique brésilienne lui parvint de l'intérieur du stade – on saluait le pays hôte des Jeux de 2016.

Bien qu'on les eût prévenus de sa visite, les Gurkhas insistèrent pour consulter les papiers d'identité du détective avant de l'autoriser à poursuivre. C'est un responsable du SAS qui prit le relais, un certain Creston. Ce dernier lui exposa que ses hommes et lui, ainsi qu'une petite équipe de télévision, se trouvaient sur la plate-forme depuis 17 heures environ. Le restaurant avait alors fermé ses portes. N'étaient restés que les gardes de la reine, qui utilisaient les toilettes de l'établissement pour se changer avant et après leur service.

Les gardes de la reine... Le régiment de Lancer a servi auprès des gardes de la reine, il me semble.

— Indiquez-moi le chemin du restaurant, demanda-t-il au militaire. Il se peut qu'un explosif ait été placé sur la canalisation de gaz, au-dessus des cuisines.

Déjà, Knight traversait les lieux au triple galop, le soldat sur les talons.

— Les portes menant au toit sont-elles ouvertes? s'enquit-il sans cesser de courir.

— Non, répondit le tireur d'élite. Elles ne s'ouvriront qu'au terme de la cérémonie. Elles sont équipées d'un minuteur.

— On n'a aucun moyen de parler avec les gardes de la reine en poste là-haut?

— Ils ne sont même pas armés, voyons.

Le détective pressa le bouton de son microphone.

— Stuart! Comment je fais pour grimper entre le plafond et le toit?

— Dans les cuisines, sur la gauche de la hotte aspirante, exposa le petit homme. On accède aux cuisines par une porte à deux battants, après les toilettes.

En avisant ces dernières, Knight eut une soudaine intuition.

— Quand les derniers gardes sont-ils partis? interrogea-t-il le militaire.

— Juste après la relève, supposa Creston en haussant les épaules. On leur avait offert des places pour la cérémonie de clôture.

— Ils ont filé juste après s'être changés?

— En effet.

L'enquêteur poussa la porte des toilettes pour dames.

— Que faites-vous?

— Je n'en sais encore rien…

Il s'accroupit pour jeter un coup d'œil à l'intérieur des box. Tous étaient vides.

Il reproduisit son geste dans les toilettes pour hommes. Cette fois, il découvrit le cadavre d'un grand Noir. Il en informa aussitôt Morgan par radio. Il criait:

— Je pense que Lancer lui a volé son uniforme et qu'il se trouve actuellement sur le toit!

Il avait repris le chemin des cuisines.

— Débrouillez-vous pour ouvrir les portes qui mènent là-haut, ordonna-t-il au responsable du SAS.

Celui-ci acquiesça avant de s'éclipser. Knight eut tôt fait de repérer la trappe ménagée dans le plafond. Il tira une table métallique sur laquelle il se préparait à grimper lorsqu'il s'empara de sa radio:

— Jack! Peut-on obtenir des images des gardes, afin de confirmer que Lancer a bien pris la place de l'un des deux?

Morgan transmit la requête aux *snipers* en position sur le toit.

— Stuart! appela le détective. Un cadenas boucle la trappe. Il me faut la combinaison.

Meeks la lui transmit. Les mains tremblantes, l'enquêteur composa le code. L'arceau métallique s'ouvrit. Il souleva la porte de la trappe au moyen d'un manche à balai. Il parcourut la cuisine du regard – ce chalumeau pour caraméliser les crèmes brûlées, songea-t-il, lui serait peut-être utile. Il l'emporta.

Parvenu, au prix de quelques efforts, dans l'espace exigu ménagé entre le plafond et le toit, il alluma sa lampe torche, qu'il braqua devant lui en se tortillant vers un tuyau de cuivre. Il ne tarda pas à repérer un téléphone portable fixé par du ruban adhésif à une canalisation, près d'un autre objet.

— Bingo! annonça-t-il à Morgan. Une petite bombe au magnésium. Je ne vois pas de minuteur. Elle doit être commandée à distance. Fais couper l'ensemble du circuit. Fais éteindre la flamme olympique. Immédiatement.

115

Soufflez, ô vents, soufflez!

Les éclairs illuminent les nuées et le tonnerre gronde en direction du nord-ouest, vers Crouch End et Stroud Green, non loin de l'endroit sordide où mes drogués de parents m'ont donné naissance.

Tandis que l'imbécile qui préside le Comité olympique international s'apprête à commander qu'on baisse les couleurs et qu'on éteigne la flamme, je pense à mon destin. Je fixe le mur ténébreux de la tempête, songeant que mon parcours s'achève à quelques kilomètres à peine du lieu où il a commencé.

J'extrais de ma poche mon téléphone portable, dont je presse la touche de composition rapide des numéros. Après quoi je range le mobile, je lève mon fusil, puis je pivote sur ma droite pour me rapprocher de la vasque.

116

Quelques minutes plus tôt, à l'instant où Jacques Rogge, président du CIO, la mine défaite et l'œil grave, avançait vers son pupitre, Karen Pope se frayait un chemin dans les gradins de l'aile ouest du stade olympique. Elle venait de publier son dernier article sur le site Internet du *Sun*, où elle narrait l'issue heureuse du kidnapping de Peter Knight et de ses enfants, la mort de Marta et de ses sœurs. Elle informait en outre ses lecteurs que les forces de l'ordre traquaient à présent Mike Lancer à travers tout le pays.

La tempête redoublait de violence et, comme le tonnerre roulait de plus en plus fort, Jacques Rogge luttait pour se faire entendre. *Ces maudits Jeux sont presque bouclés. Bon débarras.* La jeune femme se sentait déprimée. Elle avait également grand besoin de sommeil. Pourquoi diable Knight ne répondait-il pas au téléphone? s'agaça-t-elle. Pas plus que Jack Morgan ou Elaine Pottersfield, d'ailleurs. Que se tramait-il encore, dont personne n'avait daigné l'informer?

Le président du CIO était sur le point de décréter la fin des Jeux de Londres. Karen Pope leva les yeux vers la flamme, dont elle attendit l'extinction.

Mais le garde planté sur la gauche de la vasque leva brusquement son fusil, se débarrassa de son bonnet en poil d'ours, pivota et fit feu sur son compagnon d'armes. Celui-ci tressaillit, puis tituba avant de dégringoler de la plate-forme. Il heurta le toit, glissa. Enfin, ce fut la longue chute jusqu'au sol, où il s'écrasa parmi les cris d'horreur de la foule.

Une voix rugit dans les haut-parleurs : « Pauvres créatures inférieures que vous êtes… Je suis l'instrument des dieux. Vous n'imaginiez quand même pas que j'allais vous permettre de vous en tirer à si bon compte ?… »

117

Agrippant mon portable de la main droite, je le porte à mes lèvres pour m'adresser aux spectateurs. La puissance de ma voix m'enivre. J'en perçois l'écho avec délice. « Et que les tireurs d'élite du SAS se tiennent donc un peu tranquilles. Je garde un doigt posé sur mon détonateur. Qu'ils s'avisent de m'abattre et cette tour sautera, au même titre qu'une large portion du stade. Plusieurs dizaines de milliers de personnes périront dans le sinistre. »

Au-dessous de moi, hommes et femmes s'agitent en tous sens, affolés. On croirait des rats tentant de quitter un navire en perdition. Un sourire de satisfaction se peint sur mon visage.

« Cette soirée marque la fin des Jeux de l'ère moderne, grondé-je. Ce soir, j'éteins cette flamme maudite alimentée au noir poison de la corruption depuis que le traître Coubertin a transformé cette célébration antique en grotesque parodie, voilà plus d'un siècle. »

118

Les coups de feu et le discours dément de Mike Lancer parvinrent à Peter Knight à travers la grille d'aération ménagée dans le toit de l'*Orbit*.

Il n'était plus temps d'essayer de désamorcer la bombe au magnésium de Cronos.

— Et si on bouclait les réservoirs de gaz? suggéra-t-il par radio à Jack Morgan.

— C'est une catastrophe, Peter : Lancer a soudé les valves. Impossible de les refermer.

Au-dessus du détective, l'ancien décathlonien se lançait dans une interminable diatribe, condamnant pêle-mêle les médecins barcelonais qui, selon lui, l'avaient drogué à dessein, les athlètes, les organisateurs, tous ceux qui, de près ou de loin, participaient à l'aventure des JO. Tout en bas, la foule hurlait; Knight n'avait pas le choix.

Il rampa jusqu'à la grille d'aération, dont il fit fondre patiemment, au moyen du chalumeau de cuisine, la résine chimique qui maintenait en place ses quatre boulons. La pince multifonctions que lui avait remise Stuart Meeks lui permit d'achever le travail.

119

De terribles éclairs zèbrent le ciel de Londres. Le tonnerre est pareil à des coups de canon. Par milliers, les spectateurs épouvantés cherchent à fuir le stade. « Il faut en finir avec les Jeux de l'ère moderne ! »

J'attends des cris de terreur, peut-être quelques applaudissements de la part des plus malins. Au lieu de quoi les monstres me huent. Ils osent me siffler, ils ont l'audace de moquer mon génie, de traîner mon infinie supériorité dans la boue.

Mais, au fond, peu importe : mon long martyre touche à sa fin. Rien ni personne ne peut plus m'interdire d'accomplir mon destin.

Il n'empêche : une vague de haine me submerge à l'égal d'un raz-de-marée, je suffoque sous ses assauts, je brûle de détruire un à un les monstres qui se pressent au-dessous de moi.

Je lève les yeux vers le ciel d'encre, strié çà et là d'aveuglants éclats. Les nuages bouillonnent, la pluie s'abat sur le commun des mortels. « Pour vous, dieux de l'Olympe ! Je fais tout cela pour vous ! »

120

Peter Knight, qui avait atteint la plate-forme, courait vers la vasque olympique sous une pluie torrentielle.

Avant que le dément ait eu le temps de presser le bouton de son détonateur, il se jeta sur lui. Lancer s'abattit lourdement sur le sol. Son arme glissa au loin.

Le détective maintenait l'homme sous lui, qui ne lâchait pas son portable. Mais si l'ancien décathlonien accusait une dizaine d'années de plus que Knight, il se révéla plus puissant, mieux affûté. Plus entraîné au combat.

Il se défendit si bien que l'agent de Private se trouva projeté sur le côté – il faillit heurter la paroi brûlante du chaudron olympique. Contre toute attente, la chaleur torride, mêlée à l'averse diluvienne, le revigora presque instantanément.

Comme Lancer tentait de se remettre debout, le détective lui assena un coup de pied dans la cheville. Le champion déchu poussa un cri, retomba sur un genou avant de s'efforcer de se relever. Peine perdue : Knight, cette fois, passait le bras autour de son cou de taureau et se mettait à presser – il voulait récupérer à tout prix le mobile. Mais l'ancien sportif reprit le dessus, et son coude défonça les côtes déjà meurtries de son ennemi.

Celui-ci tint bon en dépit du supplice, porté par le souvenir d'Isabel et de Luke. Au garçonnet, il emprunta d'ailleurs une tactique dont il avait pu constater l'efficacité : il mordit Lancer à l'arrière de la tête, serrant entre ses dents l'étrange bourrelet de sa cicatrice. La manœuvre arracha à Cronos des hurlements de douleur et de rage.

Knight relâcha l'étau de sa mâchoire pour mordre de plus belle, en pleine nuque cette fois. On aurait cru un lion s'acharnant sur un gnou.

Lancer devenait fou.

Il s'agitait, se contorsionnait, dévoré par une fureur proprement surhumaine. Il finit par marteler la cage thoracique de l'enquêteur. Des os craquèrent.

C'en était trop.

Soudain privé d'air, déchiré par une intolérable souffrance, le détective s'effondra sur la plate-forme. La pluie ne cessait plus.

Le sang dégouttant de ses blessures, l'ancien décathlonien jeta à son adversaire un regard triomphant et furibond.

— Tu n'avais pas la moindre chance, jubila-t-il en brandissant son portable vers les cieux. Tu t'es attaqué à un être infiniment supérieur. Tu n'avais…

Peter Knight projeta en direction de Lancer la pince multifonctions que Stuart Meeks lui avait prêtée avant son ascension dans les entrailles de l'*Orbit*.

L'objet tournoya dans l'air tempétueux pour venir se ficher dans l'œil droit du dément.

Ce dernier recula de quelques pas sans lâcher son mobile, puis se mit à mugir en maudissant le nom de Zeus qui jadis avait précipité Cronos au fond des noirs abîmes de la prison du Tartare.

Pendant une brève seconde, l'enquêteur crut que l'homme allait retrouver l'équilibre et actionner le détonateur.

Mais, en dépit des paratonnerres érigés au sommet de la structure, un déchirant éclair toucha l'extrémité de l'outil toujours planté dans l'œil de Lancer. C'en était fini du bras armé des dieux, du vengeur autoproclamé qui, frappé par la foudre, bascula par-dessus le bord de la vasque, où la flamme olympique l'engloutit en rugissant.

Épilogue

Lundi 13 août 2012

Au troisième étage du London Bridge Hospital, assis dans un fauteuil roulant, Peter Knight souriait avec raideur aux visiteurs qui se pressaient dans la chambre d'Isabel et Luke. Certes, les effets de la commotion cérébrale diagnostiquée par les médecins s'atténuaient peu à peu, la migraine refluait, mais ses côtes brisées lui imposaient d'atroces souffrances ; il lui semblait qu'on lui sciait la poitrine à chaque inspiration.

Mais il était vivant. Les jumeaux étaient vivants. Les jeux Olympiques avaient survécu au délire de Mike Lancer.

Elaine Pottersfield venait d'apporter deux petits gâteaux au chocolat ornés de bougies d'anniversaire.

Hooligan, qui ne manquait jamais une occasion de pousser la chansonnette, entonna un « Happy Birthday » auquel les infirmières du service, les médecins, ainsi que Jack Morgan et Karen Pope mêlèrent leurs voix – Amanda et Gary Boss, arrivés tôt pour décorer la pièce de banderoles et de ballons, étaient également de la partie.

— Fermez les yeux et faites un vœu, suggéra Pottersfield à ses neveux.

— Un vœu énorme ! renchérit leur grand-mère.

Les jumeaux baissèrent les paupières une seconde, les rouvrirent et soufflèrent leurs bougies. Toute l'assistance applaudit. L'inspectrice en chef se chargea de couper les pâtisseries.

Karen Pope, dont la curiosité de journaliste ne désarmait pas, s'approcha de Luke :

— Quel vœu as-tu fait ?

Le garçonnet se tortilla, mal à l'aise.

— Lukey te le dit pas. C'est secret.

Sa sœur se montra moins discrète.

— Moi, j'ai demandé une nouvelle maman, annonça-t-elle d'un ton neutre.

Luke se rembrunit.

— Pas juste ! C'est ce que Lukey a demandé aussi.

Les visiteurs s'attendrirent dans un commun murmure. Knight sentit une fois de plus son cœur se briser.

— Plus de nounou, hein, papa ? intervint Isabel.

— Non, ma chérie, c'est promis.

Il se tourna vers sa mère.

— Tu es d'accord ?

— À condition que je veille personnellement sur eux.

— Moi de même, ajouta Boss avec emphase.

On servit les parts de gâteau, accompagnées de glace. Après quoi les jumeaux ouvrirent les présents que les invités leur avaient offerts. Au terme des réjouissances, une immense fatigue s'empara des enfants – Isabel fermait les yeux malgré elle, et Luke se balançait doucement en suçant son pouce. Amanda et Boss s'éclipsèrent en promettant à Knight de revenir le lendemain matin pour le ramener chez lui avec les jumeaux.

— Recruter une criminelle de guerre en guise de baby-sitter ne comptera certes pas parmi vos plus brillants exploits, se moqua gentiment sa belle-sœur, mais, au final, vous vous êtes comporté en héros. Kate serait fière de voir l'acharnement dont vous avez fait preuve pour sauver vos enfants, pour sauver les Jeux, pour sauver Londres…

— Je vous serrerais volontiers dans mes bras, commenta le détective, ému, mais…

Elle lui souffla un baiser avant de sortir – elle allait visiter James Daring et Selena Farrell, admis dans le même établissement.

— J'ai un cadeau pour toi, Peter, intervint Jack Morgan, lui aussi sur le départ. J'ai prévu de t'accorder une prodigieuse augmentation de salaire, mais je tiens d'abord à ce que tu prennes quelques semaines de vacances sous les tropiques avec Isabel et Luke. C'est la maison qui régale. Sur ce, j'ai un avion pour Los Angeles qui m'attend.

Karen Pope et Hooligan se levèrent à sa suite.

— On va au pub, lança le jeune scientifique. Ils vont repasser les meilleurs moments du tournoi olympique de football.

— Comment ça, « on »? s'étonna Knight en haussant les sourcils.

La journaliste glissa un bras sous celui de Hooligan.

— Nous nous sommes découvert de nombreux points communs, déclara-t-elle avec un grand sourire. Mes frères sont également des supporters de foot acharnés.

Le couple quitta la chambre en riant aux éclats.

Après que les infirmières eurent déserté les lieux à leur tour, le détective se retrouva seul avec les jumeaux endormis. Il leva les yeux vers l'écran de télévision. La flamme olympique brûlait toujours – Jacques Rogge avait demandé cette faveur exceptionnelle au gouvernement britannique qui, au vu des récents événements, avait aussitôt accepté.

Peter Knight poussa un lourd soupir. Kate lui manquait. Il songea pour la énième fois que peut-être aucune femme après elle ne saurait plus gagner son cœur, qu'il était peut-être voué à poursuivre sa route sans le soutien d'une nouvelle compagne…

On frappa à la porte. Une voix féminine s'éleva, joyeuse et douce.

— Monsieur Knight? Puis-je entrer?

— Je vous en prie.

Une superbe femme à la silhouette athlétique parut. Le détective la reconnut immédiatement.

— Hunter Pierce, murmura-t-il en tentant de se mettre debout.

— En effet, acquiesça la plongeuse américaine en lui décochant un sourire ravageur. Ne vous levez pas, voyons. On m'a dit que vous étiez blessé.

Elle est rayonnante, se dit Peter Knight.

— Je me trouvais au Centre aquatique, lui révéla-t-il. Le jour où vous avez remporté la médaille d'or.

— C'est vrai?

Elle paraissait sincèrement touchée, tandis que les yeux de l'enquêteur s'embuaient sans qu'il comprenne pourquoi.

— Vous avez su conserver votre élégance et votre grâce au beau milieu de la tourmente, complimenta-t-il la sportive. Et j'ai beaucoup apprécié les discours que vous avez prononcés contre Cronos. Vous avez tenu bon. C'était remarquable. Je suppose que je ne suis pas le seul à vous le dire.

— Je vous remercie. Mais les athlètes – Shaw, Mundaho et les autres – m'ont demandé de vous rendre visite en leur nom. Car nous estimons que la plus formidable prouesse de ces Jeux, c'est vous qui l'avez accomplie ce soir.

— Non, je…

— J'insiste. J'assistais à la cérémonie dans le stade, avec mes enfants. Nous vous avons vu affronter Mike Lancer. Vous avez risqué votre peau pour préserver la nôtre. Je tenais à vous remercier personnellement, du fond du cœur.

— Je ne sais pas quoi dire, balbutia Knight, dont la gorge se nouait.

La jeune femme observa les deux enfants endormis.

— Voici donc les braves petits bouts de chou dont le *Sun* parlait ce matin?

— Luke et Isabel, oui. Les deux amours de ma vie.

— Ils sont superbes. Vous avez beaucoup de chance, monsieur Knight.

— Appelez-moi Peter.

Ils se fixèrent longuement, avec l'impression confuse de renouer l'un et l'autre avec un sentiment familier, oublié néanmoins depuis longtemps.

— Je comptais seulement vous rendre une visite éclair, reprit l'Américaine, mais je crois que j'ai une meilleure idée.

— Laquelle?

— Que diriez-vous d'une folle virée à la cafétéria pendant que vos deux anges sont dans les bras de Morphée? proposa-t-elle d'une voix taquine. Nous pourrions siroter un thé en faisant plus ample connaissance.

Knight sentit une immense joie l'envahir.

— Allons-y! Je pense que je vais adorer ça.

Table

(Suite de la page 4)

AU FLEUVE NOIR

L'Été des machettes, 2004.
Vendredi noir, 2003.
Celui qui dansait sur les tombes, 2002.
Et tombent les filles, 1996.
Le Masque de l'araignée, 1993.

PRIVATE LOS ANGELES

Quand la police ne peut plus vous aider...

Jack Morgan dirige l'agence de détectives privés la plus élitiste qui soit, Private. Politiciens, hommes d'affaires et stars du show-biz sont au nombre des clients de l'agence, qui dispose de bureaux dans le monde entier et des meilleurs spécialistes. *Profiling*, balistique, informatique, analyses scientifiques... Rien ne résiste à ses experts !

Quand la presse s'apprête à vous détruire...

À Los Angeles, ils enquêtent sur une affaire de paris sportifs truqués qui menace d'implosion la ligue de football. Et traquent aussi un tueur en série de jeunes lycéennes, lorsque Jack apprend que la femme de son meilleur ami a été assassinée...

Votre dernière chance : l'agence de détectives Private !

Vient alors se greffer une autre histoire, plus personnelle encore, qui l'oblige à enfreindre une règle absolue : ne jamais pactiser avec le diable... Qui a dit qu'à L.A. le crime c'était du cinéma ?

ISBN 978-2-8098-0544-4 / H 50-8605-3 / 352 pages / 22 €